Le syndicalisme québécois

Idéologies de la C.S.N. et de la F.T.Q.

1940-1970

Le syndicalisme québécois

Idéologies de la C.S.N. et de la F.T.Q.

1940-1970

par

LOUIS-MARIE TREMBLAY

1972
Les Presses de l'Université de Montréal
C.P. 6128, Montréal 101, Canada

Cet ouvrage a été publié grâce à une subvention accordée par le
Conseil canadien de recherche en sciences sociales et provenant de fonds
fournis par le Conseil des Arts du Canada.

Couverture : Photo La Presse

ISBN   0   8405   0212   5

Dépôt légal, 4ᵉ trimestre 1972 — Bibliothèque nationale du Québec

À mon épouse, Yvette
et à mes enfants,
Dominique et Marie-Claude

Écrire sur le mouvement syndical québécois par les années qui courent n'est pas chose facile. Les événements survenus depuis les dix dernières années au Québec, cette espèce de renaissance sans cesse remise en cause, ne laissent pas de brouiller les pistes de quiconque veut s'astreindre à analyser en profondeur les cheminements idéologiques de nos organisations populaires, et en particulier de nos syndicats de salariés.

À même le fatras d'idées, d'opinions, de formules d'action, de programmes, charriés depuis plus d'une décennie par ce qu'on a appelé, plutôt à tort d'ailleurs, la « révolution tranquille », il apparaît assez malaisé d'atteindre à une altitude de vue qui nous permette de distinguer l'essentiel de l'accessoire, le durable de l'éphémère, le réel de l'imaginaire dans ce qu'ont été et sont devenues nos centrales syndicales parmi d'autres institutions.

Mon collègue Louis-Marie Tremblay a relevé ce défi en entreprenant le présent ouvrage et je crois qu'il a fort bien réussi dans son entreprise. Sur un sujet aussi controversé, il est inévitable que l'éventail des opinions et des intérêts fassent en sorte que les critiques s'exercent. C'est le lot de toute étude, qui se veut objective, d'une réalité aussi chargée d'émotion, et même de passion, que l'est le syndicalisme de salariés dans une société comme la nôtre.

Le présent ouvrage a toutefois l'unique avantage de s'inscrire dans une perspective historique en même temps que le mérite non contestable de reposer sur une recherche systématiquement poursuivie à partir de sources documentaires irrécusables. Ce qui relève de l'interprétation et du commentaire en est réduit d'autant, ce qui tend à circonscrire en conséquence le champ de la controverse.

À sa lecture il ressort avec force que le syndicalisme au Québec, depuis les années 40, au-delà de la diversité des structures et de l'appartenance idéologique qui en font un cas en quelque sorte unique en Amérique du Nord, a évolué inexorablement, en dépit des avatars qui ont été les siens au cours des années, vers une radicalisation accrue, sinon dans son action professionnelle journalière, du moins dans sa philosophie, dans sa conception de l'ordre social et économique, voire même dans ses préoccupations d'ordre politique.

Nous sommes, à toutes fins pratiques (et ceci vaut dans l'ensemble pour les deux centrales étudiées) en présence d'un syndicalisme d'accommodement sinon d'« affaire » dans son action revendicative et professionnelle, syndicalisme qui se détache imperceptiblement d'abord, puis d'une manière accélérée, du modèle nord-américain classique pour prendre de plus en plus figure de mouvement de contestation de la société au sein de laquelle il évolue désormais.

Qu'on soit d'accord ou non avec cette évolution, elle est là, elle saute aux yeux du lecteur. Même si les sources utilisées par l'auteur, comme il le mentionne, ne tendent à révéler que l'« idéologie officielle » sécrétée par nos centrales syndicales au cours des trente dernières années, il reste que l'actualité confirme en bonne partie cette évolution. D'ailleurs, peut-on, en toute bonne foi, refuser d'emblée aux résolutions des congrès, aux cahiers permanents de revendications, aux comptes rendus des débats, aux mémoires spécialisés ou d'ordre général, voire même aux déclarations officielles des principaux leaders, le caractère probant qui doit être le leur à l'endroit de ce qu'il est convenu d'appeler le « sentiment profond » des membres, leurs façons de voir et de juger ce qui les préoccupe ? En période de crise aiguë, d'affrontements irrémissibles, un hiatus entre la philosophie officielle et le sentiment de « la base », ou d'une partie de celle-ci, peut s'introduire momentanément : nous en avons des preuves lorsque des schismes surviennent ou que des réalignements profonds s'opèrent dans la composition des leaderships. Les événements récents dans le monde syndical québécois en sont un exemple. Mais ceci signifie, en même temps, qu'en règle très générale, et de surplus en période historique étendue, la dichotomie que d'aucuns voudraient toujours percevoir au sein des organismes syndicaux entre leur « pensée officielle » et celle de la « majorité silencieuse » reste assez souvent plus imaginaire que réelle.

Cette évolution de notre syndicalisme se maintiendra-t-elle dans l'avenir ? À quels réalignements structurels et idéologiques pourra-t-elle l'entraîner ? Quels seront les succès respectifs des tendances qu'ils refléteront ? Comment les salariés du Québec, et sa population en général, les accueilleront-ils ? Ce sont là autant de questions que la pré-

sente étude, dont l'objet principal n'est que d'analyser le passé, est susceptible d'éclairer puissamment pour quiconque veut y réfléchir. Les sujets d'analyse, retenus par M. Tremblay pour identifier les composantes de ce qu'il appelle l'idéologie de nos principales centrales syndicales, couvrent sobrement mais avec une densité analytique remarquable les principales dimensions de l'action syndicale qu'on a connue historiquement. On ne peut faire autrement que de les retrouver présentes dans les comportements futurs de nos syndicats. Outre l'intérêt historique propre qui est le sien, c'est donc surtout l'outil qu'elle représente pour l'examen des phénomènes syndicaux contemporains et leur projection dans l'avenir qui, je crois, fait de cette étude un texte précieux dans notre jeune et encore mince littérature en relations du travail. Nul ne contestera, au Québec, le besoin impérieux de recherches désintéressées dans ce secteur vital de notre vie collective.

En publiant dans cet ouvrage les résultats de sa recherche, Louis-Marie Tremblay apporte une contribution essentielle qui suscitera, je l'espère, d'autres explorations de cette réalité.

Montréal, le 30 août 1972

Jean-Réal CARDIN
Directeur de l'École des relations industrielles
de l'Université de Montréal

Avant-propos

À la requête de l'Équipe spécialisée en relations de travail, nous avions effectué, en 1967-1968, une recherche sur l'*Évolution de la philosophie du syndicalisme au Québec, depuis 1940*. Étant donné les ressources à notre disposition ainsi que les échéances prévues, notre rapport était basé sur une analyse documentaire par voie d'échantillonnage. Nous avons poursuivi, par la suite, cette recherche en complétant l'analyse des documents et en l'étendant jusqu'à la fin de l'année 1970. La présente publication est le produit de ce travail.

Ce volume a pour but d'améliorer, en dépit de ses limitations, la connaissance et la compréhension de l'action syndicale québécoise des trente dernières années. Nous souhaitons que cet effort initial soit complété et approfondi par d'autres recherches.

Nous exprimons notre reconnaissance aux autorités de l'Université de Montréal qui nous ont permis de nous consacrer à la rédaction de ce volume en nous accordant un congé sabbatique, à nos collègues, messieurs Jean-Réal Cardin et Léo Roback qui ont fait une lecture critique du manuscrit, à madame Francyne Panet-Raymond et à monsieur Michel Brossard qui nous ont assisté efficacement dans notre recherche et à madame Hélène Boutin qui a dactylographié les textes.

L.-M. T.

Introduction

Un chef syndical, que nous interviewions dans le cadre de notre recherche, nous disait : « Le syndicalisme n'a pas d'idéologie ; il est essentiellement pragmatique et opportuniste. » Ses propos étaient à l'effet que le syndicalisme est institutionnalisé au point que les élites ainsi que les groupes de la communauté s'attendent à ce qu'il se prononce sur une foule de questions qui ne sont pas de son ressort, ce qui l'amène à improviser des réponses ou à adopter des attitudes, selon les circonstances, afin d'être à la hauteur du rôle qu'on lui attribue. Néanmoins, à travers les attitudes et les comportements, apparemment hétéroclites et parfois contradictoires, à travers la pensée des hommes qui se succèdent aux postes de direction se dégage une continuité historique. C'est cette continuité qui nous intéresse et que nous voulons faire ressortir dans ce volume.

L'idéologie et le sens historique du syndicalisme québécois sont, à la fois, méconnus et galvaudés. Peu d'études sérieuses générales ou partielles ont été faites sur ce sujet. Trop souvent, des travaux à caractère doctrinaire ou visant à étayer une thèse tentent de présenter le syndicalisme québécois, soit comme une institution révolutionnaire, soit comme une institution réactionnaire, en entretenant des mythes ou des préjugés, en triturant les faits ou en fabriquant des généralisations simplistes basées sur une sélection de faits isolés. Notre travail n'a pas de but apologétique. Notre intention est de porter à la connaissance d'un public aussi large que possible les valeurs, les attitudes, les orientations d'un phénomène social que notre conscience collective n'a pas encore totalement absorbé. Le syndicalisme québécois est le produit de notre milieu, même lorsque ses racines proviennent de terre étrangère, car c'est sous notre soleil qu'il vit. Il en reflète le climat, les nuages, les tempêtes et les éclaircies. Il est de notre chair, fait de nos sentiments, nos égoïsmes, nos espoirs et un brin de promesse d'un avenir toujours meilleur. L'action syndicale est éminemment humaine.

Notre étude vise à identifier la rationalité de l'action syndicale, soit le système d'idées articulées (*i. e.* l'idéologie) qui explique la formulation des buts, immédiats et lointains, ainsi que le choix des moyens ou techniques pour les atteindre, dans une perspective dynamique [1].

Selon Fernand Dumont [2] l'analyse des idéologies nécessite une étude tridimensionnelle de la définition de soi-même, des autres et des rapports entre soi-même et les autres. Appliqué au syndicalisme ce modèle comporte : *a*) une définition de l'institution syndicale, ce qui implique l'identification des valeurs dominantes qui constituent les facteurs de solidarité syndicale et les rationalisateurs de l'action ; *b*) une définition de l'environnement dans lequel les syndicats opèrent, soit la perception de l'évolution des systèmes économique, socio-politique et de relations industrielles ; *c*) une définition de la relation entre les syndicats et les structures composantes du milieu (patronat, pouvoirs politiques, institutions communautaires, travailleurs). Cette dernière contient une définition idéale de la relation entre soi et les autres, une évaluation de la relation existentielle entre soi et les autres ainsi qu'une conception de la vision de soi par les autres.

Ce modèle contient implicitement une conception de l'homme comme travailleur, comme citoyen, comme syndiqué et comme détenteur de divers rôles sociaux. L'importance de cette conception apparaît dès que l'on définit le syndicalisme comme un instrument de défense ou de promotion de l'homme dans l'un ou dans plusieurs de ses rôles au sein de la société. C'est en établissant un rapport entre l'homme et les structures sociales, économiques et politiques que le syndicalisme évalue les structures sociétaires, définit ses objectifs et procède au choix des moyens d'action.

Suivant notre modèle d'analyse, le développement de l'idéologie est conditionné par les quatre facteurs suivants : les sources de tension, la nature du pouvoir, les facteurs de solidarité et les types de leadership. Les tensions proviennent de désorganisations à l'intérieur d'un système

---

1. Le terme « idéologie » a tant de significations différentes, qu'il importe d'en préciser le sens, aux fins de cette étude. L'idéologie syndicale, c'est un cadre de référence et d'identification où des hommes et des groupes prennent conscience de leur identité et un instrument d'action qui permet d'interpréter une situation, de définir des buts et des moyens et de canaliser des énergies. Pour une analyse conceptuelle, voir : Jacques Grand'Maison, *Stratégies sociales et nouvelles idéologies*, Montréal H.M.H., 1970, partie IV, p. 145-254.

2. Fernand Dumont, « Structure d'une idéologie religieuse », *Recherches sociographiques*, vol. IV, n° 2, avril-juin 1960, p. 161-189.

social dont les participants subissent les conséquences à cause, soit de structures disfonctionnelles, soit de besoins fonctionnels insuffisamment remplis. La solidarité fait appel aux normes et aux valeurs qui sont à la base de la cohésion des collectivités et des groupes sociaux en assurant la loyauté et la motivation des membres. Le pouvoir affecte de façon immédiate la définition de la place du syndicalisme au sein de la société et des interrelations entre ce dernier et les institutions ou les groupes de la communauté. Il est de nature économique lorsqu'il s'applique sur le marché du travail et de nature politique lorsqu'il dépend de facteurs sociologiques, culturels ou politiques. Le leadership est le catalyseur pour l'interprétation de la situation et la détermination de politiques d'action à l'intérieur de limites acceptables par les membres.

Du rapport solidarité-leadership émergent quatre orientations distinctes de la part des agents de l'action syndicale, que nous qualifions de la façon suivante : adaptation vocationnelle, adaptation de masse, transformation vocationnelle, transformation de masse. L'orientation adaptation vocationnelle tend à structurer le développement de l'idéologie autour des préoccupations à caractère professionnel. Lorsque la vision dépasse le cadre du milieu industriel, c'est qu'elle porte sur des problèmes qui ont des répercussions sur la réalisation des objectifs professionnels. L'orientation adaptation de masse repose aussi sur le processus d'accommodation mais sur une base plus large. Elle implique un élargissement des préoccupations bien que les objectifs professionnels demeurent prioritaires. Le syndicalisme suédois correspond à ce modèle. L'orientation transformation vocationnelle incline vers la possession ou le contrôle des instruments de production. Les formules de cogestion, les politiques de nationalisation ou d'étatisation, les idéologies corporatistes, coopératistes et socialistes-utopiques supposent ce type d'orientation de base. L'orientation transformation de masse est implicite dans les mouvements qui visent à transformer radicalement ou en profondeur l'ordre social, tel le syndicalisme révolutionnaire [3].

L'actualisation de l'idéologie est réalisée par l'entremise des objectifs professionnels, des objectifs paraprofessionnels, de l'action économique et de l'action politique. Les objectifs professionnels sont structurés autour de l'exercice du rôle des travailleurs et visent à intégrer ces derniers dans leur profession, par la réglementation des rapports professionnels, les services et la représentation des intérêts professionnels.

---

3. Pour un meilleur exposé de ce modèle, voir : Louis-Marie Tremblay, *Relations industrielles*, notes de cours, Montréal, Librairie des Presses de l'Université de Montréal, 1970, chapitre 10, p. 256-284.

Les objectifs paraprofessionnels visent à intégrer les travailleurs dans la communauté. Les syndicats s'efforcent alors de défendre les travailleurs dans l'exercice de leurs autres rôles sociaux, dans la mesure où ces derniers sont interreliés au rôle de travailleur. L'action économique se situe au niveau des structures économiques et est axée principalement sur le processus de la négociation collective. L'action politique se situe au niveau des structures politiques. Notre hypothèse est à l'effet qu'elle constitue un moyen nécessaire et conforme à la nature du syndicalisme [4].

C'est là, en résumé, le modèle d'analyse que nous avons utilisé au cours de notre recherche. Cependant, la présentation des résultats n'épouse pas la même rigueur méthodologique, car cette publication s'adresse aussi bien au grand public qu'au public spécialisé. Nous avons adopté, en effet, un modèle peu complexe suivant lequel, pour chacune des deux centrales syndicales étudiées, l'idéologie est globalement décrite dans un premier chapitre et précisée dans les chapitres suivants sous les titres de politiques économiques, politiques sociales et politiques de relations du travail. Pour la même raison, nous procédons de façon descriptive en évitant tout langage hermétique et en incluant de nombreuses citations dans le but d'illustrer les généralisations ou les jugements portés à l'occasion.

Ce travail n'est pas exhaustif. Il contient, au contraire, des limitations intrinsèques d'ordre méthodologique ou d'ordre substantif, dont il convient d'informer le lecteur.

On ne contestera pas que tout comportement, toute prise de position peut avoir, à priori, une signification idéologique, tant pour l'acteur que pour l'observateur. Les déclarations de principes, les expressions d'opinions, les choix entre des possibilités quant aux objectifs et quant aux méthodes d'action contiennent implicitement ou explicitement des normes et des valeurs révélatrices d'un système d'idées. Dans ce sens, l'action syndicale, dans sa totalité est significative du point de vue idéologique.

Il serait présomptueux, dans l'état actuel de la recherche, alors que l'histoire même du syndicalisme est squelettique, de prétendre présenter, dans un premier ouvrage, l'idéologie de l'action syndicale, dans sa totalité. Notre étude est plus modeste car elle porte, uniquement, sur ce que nous appelons l'« idéologie officielle ». Il s'agit de l'idéologie qui se dégage des documents publics principalement, tels

4. Nous utiliserons ici le modèle que nous avons élaboré dans un écrit antérieur. Voir : Louis-Marie Tremblay, « L'action politique syndicale », *Relations industrielles*, Québec, P.U.L., vol. XXI, n° 1, janvier 1966, p. 44-56.

que les résolutions, les rapports et les procès-verbaux des congrès, les discours, déclarations publiques et communiqués de presse, les mémoires ainsi que les éditoriaux des journaux syndicaux [5]. Un décalage entre l'« idéologie existentielle » et l'« idéologie officielle » est alors possible car les comportements ne sont pas nécessairement compatibles ou conformes aux orientations définies par les textes et les déclarations. Nous croyons, cependant, que l'étude de l'« idéologie officielle » revêt une grande importance, comme première étape de recherche, parce qu'elle reflète l'image du syndicalisme que les définisseurs de situation cherchent à projeter et parce que avec le temps, elle tend à imprégner significativement l'action [6].

Notre étude porte uniquement sur les deux centrales syndicales à vocation générale. Elle ne tient pas compte des structures syndicales intermédiaires et locales. La recherche au niveau de ces structures aurait nécessité des ressources dont nous ne disposions pas. C'est pourquoi, il nous a semblé logique que le point de départ d'une recherche de cette nature soit le sommet de la pyramide syndicale. Mais, il est souhaitable qu'une telle recherche soit poursuivie au niveau des structures syndicales inférieures, qui constituent aussi des centres de formation d'idéologie, afin de déterminer le degré de concordance idéologique entre les

---

5.　Ces documents constituent un matériel substantif, abondant et diversifié. Chacun a, cependant, une signification idéologique particulière selon la fonction qui lui est dévolue et selon les circonstances qui entourent sa production. Cette signification idéologique ayant été déterminée, l'analyse comparative a permis de faire des recoupements en tenant compte de la valeur relative de chaque type de documents. C'est pourquoi, nous considérons que les résultats obtenus sont scientifiquement valables.
　　　La méthode de travail était axée sur une analyse de contenu, suivant une grille d'analyse préétablie, de type qualitatif plutôt que quantitatif. Une telle méthode a un caractère impressionniste et fait largement appel au jugement et à la capacité d'analyse et de compréhension des chercheurs. Elle comporte un risque, car le facteur humain peut introduire des biais ou des distorsions dans les résultats. Nous sommes toutefois d'avis que ce risque a été minimisé par l'analyse comparative de documents qui se recoupent en se complétant.

6.　La limitation de l'analyse aux documents officiels seulement a eu comme conséquence d'entraîner des modifications ultérieures aux catégories préétablies, en fonction de la nature des contenus. Les différences de longueur des chapitres et des sous-chapitres, le fait que la présentation n'est pas systématiquement la même pour la C.T.C.C.-C.S.N. et la F.P.T.Q.-F.T.Q. dépendent en partie de la quantité et de la densité du matériel. Il ne faudrait donc pas établir de corrélation entre la longueur du traitement d'une question et son importance pour le mouvement syndical. En effet, que peu d'espace soit accordé à un thème ne signifie pas nécessairement que ce dernier n'est pas important, ce qui est le cas de la sécurité au travail. Il s'agit d'une question pour laquelle, soit qu'il n'y avait pas lieu, soit que le syndicalisme n'a pas jugé bon de rationaliser longuement ou fréquemment ses positions. De façon générale cependant, l'espace accordé à une question reflète l'ordre des priorités du syndicalisme.

---

diverses structures ainsi que le degré d'interinfluence réciproque. Des recherches de même nature devraient être entreprises aussi auprès des travailleurs eux-mêmes. Comment et à quel prix ces derniers concilient-ils leurs diverses allégeances, syndicale, occupationnelle, organisationnelle, parentale, sociale et politique ?

Soulignons, enfin, que la C.S.N. et la F.T.Q. ne sont pas des organismes de même nature. Le premier est l'organe central qui chapeaute un mouvement alors que le second est une structure horizontale de type régional. La F.T.Q. est une fédération provinciale qui regroupe, sur une base volontaire, les locaux des unions affiliées au C.T.C. et qui représente ce dernier sur le plan provincial en vertu de la charte qu'il lui a octroyée. Ces deux centres syndicaux sont néanmoins comparables, dans le cadre de ce travail, dans la mesure où ils symbolisent et identifient deux mouvements syndicaux distincts. La C.S.N. ne soulève pas de point d'interrogation sur ce point. Nous sommes d'avis que la F.T.Q. peut, pour fin d'analyse comparative, être assimilée à une centrale syndicale, parce qu'elle regroupe environ les deux tiers des affiliés québécois du C.T.C., parce que les groupes les plus significatifs (tels le Syndicat canadien de la fonction publique et les Métallurgistes unis d'Amérique) y jouent un rôle dynamique, mais surtout parce que la situation de concurrence intersyndicale ainsi que les conditions spécifiques du milieu québécois lui confèrent un statut particulier et un caractère représentatif qui dépassent l'apanage normal d'une structure horizontale. S'il nous est alors permis de faire l'hypothèse que la F.T.Q. est un centre syndical comparable à la C.S.N., aux fins de notre travail, il importe néanmoins de ne pas oublier que la dissimilitude structurelle peut expliquer des différences dans les structures et les contenus de leurs idéologies respectives.

Confédération des travailleurs catholiques du Canada

Confédération des syndicats nationaux

Définition de soi

L'analyse de la définition de soi par la C.T.C.C.-C.S.N. pourrait donner lieu à une longue dissertation parce que ce mouvement a toujours eu tendance à rationaliser abondamment ses attitudes et ses comportements. L'objectif de ce chapitre est de dégager dans une perspective dynamique les grandes lignes de l'idéologie de la C.T.C.C.-C.S.N. en les illustrant par des exemples concrets. C'est pourquoi il pourra paraître trop court au lecteur qui désire une analyse en profondeur et très nuancée.

La première partie du chapitre traite des valeurs dominantes de l'idéologie de la C.T.C.C.-C.S.N., en les situant dans le contexte qui a influencé leur évolution. Un bref examen de l'orientation initiale a pour but de faciliter la caractérisation et la compréhension de ce que nous appelons la période de la maturation et la période du nouveau départ. La seconde partie porte sur la concrétisation des valeurs dans la définition des rapports avec les membres, le patronat, les unions concurrentes et l'État.

I
Les composantes
de la définition de soi

A. L'ORIENTATION INITIALE

Commentant les débuts de la C.T.C.C., Jean Marchand écrivait :
La C.T.C.C., à ses débuts, était nettement nationaliste, confessionnelle, procorporatiste et les aumôniers y jouaient un rôle prédominant. Souvent l'action catholique prenait le pas sur l'action

professionnelle et proprement syndicale. L'industrialisation était tenue en suspicion et nous relevons même des résolutions, lors des premiers congrès, contre l'exode rural et pour le retour à la terre [1].

Samuel H. Barnes porte un jugement similaire :

> La C.T.C.C. avait une perspective largement négative, antisocialiste, anticommuniste, anti-internationale, antiaméricaine, antianglaise, antiprotestante et anticapital étranger dans la province de Québec. Positivement, la C.T.C.C. supportait les courants nationalistes de la période : corporatisme, retour à la terre, autonomie provinciale [2].

L'idéologie initiale de la C.T.C.C. est un sous-produit de la pensée sociale, dite traditionnelle, de la société québécoise. Elle est puisée d'une part dans le nationalisme véhiculé entre autres par Bourassa et le journal *le Devoir* et d'autre part dans le cléricalisme représenté en particulier par l'École sociale populaire qui visait à appliquer dans la vie économique la doctrine sociale de l'Église exposée dans les encycliques *Singulari quadam* et *Rerum novarum*.

La C.T.C.C., à sa naissance, a une finalité parasyndicale, soit la défense de l'intégrité culturelle des travailleurs, symbolisée par les deux valeurs fondamentales de race canadienne-française et de religion catholique. Ces deux valeurs étaient menacées par l'industrialisation qui, en disloquant l'organisation agraire, affaiblissait les structures traditionnelles de protection culturelle, et par son concomitant, le syndicalisme neutre et plus particulièrement le syndicalisme international, colporteurs de valeurs étrangères et disfonctionnelles pour la société québécoise. La C.T.C.C. constitue alors, en quelque sorte, une réaction d'un groupe culturel dont l'identité est attaquée.

C'est pourquoi elle ne conteste pas la structure du pouvoir politico-économique. Elle cherche, au contraire, à se concilier les détenteurs de pouvoir, par son caractère strictement confessionnel, par sa volonté manifeste de respecter l'ordre et l'autorité et par l'absence de militantisme syndical. À tous les niveaux de son action, elle mise alors sur la

---

1. Jean Marchand, « La C.S.N. a quarante ans », *Relations industrielles*, Québec, P.U.L., vol. XVI, n° 4, octobre 1961, p. 471. Selon cette description de Marchand, l'idéologie initiale de la C.T.C.C. s'apparentait à celle des Chevaliers du travail. L'analyse d'une filiation possible entre ces deux idéologies nous paraît être un sujet de recherche intéressant, car l'on sait qu'un nombre imposant de leaders dans les premiers syndicats nationaux avaient milité auparavant au sein des Chevaliers du travail.

2. Samuel H. Barnes, « The Evolution of Christian Trade Unionism in Quebec », *Relations industrielles*, Québec, P.U.L., vol. XIII, n° 4, octobre 1958, p. 571.

collaboration plutôt que sur la confrontation des intérêts et la pression collective.

L'orientation idéologique initiale de la C.T.C.C. a un certain caractère réformiste. Mais celui-ci est de type réactionnaire plutôt que de type progressif car il vise à réformer l'institution syndicale et le domaine des relations du travail dans la perspective du statu quo de l'ordre socio-économique préexistant. En effet, à ses débuts, la C.T.C.C. veut unifier ce que le syndicalisme « de classe » (neutre et revendicatif) sépare, à savoir, les agents de l'économie, le Capital et le Travail, qu'elle différencie sur une base fonctionnelle et non sur une base d'intérêts divergents. La C.T.C.C. ressemble alors davantage à un mouvement social qu'à un mouvement syndical. Il en découle une orientation vers les valeurs (*i. e.* objectifs clérico-nationalistes) plutôt que vers les normes (*i. e.* objectifs économico-professionnels) qui se manifeste aussi sur le plan structurel, car c'est le conseil central qui est la structure privilégiée. Apparaissant chronologiquement plus tard, les fédérations demeureront des organismes possédant peu de pouvoir et peu de ressources humaines et financières.

Il suffit pour illustrer les points de vue que nous venons d'exprimer de citer quelques extraits de la constitution de 1921.

La Confédération des travailleurs catholiques du Canada est une organisation ouvrière interprofessionnelle, réunissant les divers groupements ouvriers du Canada qui ont la double caractéristique d'être nationaux et catholiques...

La C.T.C.C. réprouve en principe et en pratique la théorie de ceux qui prétendent que le capital, les capitalistes et les employeurs sont des ennemis-nés du travail, des travailleurs et des salariés. Elle prétend au contraire, qu'employeurs et employés doivent vivre en s'accordant, en s'aidant et en s'aimant...

La raison et l'expérience prouvent, en effet, que rien n'est plus propre à établir et à maintenir la paix industrielle, en conséquence, le bon ordre social, que les comités conjoints de conciliation et d'arbitrage établis d'un commun accord, entre les associations patronales et les associations ouvrières.

L'unité de principes directeurs et de doctrines fondamentales, voilà donc la première et indispensable condition de l'accord entre patrons et ouvriers. Mais qui fera cette unité ? Qui proclamera la doctrine définissant les droits et les devoirs réciproques des patrons et des ouvriers ? Quelle puissance surtout les imposera à l'un ou à l'autre ?

La C.T.C.C. professe, pour sa part, que cette fonction appartient en propre à l'Église catholique qui a reçu de Dieu même la mission d'enseigner toutes les nations comme celle de délier la conscience de tous les hommes.

La C.T.C.C. est une organisation essentiellement canadienne. Une des raisons de son existence, c'est que la plupart des ouvriers canadiens sont opposés à la domination du travail syndiqué canadien par le travail syndiqué américain. La C.T.C.C. croit que c'est un non-sens, une faute économique, une abdication nationale et un danger politique que d'avoir au Canada des syndicats relevant d'un centre étranger qui n'a ni nos lois, ni nos coutumes, ni notre mentalité, ni les mêmes problèmes que nous. Elle croit que le travail syndiqué canadien doit être autonome, régler seul ses propres affaires et ne pas se noyer dans une masse syndicale où ses initiatives sont impuissantes, sa volonté inefficace et sa vie propre impossible...

La C.T.C.C. est une organisation franchement et ouvertement catholique. Elle ne s'affilie que des associations catholiques, elle adhère à toutes les doctrines de l'Église et elle s'engage à suivre toujours et en tout la direction du Pape et des évêques canadiens.

La C.T.C.C. est catholique parce que l'Église veut que les ouvriers catholiques, s'ils s'associent, se fassent des organisations catholiques...

L'idéologie de la C.T.C.C., à ses débuts, peut être résumée de la façon suivante. Celle-ci se définit comme un missionnaire dont l'objectif est la défense de valeurs canadiennes-françaises traditionnelles contre ses adversaires qui sont l'industrialisation et le syndicalisme neutre au moyen d'une organisation syndicale réformée qui agit dans le respect de l'ordre et de l'autorité en collaborant avec le patronat et les pouvoirs socio-politiques.

B. LA MATURATION : 1940-1960

Au début des années 40, l'orientation idéologique initiale est encore largement prévalente au sein des différents corps constituants de la C.T.C.C. Celle-ci est par la suite remise en question et reformulée. Il se produit alors un réalignement graduel des composantes cléricale, nationale, sociale et syndicale dont l'aboutissement sera l'adoption d'un nouveau nom et d'une nouvelle déclaration de principes au congrès de 1960.

1. LES FACTEURS SOUS-JACENTS

La redéfinition idéologique de la C.T.C.C. est étroitement reliée aux changements dans certaines conditions existentielles internes et externes. Ces changements proviennent de l'évolution de l'économie québécoise, de la pensée sociale canadienne-française et de l'institution syndicale elle-même. Une brève description, en termes généraux, des principaux facteurs, permettra d'éclairer l'analyse subséquente des composantes de l'idéologie.

L'évolution de l'infrastructure économique constitue le premier facteur à retenir. En dépit d'un développement industriel marqué, au cours des premières décennies du XXe siècle, le Québec demeurait encore une province à vocation agricole. Avec la grande dépression des années 30, le processus d'industrialisation connaît un temps de pause. Mais, la Seconde Guerre mondiale est le point de départ d'une industrialisation rapide. De grandes entreprises, produisant pour des marchés nationaux et internationaux, sont créées. Les industries des appareils électriques, des équipements de transport, des produits du bois, du fer et de l'acier, de la pulpe, du papier et du textile primaire connaissent une forte croissance. Dans l'industrie manufacturière, de 1939 à 1950, les investissements triplent, la valeur réelle de la production double et l'emploi augmente autant qu'au cours des cent années précédentes. Pendant la guerre, la main-d'œuvre engagée dans l'industrie manufacturière dépasse, pour la première fois, celle de l'agriculture. De 1941 à 1951, l'importance relative de l'emploi passe de 26,5% à 18,0% dans le secteur primaire, de 35,0% à 38,6% dans le secteur secondaire et de 38,4% à 41,5% dans le secteur tertiaire [3]. L'économie québécoise devient donc de type industriel plutôt que de type agraire.

La transformation de la pensée sociale canadienne-française représente un second facteur. Sans retracer l'évolution de celle-ci avec ses différents courants et la confusion intellectuelle qui en est parfois résultée, soulignons que les mythes de la vocation agraire du peuple canadien-français et de la conjuration anticatholique et anti-canadienne-française s'effritent graduellement. Une nouvelle pensée sociale émerge sous l'influence de quelques intellectuels libéraux et de l'enseignement des facultés des sciences sociales. Ce fait est illustré par l'extrait suivant de la lettre pastorale de 1950 de l'épiscopat québécois portant sur le problème ouvrier.

---

3. Patrick Allen, *Tendances récentes des emplois au Canada*, Montréal, École des Hautes Études commerciales, Service de documentation économique, étude n° 11, 1957, p. 54.

C'est notre devoir de regarder le problème ouvrier dans le plan de Dieu. Si la vie ouvrière des villes, dans les conditions où elle s'est développée dans le passé, s'est montrée moins saine et moins protectrice des valeurs humaines que la vie rurale, il ne faudrait pas croire qu'elle est nécessairement meurtrière des âmes... Le milieu ouvrier et industriel peut être sanctificateur [4].

L'épiscopat redéfinit aussi le rôle de l'aumônier syndical.

Comme tel, il n'est ni chef, ni directeur, ni propagandiste, ni agent d'affaires. Les besoins du début ont parfois demandé à l'aumônier d'aller plus loin que son rôle normal. La situation actuelle du syndicalisme n'exige plus cette action extraordinaire. L'aumônier doit assumer les nobles fonctions d'éducateur [5].

Ces attitudes indiquent qu'en 1950, la pensée sociale à l'égard des institutions n'est plus dominée par le messianisme autoritaire de l'École sociale populaire. D'autre part, après 1940 les sentiments nationalistes seront canalisés par la politique autonomiste du premier ministre Duplessis.

Le renouveau du leadership syndical est un troisième facteur. La rupture avec la pensée sociale traditionnelle et avec l'idéologie qui animait les fondateurs de la C.T.C.C. est très nette chez les leaders et les cadres qui commencent à prendre la relève des pionniers au cours de la guerre. La majorité des postes de cadres sont remplis par la suite, progressivement, par de jeunes universitaires ayant reçu, pour la plupart, une formation en sciences sociales. En 1946, deux hommes dont l'influence au sein du mouvement sera profonde au cours de la période, Gérard Picard et Jean Marchand deviennent respectivement président et secrétaire général. Bien que s'inspirant de la doctrine sociale de l'Église, ces leaders ne sont pas mus par l'esprit apostolique qui caractérisait les premiers chefs. La conscience de la solidarité ouvrière et la volonté de défendre les intérêts des travailleurs remplacent, chez eux, le nationalisme isolationniste, qui tolérait la domination économique étrangère, mais refusait la domination des personnes par le syndicalisme international. Pour eux, l'action syndicale doit, d'abord, porter sur les objectifs économico-professionnels, même si elle conserve des buts généraux. C'est pourquoi, considèrent-ils que le droit de propriété

---

4. *Le Problème ouvrier en égard de la doctrine sociale de l'Église*, lettre pastorale collective de Leurs Excellences Nosseigneurs les archevêques et évêques de la province civile de Québec ; dans la collection « Les documents sociaux », série « Chrétienté d'aujourd'hui », publiée par le Service extérieur d'éducation sociale, Faculté des sciences sociales, Université Laval, Québec, 1950, p. 32.

5. *Ibid.*, p. 75.

privée n'est pas absolu, que le droit d'association est intangible et que l'indépendance politique est un prérequis à l'efficacité institutionnelle.

L'action de ces nouveaux dirigeants est favorisée par la croissance du pouvoir de marchandage syndical. Pendant la guerre, en effet, le développement industriel, les impératifs de la production et la rareté relative de la main-d'œuvre confèrent aux syndicats une position stratégique avantageuse sur le marché du travail. Puis, la Loi des relations ouvrières de 1944, leur accorde un pouvoir de marchandage de caractère juridique, en imposant aux employeurs l'obligation de négocier de bonne foi avec les syndicats accrédités et en leur interdisant certaines pratiques considérées comme déloyales, tels le congédiement pour activité syndicale ou l'ingérence dans les affaires syndicales. Le passage d'une situation de faible pouvoir institutionnel à une situation stratégiquement avantageuse, d'une part facilite la croissance des effectifs et d'autre part, favorise la poursuite des objectifs économico-professionnels. Lorsqu'il était faible, le syndicalisme catholique avait dû, pour survivre, s'appuyer sur la tolérance et la protection des détenteurs de pouvoir des milieux religieux, politique et patronal, en adaptant en conséquence ses attitudes et ses comportements. En devenant plus puissant, il pouvait affirmer son identité, se libérer de sa quasi-tutelle, remettre en question ses statuts et sa doctrine quant au recours à la force économique et devenir militant, dynamique, voire agressif.

Mais, il était inévitable que l'affranchissement ne se fasse pas sans difficulté. Le test fondamental, qui aurait fort bien pu avoir lieu ailleurs, sera la grève d'Asbestos. En luttant contre les forces combinées du gouvernement provincial et de la Johns Manville, la C.T.C.C., d'une part conquerra ses titres de maturité et d'autre part, franchira une étape importante dans la définition de ses adversaires, ce qui la marquera profondément pendant la décennie 1950-1960.

D'autres facteurs, d'ordre secondaire, ont eu une influence sur l'évolution de la C.T.C.C. Soulignons les plus importants. Au début des années 40, la concurrence syndicale devient plus vive. En particuiler, les syndicats nationaux subissent plusieurs attaques de la part d'un groupe d'unions internationales dirigées par R. Haddow. D'autre part, certains éléments patronaux de la grande industrie s'opposent, avec fermeté, à la C.T.C.C., à cause de son caractère confessionnel, ce qui donne lieu à des affrontements, en particulier, à une importante grève contre la compagnie Price Brothers, en 1943. Dans ce contexte, l'objectif institutionnel de la permanence et du progrès du syndicalisme catholique justifiait, à lui seul, une réflexion sur la conception de l'action de la C.T.C.C. Enfin, les pourparlers de fusion syndicale, au cours des années

50, forcent les membres de la C.T.C.C. à réexaminer les caractères national et catholique de leur mouvement.

2. LES VALEURS DOMINANTES

Les valeurs clérico-nationalistes constituent encore, en 1940, une composante privilégiée de l'idéologie de la C.T.C.C. L'orientation négative initiale a cependant fortement diminué. Néanmoins, le concept d'ethnie canadienne-française constitue encore un symbole d'identification, de personnalisation et de différenciation dont on s'enorgueillit et dont on tire satisfaction parce qu'il représente un système de valeurs supérieures. L'extrait suivant du rapport moral du président au congrès confédéral de 1944 est éloquent.

> Plus que jamais, nous avons maintenant la conscience que notre philosophie sociale, qui se concrétise dans la triple collaboration entre la morale chrétienne, l'organisation professionnelle et l'État, nous a permis de poser dans le Québec les premiers éléments de la démocratie industrielle [6].

L'idéologie de la C.T.C.C. est alors structurée autour d'un double nationalisme, autonomiste et pancanadien, présent pendant toute la période 1940-1960 et d'une adhésion doctrinale aux principes de l'encyclique *Quadragesimo Anno* dont l'influence se manifeste principalement pendant les années 1940-1950.

a) Le nationalisme autonomiste

Pour la C.T.C.C., l'autonomie provinciale doit être un instrument au service des valeurs clérico-nationalistes. Ainsi, elle se réjouit du fait que les domaines du travail et de la sécurité sociale soient de juridiction provinciale parce que c'est le seul moyen d'inspirer nos lois de cette philosophie sociale supérieure. De même, elle s'oppose aux tendances centralisatrices du gouvernement fédéral et réclame plus d'autonomie pour les provinces, en particulier pour le Québec, considérant :

> que les Canadiens français sont partie constituante de la Confédération ; que la province de Québec a un héritage ethnique, social et religieux à sauvegarder ; que le peuple canadien-français, au risque de disparaître comme tel, doit demeurer maître de son éducation, de sa vie sociale et économique [7].

---

6.   Rapport du président, *Procès-verbal*, vingt-troisième session du congrès de la C.T.C.C., Québec, 1944, p. 46.
7.   *Ibid.*, résolution n⁰ 72, p. 102.

Les prises de position de la C.T.C.C. sur l'assurance-maladie en 1943 [8], sur la sécurité sociale, l'éducation et les allocations familiales en 1944 [9], sur la sécurité sociale en 1946 [10] et sur la santé en 1948 [11], s'inspirent des deux idées fondamentales suivantes : le respect des prérogatives provinciales et la reconnaissance par le gouvernement fédéral du caractère particulier du Québec. Au cours des années 1950-1960, la C.T.C.C. cesse de se référer aux valeurs clérico-nationalistes pour justifier ses attitudes, mais ses prises de position, en dépit de quelques inconsistances [12], demeurent fidèles à l'idéologie du nationalisme autonomiste. La C.T.C.C. appuie le gouvernement provincial dans le combat qu'il a engagé contre le gouvernement fédéral sur le problème de la fiscalité, tout en reconnaissant ce dernier comme l'instance principale en matière d'économique, d'emploi et d'arbitrage des prix.

L'extrait suivant reflète bien, à notre point de vue, l'attitude fondamentale de la C.T.C.C. sur la question constitutionnelle.

La C.T.C.C. a toujours prôné le respect de la constitution canadienne et des juridictions respectives du Gouvernement fédéral et des provinces. La C.T.C.C. est d'accord avec le Gouvernement de la province lorsqu'il demande la clarification des questions fiscales. Pour aucune considération il ne faut que l'indépendance constitutionnelle du Canada, à laquelle nous applaudissons, marque le début d'un empiètement sur les droits des Canadiens français douloureusement conquis par des siècles de lutte. Il ne faut pas oublier que l'enjeu de la province de Québec, dans les débats qui seront engagés à Ottawa, est plus considérable que celui des autres provinces, à cause de ses particularités ethniques, linguistiques et

8. *Mémoire de la C.T.C.C. au comité de la Chambre des communes à Ottawa, chargé d'étudier l'assurance-maladie et autres matières connexes*, 15 juin 1943, 2 pages.
9. *Mémoire de la C.T.C.C. au cabinet fédéral*, 25 février 1944, 6 pages.
10. *Mémoire de la C.T.C.C. au cabinet fédéral*, 2 avril 1946, 6 pages.
11. *Procès-verbal*, vingt-septième session du congrès de la C.T.C.C., Hull, 1948, résolution n⁰ 150, p. 200.
12. Au congrès de 1957, la C.T.C.C. adopte une résolution recommandant la collaboration fédérale-provinciale dans l'établissement de législations concurrentes en vue d'un plan national d'assurance-santé, alors qu'en 1954 et en 1956 elle avait affirmé clairement que cette question était nettement de juridiction provinciale. Cette même année, dans un mémoire au gouvernement fédéral, elle se prononce en faveur des subventions fédérales aux universités. Ces deux prises de position sont cependant entourées de considérations qui nous font conclure qu'elles n'impliquent pas de changement idéologique, mais qu'elles sont plutôt de caractère tactique, dû aux conditions politiques existant au Québec.

religieuses. Il est donc naturel que sa résistance soit plus grande et son attitude plus ferme [13].

b) Le nationalisme pancanadien

Le nationalisme autonomiste de la C.T.C.C. se double d'un nationalisme pancanadien, qui repose sur deux idées principales.

D'une part, on valorise l'autonomie politique canadienne par opposition aux liens de sujétion à l'Angleterre, ce qui est illustré par le passage suivant :

> La C.T.C.C. s'est réjouie de l'abandon des liens qui attachaient encore le Canada avec l'étranger et qui lui rappelaient trop les servitudes passées. L'abolition des appels au Conseil privé et le droit qu'a maintenu le Canada d'amender sa constitution font de notre pays une nation souveraine à laquelle nous avons de nouveaux motifs d'être fiers d'appartenir.

> La C.T.C.C. espère que le Gouvernement actuel du Canada aura l'honneur de proclamer l'indépendance complète du Canada pour en faire une République autonome.

> La C.T.C.C. croit également que le moment est venu de donner à notre pays les attributs des nations souveraines, tels qu'un drapeau et un hymne national bien à lui [14].

En 1952, la C.T.C.C. félicite le gouvernement d'avoir nommé un canadien comme gouverneur général [15] et accueille avec satisfaction l'adoption de l'hymne national et du drapeau canadien.

D'autre part, la C.T.C.C. partage l'idéologie du pacte entre deux nations (bien qu'à l'époque cette expression ne soit pas encore consacrée), ce qui lui permet de situer logiquement l'une par rapport à l'autre, ses deux adhésions nationalistes. Ceci est illustré par plusieurs revendications portant sur l'usage du français dans la fonction publique fédérale et par la déclaration suivante :

> La C.T.C.C. croit opportun de déclarer qu'elle appuie sans réserve le principe fondamental... à savoir que l'unité nationale suppose l'égalité absolue pour les deux grandes races qui ont bâti le Canada ; égalité dans les textes de nos lois constitutionnelles sans doute, mais aussi égalité pratique dans l'application quotidienne de ces lois [16].

13. *Mémoire de la C.T.C.C. au cabinet provincial*, mars 1950, p. 1.
14. *Mémoire de la C.T.C.C. au cabinet fédéral*, 10 mars 1950, p. 4-5.
15. *Mémoire de la C.T.C.C. au cabinet fédéral*, 28 mars 1952, p. 1.
16. *Mémoire de la C.T.C.C. au cabinet fédéral*, 12 mars 1948, p. 2-3.

c) Quadragesimo anno

La création d'une économie de type industriel, au Québec, pendant la Seconde Guerre mondiale, amène la C.T.C.C. à analyser à nouveau la situation socio-économique. Elle le fait en s'appuyant sur la primauté des valeurs humanistes et spirituelles et sur la priorité du bien commun qui doit être poursuivi par la diffusion des vérités sociales et des idées de justice, d'ordre, d'équité et de collaboration. La C.T.C.C. s'inspire alors de l'idéologie de l'encyclique *Quadragesimo anno*.

Pour la C.T.C.C. les valeurs dominantes de cette idéologie constituent un rejet du communisme ainsi qu'une critique du capitalisme libéral et représentent une vision globale de la société. Elles lui apparaissent de nature à permettre, d'une part l'atténuation de la gravité des crises économiques par un certain degré de planification de la production et par une répartition plus égalitaire des biens économiques et d'autre part, la réorganisation de la société par l'institution d'un corps moral et par l'action harmonisée de ses groupes naturels (ceci à l'encontre des rapports atomisés entre les individus et l'État, proposés par les mouvements matérialistes). Enfin, pour la C.T.C.C., cette idéologie a le mérite de situer logiquement la classe ouvrière face au capital et à la société tout entière et de proposer un objectif où le travail doit viser à entretenir des rapports d'égalité et de collaboration avec les détenteurs de capitaux de façon à développer une association axée sur la copropriété, la cogestion et la participation ouvrière aux bénéfices. Les travailleurs et les employeurs étant sur un pied d'égalité, l'État n'aurait alors à assumer qu'une fonction de coordination.

d) Naissance d'une conscience syndicale

Les valeurs de *Quadragesimo anno* servent à définir les objectifs à long terme quant à l'organisation de la société et ne sont pas tout à fait étrangères au développement des événements qui allaient entraîner la grève dans l'amiante en 1949. Cette grève sera l'occasion d'une prise de conscience syndicale dont les symptômes s'étaient manifestés antérieurement dans des grèves à Sorel et à la Dominion Textile, ce qui amorçait un décalage entre l'idéologie officielle et l'action. Par la suite, l'influence de *Quadragesimo anno* s'estompe graduellement alors que la C.T.C.C. prend de plus en plus conscience de l'importance et de l'efficacité de la revendication syndicale. Cette réorientation apparaît clairement dans le rapport moral du président au congrès confédéral de

1952 [17]. En réalisant que le syndicalisme peut constituer une force sociale, la C.T.C.C. s'éloigne des idées d'association, de collaboration et d'égalité, pour viser à l'amélioration du statut socio-économique de la classe ouvrière.

Un nouvel élément apparaît alors dans l'idéologie de la C.T.C.C., celui de la permanence de la revendication syndicale. Celle-ci est justifiée par les deux motifs suivants : la productivité progresse constamment sous l'effet du développement technologique ; les travailleurs ont un droit strict au partage des bénéfices dus à l'accroissement de la productivité.

Comme sous-produit de cette nouvelle valeur, la C.T.C.C. se sensibilise à la question du développement économique, plus particulièrement aux problèmes de l'exploitation des ressources naturelles et de la domination étrangère sur l'économie canadienne, d'où découle un nationalisme économique teinté d'antiaméricanisme [18]. En même temps, le caractère américain des unions internationales est substitué aux motifs initiaux de neutralisme et de matérialisme, comme facteur d'identification de l'adversaire syndical.

e) La déconfessionnalisation

Le désir de créer un mouvement syndical représentatif, puissant et dynamique, dans la conjoncture socio-économique que nous avons décrite précédemment, entraîne une remise en question de l'orientation confessionnelle initiale. Ce processus sera accéléré par les pourparlers de fusion et par la décision de la C.T.C.C., en 1950, d'entreprendre une percée syndicale dans la région de Montréal.

Comme le caractère confessionnel constituait la synthèse des valeurs dominantes de l'orientation prise en 1921, nous croyons qu'il y a lieu de décrire brièvement les étapes de la déconfessionnalisation.

Au début des années 40, la C.T.C.C. est encore ouvertement et franchement confessionnelle par son nom, son adhésion doctrinale, le rôle des aumôniers et par son recrutement limité aux travailleurs catholiques. L'amorce de la déconfessionnalisation s'effectue au congrès de Granby en 1943. Les congressistes décident alors de retirer à l'aumônier le pouvoir de veto dont il jouissait jusque-là, de permettre aux corps affiliés d'enlever le dénominatif catholique de leur nom, s'ils le désirent

---

17. Rapport du président, *Procès-verbal*, trente et unième session du congrès de la C.T.C.C., Shawinigan Falls, 1952.
18. Cet aspect est développé au chapitre suivant sur les politiques économiques.

et d'accepter comme membres associés, sans droit de vote, des travailleurs non catholiques [19].

Au tournant de 1950, la C.T.C.C., bien qu'officiellement confessionnelle, était devenue dans les faits, comme l'écrit l'abbé Gérard Dion :

> purement et simplement un groupement économico-social d'inspiration catholique... Un groupement temporel puisant officiellement son inspiration doctrinale non seulement dans la morale chrétienne, mais dans l'enseignement social de l'Église catholique [20].

C'est en 1956, cependant, que s'amorce vraiment le processus de déconfessionnalisation. La Fédération de la métallurgie propose au congrès confédéral une résolution avançant que le caractère confessionnel de la C.T.C.C. handicape son rayonnement, son action et son efficacité, étant donné l'évolution économique sur les plans national et international et proposant que le nom de la C.T.C.C. soit changé de façon à n'exprimer aucune distinction confessionnelle, tout en conservant cependant la même adhésion doctrinale, parce qu'elle a favorisé l'épanouissement humain des travailleurs [21].

Le problème fut renvoyé à l'exécutif pour étude. En 1959, ce dernier recommande d'enlever le mot catholique dans le nom du mouvement, d'amender la constitution et la déclaration de principes de façon à éliminer toute référence directe à la doctrine sociale de l'Église et de conférer à l'aumônier un rôle d'aviseur moral. Favorable en principe à cette proposition, le congrès décide de procéder, au préalable, à une consultation auprès de la hiérarchie ecclésiastique. La réponse s'étant avérée positive, la déconfessionalisation, présente déjà depuis quelque temps dans les faits et surtout dans les esprits d'un grand nombre de membres et de dirigeants, s'effectuera dans les textes en 1960.

f) La conscience sociale

Tout en effectuant une prise de conscience aux points de vue économique et syndical, la C.T.C.C. n'en conserve pas moins le caractère

---

19. L'évolution confessionnelle a été bien décrite par Roger Chartier. Voir : « Chronologie de l'évolution confessionnelle de la C.T.C.C. (C.S.N.) », *Relations industrielles*, Québec, P.U.L., vol. XVI, n° 1, janvier 1961, p. 102-112.
20. Gérard Dion, dans *Ad usum sacerdotum*, Québec, mars-mai 1955, p. 122.
21. Soulignons qu'au cours des années précédentes, les pourparlers de fusion des forces syndicales avaient mis en question le caractère confessionnel car ce dernier, à cause de son aspect discriminatoire, constituait un obstacle, qui devait être surmonté avant que la fusion puisse se matérialiser.

social que le mouvement s'était donné en 1921. Cet aspect sera développé dans l'un des chapitres suivants.

Il nous apparaît intéressant, cependant, de faire une mention expresse d'un aspect particulier de la définition de soi sur le plan social, qui apparaît au cours de la période de maturation. La C.T.C.C., en effet, s'attribue un rôle dans l'éducation non seulement de ses membres mais aussi des autres travailleurs et de la population en général. Cet aspect de la définition de soi est illustré par les exemples suivants.

En 1943, la C.T.C.C. décide de faire l'éducation économique de ses membres et de l'ensemble des travailleurs par des campagnes visant à les informer sur les caisses populaires et les coopératives de consommation [22] ; en 1954, considérant que le syndicalisme doit être un propagandiste des réformes sociales qui concernent les travailleurs, la C.T.C.C. propose une action conjointe des syndicats ouvriers et agricoles dans le but de promouvoir l'intégration des travailleurs dans la nation [23] ; en 1950, la C.T.C.C. propose de renseigner le grand public sur les principes du syndicalisme et sur l'ordre social que ce dernier veut contribuer à établir [24] ; en 1948, une résolution porte sur la nécessité d'éduquer les travailleurs à l'épargne, à la modération dans les achats et à l'utilisation de la formule coopérative, dans le but de faire baisser le coût de la vie [25].

3. LA DÉFINITION DE SOI : 1940-1960

Pendant cette période, dite de maturation, la définition de soi de la C.T.C.C. est l'objet d'une mutation assez profonde. Les années 40 à 50 nous apparaissent comme une phase de gestation et de transition alors que la redéfinition de soi se précise et se concrétise graduellement pendant les années 50. La C.T.C.C. se définit alors premièrement comme un mouvement syndical et secondairement comme un mouvement socio-national. Les préoccupations d'ordre économique ou syndical l'emportent sur les préoccupations socio-culturelles. C'est le patronat et non plus l'industrialisation qui est identifié comme adversaire principal. D'autre part, l'opposition au syndicalisme international est justifiée aussi bien par le caractère étranger que par le caractère de neutralité. La

22. *Procès-verbal*, vingt-deuxième session du congrès de la C.T.C.C., Granby, 1943, résolution nᵒ 94, p. 121.
23. *Procès-verbal*, trente-troisième session du congrès de la C.T.C.C., Montréal, 1954, résolution nᵒ 9, annexe au feuilleton des résolutions, p. 237.
24. *Procès-verbal*, vingt-neuvième session du congrès de la C.T.C.C., Sherbrooke, 1950, résolution nᵒ 131, p. 181.
25. *Procès-verbal*, vingt-septième session du congrès de la C.T.C.C., Hull, 1948, résolution nᵒ 203, p. 224.

C.T.C.C. cesse alors d'être un porteur de flambeau et s'oriente résolument vers la revendication syndicale dans le but de promouvoir et de défendre les intérêts professionnels des travailleurs.

C. LES ANNÉES 60 : UN NOUVEAU DÉPART

Au cours des années 60, l'orientation de la C.S.N. sera modifiée de façon significative. Dès 1960, l'évolution antérieure est sanctionnée par l'adoption d'un nouveau nom, d'une nouvelle constitution et d'une nouvelle déclaration de principe. Pendant la révolution tranquille, la C.S.N. connaît une période de gains considérables sur le plan syndical, mais en même temps une phase de stagnation ou d'attente sur le plan idéologique. Toutefois, le coup de barre donné après la période de la révolution tranquille, viendra compléter le nouveau départ amorcé en 1960.

1. LES FACTEURS SOUS-JACENTS

La victoire du parti libéral aux élections de 1960 constitue le point de départ d'une rupture avec le passé pour la communauté québécoise. Identifiée, au début, par les slogans « maître chez nous » et « révolution tranquille », cette période est caractérisée par une prise de conscience populaire, une extension des libertés démocratiques, un effort concerté de reformulation des objectifs et des priorités socio-économiques et une tentative de redéfinition du rôle de l'État. Il en est résulté, au cours de la première moitié de la décennie, des innovations spectaculaires pour une société qui était en veilleuse depuis près de 20 ans, telles que la réforme en profondeur du système d'éducation, la nationalisation de l'électricité et la création de la S.G.F. et de SIDBEC. Débordée par son propre élan, la révolution tranquille a paru s'essouffler et piétiner sur place après 1965. Frustrée dans ses espoirs initiaux et fondamentalement préoccupée par sa survie et son développement, la communauté québécoise s'avère alors incapable de solutionner adéquatement quatre problèmes majeurs, soit la question constitutionnelle dont l'examen traîne en longueur, la question sociale marquée par la pauvreté et la persistance de certaines inégalités sociales, la question économique caractérisée par une inflation et un chômage chronique et la question culturelle marquée par l'effritement des valeurs humaines et morales qui servaient antérieurement de facteur de cohésion pour la société québécoise. L'impatience de la population et d'une partie de la jeunesse, face à la stagnation de ces problèmes, entraîne une effervescence sociale débouchant même sur une violence qui n'avait pas de précédent dans l'histoire québécoise.

En matière de travail, la révolution tranquille a aussi constitué une nette rupture avec le passé. Au cours de la première moitié de la décennie, l'ancien Conseil supérieur du travail fut ranimé, un service de reclassement fut créé et deux lois d'importance, le Code du travail et la Loi de la fonction publique favorisèrent l'extension du droit d'association et du droit de négociation en particulier dans le secteur public et dans les services publics, comblant ainsi une partie du vide créé par l'absence de législation ouvrière d'importance depuis 1944. L'évolution s'est poursuivie au cours de la seconde partie de la décennie avec la réorganisation du ministère du Travail et de la Main-d'œuvre ainsi que celle du Conseil consultatif du travail et de la main-d'œuvre, d'importantes modifications à la Loi du salaire minimum, l'instauration d'un nouveau régime d'accréditation et la Loi sur la formation et la qualification professionnelles de la main-d'œuvre.

L'évolution de la législation du travail démontre le dynamisme de l'État, dont la présence dans le système de relations industrielles devient de plus en plus manifeste. Ce dernier ne se satisfait plus d'un rôle strictement supplétif visant à éliminer les obstacles aux relations entre les parties patronales-syndicales et à contrôler les conséquences des conflits sur le bien commun. Il devient initiateur et organisateur dans le système de relations industrielles, ce qui est illustré par le bill 25 dans l'enseignement et par le bill 290 dans l'industrie de la construction.

D'autre part, depuis 1965, l'État a été appelé à négocier directement ou indirectement avec plus de 150 000 salariés syndiqués. Le processus de la négociation collective étant nouveau, les parties concernées ont dû en faire un apprentissage parfois douloureux, où l'État-législateur est venu à la rescousse de l'État-employeur, notamment dans les secteurs hospitalier et de l'enseignement.

La période de la révolution tranquille a été pour le syndicalisme l'occasion d'une prise de conscience, d'un meilleur enracinement dans le milieu et d'un nouvel élan tant sur le front syndical que sur le front socio-économique. Sortant d'une période où son influence auprès des gouvernements était à peu près nulle, le syndicalisme a bénéficié de possibilités d'expression et de participation qu'il n'avait pas eues auparavant, à la fois comme corps intermédiaire et comme groupe d'intérêt.

Si l'on peut considérer que la période de la révolution tranquille a été une phase de cueillette de bénéfices pour le syndicalisme, il faut constater qu'elle a été aussi une phase de remise en question de ce dernier. La poussée en pointe de l'État en matière socio-économique et l'accord des dirigeants syndicaux avec l'essentiel de l'idéologie de la classe dirigeante technocratique et politique, la révolte des petites gens contre toutes les formes d'oppression, l'engagement politique et social de la jeunesse étudiante et ouvrière ont forcé le syndicalisme à réaliser qu'il ne possédait plus le monopole de la contestation, qu'il avait perdu l'originalité avant-gardiste qu'il semblait posséder pendant la période de la grande noirceur et qu'il s'était en quelque sorte embourgeoisé. Ces constatations l'ont amené à s'engager vers 1965 dans un laborieux processus de révision et de renouvellement de sa pensée.

Pour la C.S.N., la période de la révolution tranquille fut bénéfique plus que pour tout autre mouvement syndical. En effet, sa déconfessionnalisation, son homogénéité, son intégration verticale, la centralisation de ses services, le prestige de son opposition au duplessisme, ses sympathies prolibérales lui conféraient, face à l'hétérogénéité et au morcellement du mouvement rival, une vitalité et un pouvoir imposants dans le contexte de la nouvelle société québécoise. C'est pourquoi, son engagement dans le processus de la révolution tranquille pour promouvoir ses objectifs antérieurs a eu comme effet, en contrepartie, de lui faire ressentir davantage les limites de cette révolution et de lui faire prendre conscience, peut-être plus que tout autre mouvement social, de la nécessité de réviser sa pensée.

D'autre part, la C.S.N. a plus que doublé ses effectifs pendant la période de la révolution tranquille. Ces derniers sont passés de 94 114 en 1960 à 204 361 en 1966. La plupart des fédérations ont connu des accroissements importants de leurs membres. Mais c'est principalement dans la fonction publique, les services publics, les services et la métallurgie que son expansion s'est faite.

Au cours des dix dernières années, la C.S.N. a par contre connu plusieurs difficultés internes causées par les problèmes d'intégration de plusieurs dizaines de milliers de travailleurs provenant du secteur tertiaire dans un mouvement traditionnellement composé de cols bleus ; par les réformes de structure rendues nécessaires par la croissance des effectifs et les exigences de l'action ; par l'impératif de l'adaptation dynamique à l'évolution du contexte socio-politique qui imposait une révision des priorités entre les objectifs professionnels et les objectifs paraprofessionnels ; par la réapparition sur la scène syndicale d'un leader charismatique dont le magnétisme entraîne les masses, Michel Chartrand, qui se définit lui-même comme anarcho-révolutionnaire et qui s'est engagé dans une action de contestation de la C.S.N. elle-même ; enfin par le départ de Jean Marchand qui entretenait des rapports personnels amicaux avec les dirigeants politiques ce qui facilitait le règle-

e certains problèmes par la méthode du lobbying politique et
 iplacement à la présidence par Marcel Pepin dont la très grande
volonté démocratique apparaît parfois comme une faiblesse et pour qui
les affinités politiques paraissent anticongénitales au syndicalisme. Il
est résulté de tout cela des tensions. quant à l'établissement des priorités
du mouvement et quant aux réformes de ses structures qui ont entraîné
le départ de plusieurs leaders chevronnés et des conflits entre personnes,
entre diverses composantes de la structure syndicale et même entre les
permanents et la centrale.

2. LES VALEURS DOMINANTES

Les valeurs ethnicité canadienne-française et catholicisme qui
avaient inspiré la C.T.C.C. depuis son origine perdent de l'importance
à partir de 1960 au bénéfice graduel d'une valorisation de l'humanisme
et d'une certaine prise de conscience de classe. Ceci est particulièrement
apparent chez les définisseurs de situation, notamment chez le président Pepin.

a) Déclin des valeurs traditionnelles

En 1960, la C.S.N. se définit officiellement aux articles 2 et 3 du
chapitre premier de sa constitution :

> *Article 2.* ● La Confédération est une organisation syndicale de
> travailleurs nationale, démocratique et libre. Elle adhère aux prin-
> cipes chrétiens dont elle s'inspire dans son action.
> *Article 3* ● La Confédération a pour but de promouvoir les inté-
> rêts professionnels, économiques, sociaux et moraux des travail-
> leurs canadiens, sans discrimination à cause de la race, de la natio-
> nalité, du sexe, de la langue et de la religion. Dans sa sphère
> propre, et en collaboration avec les autres institutions, elle vise
> à établir en faveur des travailleurs des conditions économiques et
> sociales telles qu'ils puissent vivre d'une façon humaine. Elle veut
> contribuer à l'établissement de relations ordonnées entre em-
> ployeurs et employés. Parmi ses objectifs immédiats, elle place
> la recherche du plein exercice du droit d'association. Elle préco-
> nise aussi les conventions collectives, les mesures de sécurité so-
> ciale et une saine législation du travail ; elle s'applique à donner
> à ses membres, une formation professionnelle, économique, sociale,
> intellectuelle et morale.

La « Déclaration de principes de la Confédération des syndicats nationaux », annexée à la constitution, constitue un exposé des principes de base de la doctrine sociale de l'Église catholique, sans que la provenance en soit indiquée, qui est substitué à l'adhésion formelle à cette doctrine et qui exprime les mêmes idées que les deux articles précédents.

La C.S.N. se veut donc officiellement non confessionnelle et neutre au point de vue religieux. La volonté de rupture avec le passé sur ce plan est réaffirmée, dès l'année suivante, dans le rapport moral du président, qui réfère à l'encyclique *Mater et magistra* comme étant une source d'inspiration pour « donner aux hommes et aux sociétés plus de justice, de fraternité et de paix [26] » et dans le mémoire au cabinet fédéral, où l'on écrit que la « C.S.N. désire éviter même l'apparence d'une contrainte religieuse quelconque vis-à-vis de ses membres actuels ou futurs, en se référant à une croyance donnée [27] ».

Par la suite, la doctrine sociale de l'Église perd graduellement son intérêt dogmatique, car on s'y réfère de moins en moins fréquemment pour justifier l'action, comme s'il s'agissait d'un patrimoine qui a été intégré dans un domaine plus large et dont il n'apparaît plus nécessaire d'en faire état de façon spécifique.

Du point de vue nationaliste, la C.S.N. continue de s'inspirer de l'idéologie du pacte entre deux nations.

Au niveau fédéral, la C.S.N. opte en faveur du biculturalisme et du bilinguisme.

> Le Canada est un pays biculturel et cette réalité doit être reconnue à tous les échelons de notre vie nationale... À partir d'une administration unilingue, avec traduction partielle en langue française, on doit se diriger vers une administration vraiment bilingue : deux langues de travail à statut égal [28].

Elle cherche sur un autre plan à acquérir le statut d'une centrale syndicale pancanadienne, en soumettant régulièrement des mémoires au cabinet fédéral, en étendant son recrutement à l'extérieur de la province de Québec, en réclamant du gouvernement fédéral « une pleine reconnaissance de droit et de fait [29] » comme centrale syndicale, en luttant pour obtenir une représentation paritaire au sein de la C.C.R.O. et en défendant le principe des unités naturelles à Radio-Canada. Mais

---

26. Rapport du président, *Procès-verbal*, congrès spécial de la C.S.N., Québec 1961, p. 23.
27. *Mémoire de la C.S.N. au cabinet fédéral*, 1961, p. 1.
28. *Mémoire de la C.S.N. au cabinet fédéral*, 11 décembre 1962, p. 15-16.
29. *Mémoire de la C.S.N. au cabinet fédéral*, 16 février 1966, p. 5.

les arguments nationalistes ou antiaméricains utilisés dans ces occasions constituent, à notre point de vue, davantage des composantes stratégiques d'une centrale syndicale en projet d'expansion qu'une manifestation d'un nationalisme pancanadien, d'autant plus que la plupart de ces événements se sont produits au cours d'une période de maraudage intersyndical intense.

Au niveau provincial, la C.S.N. favorise le renforcement de l'autonomie provinciale en réclamant la compétence provinciale en matière d'habitation, de main-d'œuvre, d'assurance-chômage et de sécurité sociale. Elle évite cependant de s'engager dans le grand débat de l'heure sur la question nationale en dépit de la sympathie manifeste d'un bon nombre de ses membres envers le Parti québécois (P.Q.). Elle s'est toutefois engagée davantage dans le débat sur la question linguistique en dénonçant le bill 63 et en réclamant que le système d'enseignement soit fondé sur la langue et que la langue française devienne la langue du travail au Québec [30]. Elle ira plus loin quelques mois plus tard en prônant l'unilinguisme français à tous les niveaux au Québec tout en annonçant qu'elle ne présentera pas de mémoire à la commission Gendron [31].

Dans ce même communiqué de presse, le président de la Confédération émet l'opinion que la question de la langue n'est pas un problème directement syndical car « nous ne sommes pas ici principalement un club de Canadiens français mais plutôt un club de travailleurs. Évidemment, ce fait comporte des implications linguistiques et culturelles [32] ».

L'analyse de l'action ayant une connotation nationaliste, recoupée par une foule de prises de position dont certaines s'appuient sur le concept de classe ouvrière et combinée à la disparition des références spécifiques au concept de race canadienne-française, nous amène à conclure qu'en 1970, la valeur ethnicité ne constitue pas un modèle rationalisateur de l'action aussi important qu'au cours des deux périodes précédentes et que le nationalisme bipolaire de la C.S.N. a un caractère fonctionnel plutôt que déterminant.

b) Valorisation de l'idée de classe ouvrière et de l'humanisme

Un renouvellement idéologique est en cours au sein de la C.S.N. depuis 1965 environ. Ceci ressort, de façon particulière, des thèmes

---

30. *Communiqué de presse de la C.S.N.*, Montréal, 26 janvier 1969.
31. *Communiqué de presse de la C.S.N.*, Montréal, 21 octobre 1969.
32. *Ibid.*

développés par le président, à l'occasion des congrès confédéraux, soit « une société bâtie pour l'homme » en 1966, « le deuxième front » en 1968 et « un camp de la liberté » en 1970. Dans ces trois rapports moraux, se dégage progressivement une pensée nouvelle que l'on retrouve aussi dans les communiqués de presse, les prises de position et certains mémoires du mouvement [33].

La redéfinition de l'idéologie repose, au départ, sur une critique globale de la société, comportant trois éléments principaux. Le développement est chaotique et anarchique parce qu'il entraîne la pauvreté au sein de l'abondance, le désordre dans la consommation et l'instabilité économique caractérisée par la hausse effrénée des prix, le chômage chronique et la fermeture d'usines. La démocratie n'est qu'en façade car les puissances de l'argent contrôlent l'économie et l'État et constituent un super-pouvoir économico-politique qui subordonne le bien commun à ses intérêts privilégiés et empêche la création d'une démocratie des responsabilités et de la liberté. La situation se détériore constamment en entraînant des inégalités et des disparités socio-économiques de plus en plus grandes.

La nécessité de redéfinir le projet social est la conclusion logique tirée de cette analyse. L'objectif qui s'impose alors, c'est celui d'humaniser et de démocratiser la société : « une société bâtie pour l'homme », dans laquelle l'homme a la primauté sur la matière et domine l'environnement, « un camp de la liberté » dans lequel l'homme peut exercer véritablement tous ses droits démocratiques en ayant accès aux responsabilités et à la culture.

La participation apparaît alors comme le moyen par excellence pour régler les maux de la société et la rebâtir en accordant la priorité à l'homme. La participation est, en effet, un mot clé dans la structure de la nouvelle idéologie de la C.S.N. Cette participation peut être réalisée par la décentralisation et le contrôle des décisions par les membres au niveau du syndicat, par l'action syndicale et la participation aux prises de décision au niveau de l'entreprise, par la coopération et l'organisation des consommateurs au niveau de l'économie, par l'engagement politique et l'animation sociale au niveau socio-politique.

La C.S.N. a donc, depuis 1966, laissé en veilleuse l'idéologie de rattrapage qu'elle supportait au début de la révolution tranquille pour

33. Les paragraphes suivants constitueront un résumé synthèse de ces trois rapports moraux. Nous les traitons comme un tout, sans faire de distinction d'ordre chronologique, car les éléments fondamentaux de l'idéologie sont contenus explicitement ou implicitement dans le rapport de 1966 puis recoupés, précisés et clarifiés dans les deux rapports suivants.

adopter une idéologie de démocratisation socio-économique par la participation. Elle a, en conséquence, redéfinit la conception de son rôle et de ses relations avec les autres composantes de la société.

Selon la C.S.N., le syndicalisme n'est plus à l'avant-garde et a cessé d'être un ferment de transformation sociale parce qu'il s'est enfermé dans la négociation collective et a restreint son action à la défense des intérêts professionnels de ses membres en délaissant les autres groupes sous-privilégiés. Or, la capacité revendicative atteint un certain plateau parce que l'économie nord-américaine est en perte de vitesse et parce que la convention collective n'est pas l'instrument approprié pour régler des problèmes tels que ceux qui sont reliés à l'éducation, au chômage et à la sécurité sociale. C'est pourquoi, le syndicalisme doit redevenir l'instrument de libération des classes laborieuses en dépassant la fonction revendicative pour assumer des responsabilités dans des domaines qui lui étaient étrangers. C'est là le sens de l'action sur deux fronts [34]. Le syndicalisme doit avoir une vue globale de l'activité sociale, économique et politique et s'efforcer de trouver des solutions valables aux nombreux problèmes qui s'imposent. À ces fins, il doit poursuivre son action au niveau de l'entreprise et s'attaquer en même temps à la transformation de la société par un engagement socio-politique selon le modèle de la participation défini plus tôt. Le président Pepin dira :

> Un syndicalisme axé uniquement sur la profession est une illusion grave : c'est un syndicalisme sur une patte. Ce syndicalisme doit être combattu autant qu'un syndicalisme qui se limite à faire des affaires [35].

En résumé, la redéfinition du rôle du syndicalisme est dans les termes d'une double fonction de contestation et de transformation globales de la société aux points de vue social, économique et politique. La « société bâtie pour l'homme » définissait la situation quant aux objectifs professionnels. Le « deuxième front » faisait la même chose à l'égard des objectifs paraprofessionnels. Le « camp de la liberté », d'une part représente une pause qui reflète le rapport de forces à l'intérieur de la centrale et d'autre part, constitue un effort d'intégration de la double finalité avant de passer à l'action.

Cette redéfinition contient implicitement, à l'état plus ou moins latent, une certaine idéologie de classe. À notre point de vue, celle-ci

---

34. Cette réorientation concrétisée sous la direction du président Pepin à partir de 1965 était néanmoins présente à l'état de projet au cours de la révolution tranquille. Voir à cet effet, le rapport du président, *Procès-verbal*, quarantième session du congrès de la C.S.N., Montréal, 1962.
35. *Communiqué de presse de la C.S.N.*, Québec, 13 octobre 1968.

transparaît à travers les divers documents que nous avons analysés, par la présence d'idées ou de thèmes ; caractéristiques d'une idéologie de classe qui reviennent à plusieurs reprises. Ce sont : la conscience d'une solidarité manifeste des travailleurs avec les autres groupes laborieux ou sous-privilégiés ; l'association répétée, par extension implicite ou explicite, du concept travailleur avec ceux de classes laborieuses et de classes populaires ; par la présentation quasi systématique de la population ouvrière dans une opposition conflictuelle au groupe de la finance et de l'industrie, au super-pouvoir économico-politique et à la classe bourgeoise ; par les idées marxistes, développées spécifiquement lors du congrès de 1968, à l'effet premièrement, que la transformation de la société doit être faite par la population laborieuse, qui doit s'imposer dans son histoire et bâtir la société qu'elle désire et deuxièmement, que l'action partielle, faite par le plus grand nombre possible de travailleurs, est nécessaire et utile, pourvu qu'elle soit guidée par le fil conducteur visant à transformer, dans son ensemble, le système d'exploitation.

Bien qu'elle se déclare résolument révolutionnaire au niveau des objectifs, la C.S.N. rejette les modes d'action préconisés par les penseurs révolutionnaires, en proclamant sa foi dans les procédés démocratiques pour transformer la société. C'est une résultante de la valeur liberté-participation, d'où découle la valorisation du principe que les décisions concernant l'action appartiennent à la base et par voie de conséquence, le principe du rejet de tout système de pensée préétabli, visant à prévoir des directives pour les masses laborieuses. C'est pourquoi l'on n'impose pas de modèle à la classe ouvrière, c'est elle qui exprime sa volonté.

La C.S.N. se définit en même temps comme antidoctrinaire. Au nom de la primauté des besoins de la majorité de la population, elle refuse, à priori, tout modèle préfabriqué, qu'il provienne des intellectuels américains, russes, chinois, canadiens-anglais ou canadiens-français. Il y a là un rejet explicite des « intellectuels » qui apparaît conforme au modèle élaboré par Selig Perlman [36]. En effet, l'intellectuel est bienvenu dans le mouvement s'il y est pour fournir ses services spécialisés conformément aux volontés exprimées par les membres et s'il accepte d'avance de ne pas se servir du mouvement pour implanter ses conceptions théoriques. Dans un communiqué public à l'occasion du 44e congrès confédéral, la C.S.N. déclarait, eu égard aux intellectuels :

36.   Selig Perlman, *A Theory of the Labor Movement*, New York, A.M. Kelley, 1928.

Ceux qui veulent nous imposer le monde américain, par intérêt, ou qui nous arrivent avec d'autres moules étrangers, par idéologie, ne nous aident aucunement à formuler notre propre expérience et à bâtir notre propre modèle [37].

Ces éléments idéologiques sont présents dans de nombreux documents officiels de la C.S.N. depuis 1960. Ils ont été cependant réaffirmés avec force au cours de l'année 1970, à la suite de la crise interne créée par l'action de Michel Chartrand et du Conseil central de Montréal. À titre d'exemple, au début de janvier 1970, dans une déclaration à l'intention de Michel Chartrand, le président de la C.S.N. soulignait avec force que la volonté des travailleurs de rester eux-mêmes, face aux deux influences que constituaient le « trade-unionisme » américain et le bolchevisme révolutionnaire avait toujours constitué l'originalité de la C.S.N. et continuait de l'être encore [38].

3. LA DÉFINITION DE SOI

Au cours de cette période, la C.S.N. se définit graduellement comme un mouvement révolutionnaire selon un axe « contestation globale-transformation démocratique ». Une critique en profondeur de la société aux points de vue social, économique et politique la conduit à un rejet global de cette société et à la formulation de l'objectif qu'elle doit être transformée radicalement. À cette fin, le syndicalisme doit dépasser sa fonction traditionnelle de défense des intérêts professionnels de ses membres, élargir les bases de la solidarité ouvrière et étendre son action sur tous les fronts simultanément. Le syndicalisme est alors défini comme multifonctionnel et comme l'artisan principal de l'éventuelle transformation de la société. Les adversaires deviennent tous ceux qui contribuent au maintien du statu quo, qui s'opposent à l'objectif de transformation démocratique ou qui retardent le développement d'une pensée autonome et originale au sein du monde ouvrier en cherchant à lui imposer leurs modèles. La méthode privilégiée pour réaliser la transformation de la société peut être symbolisée par le mot participation. La participation implique le contrôle par les masses de toutes les structures qui les dominent présentement.

---

37. *Communiqué de presse de la C.S.N.*, Montréal, 6 décembre 1970.
38. *Communiqué de presse de la C.S.N.*, Québec, 7 janvier 1970. Ce communiqué de presse réfère à la « Lettre aux militants » dans laquelle Pepin défend l'orientation qu'il a cherché à donner au mouvement contre les attaques de Michel Chartrand, met les membres en garde contre tout impérialisme intellectuel et tout monolithisme doctrinal et laisse prévoir un virement progressif à gauche.

Nous qualifions d'« humanisation sociétale » l'idéologie qui anime cette définition. Celle-ci constitue un abandon pour insuffisance de l'idéologie de rattrapage et un rejet de l'idéologie néo-libérale et des idéologies de type socialiste. De même elle relègue dans l'ombre les valeurs traditionnelles clérico-nationalistes au profit de valeurs axées strictement sur la libération de l'homme de toutes ses servitudes et sur sa promotion à tous points de vue, tout en privilégiant l'aspect économique.

II
La définition
des rapports avec les autres

Dans la première partie de ce chapitre, l'idéologie de la C.S.N. a été décrite sous l'angle de la définition de soi par rapport au milieu global. Pour compléter cette étude, nous allons maintenant examiner comment la C.S.N. se situe par rapport aux groupes avec lesquels elle est en interaction. Nous traiterons donc, à cette fin, des définitions de la place des membres dans l'organisation, des relations intersyndicales, des relations avec le patronat et des relations avec le gouvernement.

A. LA DÉFINITION DES RAPPORTS AVEC LES MEMBRES

La C.T.C.C. a été créée, en 1921, par la volonté des syndicats qui lui ont conféré certains pouvoirs par voie constitutionnelle. Il en est résulté un mouvement syndical décentralisé et largement fondé sur l'autonomie locale. La C.T.C.C.-C.S.N. a toujours assimilé cette orientation intiale à une exigence de la démocratie syndicale. Elle en a souvent fait état avec fierté, en se réclamant du titre de l'organisation syndicale la plus démocratique en Amérique et en justifiant cette assertion par le pouvoir de désaffiliation dont dispose le syndicat, par le pouvoir décisionnel final des membres de la base quant au contenu de leur contrat collectif et quant au choix des moyens de pression en cas de conflit (ce qui a parfois entraîné la Confédération dans des conflits qu'elle aurait préféré éviter) et par le contrôle de la base sur l'orientation des politiques du mouvement lors des congrès fédéraux et confédéraux, lequel prévient l'influence possiblement indue de la part des permanents syndicaux [39].

En examinant l'histoire de la C.S.N. ainsi que les déclarations officielles, dans le temps, cette volonté d'une action syndicale démocratique est manifeste. Ce sont les travailleurs eux-mêmes qui doivent donner une âme à leur syndicat en forgeant ses attitudes, en élaborant ses politiques et en lui imprimant, comme masses laborieuses, un style qui leur est propre. La citation suivante illustre bien cette orientation.

> Le principe de base consiste à chercher à améliorer constamment la démocratie chez nous, à prendre tous les moyens pour que chacun des syndiqués, à tous les stades de l'action syndicale, ait l'occasion de fournir son point de vue non seulement pour accepter ou rejeter une décision qui lui appartient toujours — mais pour orienter, au moment de l'élaboration, la politique qui sera proposée et adoptée en assemblée générale [40].

Cet esprit conduit à une valorisation de la souveraineté de l'assemblée générale qui apparaît comme le cœur de la vie syndicale démocratique. Dans ces assemblées, les travailleurs, soustraits à l'influence des présumées élites, ont la capacité de s'exprimer librement, individuellement et collectivement, de se concerter, de collaborer, de devenir solidaires et de réaliser des consensus sur leurs objectifs et sur les moyens pour les atteindre.

La participation à la vie syndicale implique comme prérequis que les membres soient militants et éclairés. La C.T.C.C.-C.S.N. a toujours attaché une grande importance à ce dernier aspect en accordant beaucoup d'attention à la formation syndicale. Elle a utilisé diverses formules : cours formels, cercles d'études, journées d'études, congrès, conférences, collège ouvrier, journal. Soulignons que le contenu de cette éducation a évolué dans le temps. Jusqu'en 1950, la priorité est accordée

---

39. En examinant la situation de plus près, l'observateur averti constate que cette image, projetée par la C.T.C.C.-C.S.N. doit, dans les faits, être nuancée. La centrale a toujours été dans une position qui lui permettait d'avoir une influence réelle sur la base, notamment, par son contrôle du fonds de défense professionnelle et par la concentration, jusqu'à tout récemment, des permanents au niveau de la Confédération. On se rappellera aussi, que pendant très longtemps les résolutions au congrès confédéral provenaient des fédérations et des conseils centraux, ce qui favorisait un certain tamisage. Il reste néanmoins que ce sont les représentants des syndicats de la base qui possèdent le pouvoir décisionnel à l'occasion des congrès confédéraux et fédéraux.

40. Rapport du Bureau confédéral de la C.S.N., *Procès-verbal*, quarante-deuxième session du congrès de la C.S.N., Montréal, 1966, p. 59. Le même thème a été développé longuement par le président Pepin à l'occasion des congrès confédéraux de 1968 et de 1970.

à la formation morale et religieuse des travailleurs ; par la suite, l'accent est placé sur la compétence technique, lois ouvrières, notions d'économie, techniques de relations ouvrières ; enfin, depuis l'ouverture du deuxième front, l'éducation politique a été ajoutée à la formation de nature professionnelle.

Le militantisme doit être supporté par des services efficaces si l'on veut éviter qu'il ne s'égare ou ne s'affaiblisse. La C.T.C.C. en a réalisé la nécessité, sur le plan professionnel, au cours de sa prise de conscience syndicale pendant les années 40. C'est ce qui a entraîné l'attribution d'une partie du budget de la Confédération à la formation technique des agents d'affaires en 1944 et la décision de redoubler d'effort en 1964, la création d'un fonds de grève et de défense professionnelle en 1948 et la mise sur pied d'un centre de documentation dans les années suivantes. C'est aussi pour cette raison que le mouvement a comme politique de recruter, depuis les années 40, des gradués universitaires pour certains postes de conseillers techniques. De même, l'efficacité au niveau des services était la raison principale pour laquelle le contrôle des conseillers techniques était exercé à peu près uniquement par la Confédération jusqu'en 1968. C'est aussi pour cette raison que les réformes de structure de 1968 visaient à conférer plus de pouvoir et plus de ressources humaines aux fédérations professionnelles. D'ailleurs, la C.T.C.C.-C.S.N. a toujours prétendu que les structures étaient subordonnées aux intérêts des membres et qu'elles devaient être conçues de façon à leur permettre de s'exprimer.

La C.T.C.C.-C.S.N. voit sa raison d'être dans ses membres et se veut entièrement à leur service en assujettissant, de façon générale, les objectifs institutionnels à ceux des constituants. Cette idée influence aussi, comme nous allons le voir, la définition des rapports intersyndicaux.

B. LA DÉFINITION DES RAPPORTS INTERSYNDICAUX

La C.T.C.C.-C.S.N. a une longue tradition de rapports difficiles, voire antagonistes avec les mouvements syndicaux concurrents.

1. LES SYNDICATS DE BOUTIQUE

La C.T.C.C.-.C.S.N. a nourri une hostilité profonde à l'égard des « unions de compagnie » ou « syndicats de boutique », car elle considère que ces derniers représentent la négation même du droit d'association, parce qu'ils sont soumis au chantage et à la volonté des employeurs. C'est au nom de la liberté d'association qu'elle a réclamé, à plusieurs reprises, des amendements à la législation ouvrière visant à supprimer les possibilités juridiques d'existence de telles unions. Cette attitude nous semble bien représentée par le texte suivant :

> En créant une présomption de domination patronale contre les associations non affiliées à une centrale reconnue et en établissant des règles rigides les concernant, il est possible d'enrayer la prolifération des « unions de compagnie » qui sont un reliquat de l'esclavage industriel et un obstacle au libre exercice du droit d'association [41].

2. LE SYNDICALISME CONCURRENT

La C.T.C.C. est apparue comme une organisation en rupture de ban avec le mouvement syndical nord-américain, neutre, matérialiste et étranger. L'article 1 de sa constitution est explicite :

> La C.T.C.C. croit que c'est un non-sens, une faute économique, une abdication nationale et un danger politique que d'avoir au Canada des syndicats relevant d'un centre étranger, qui n'a ni nos lois, ni nos coutumes, ni notre mentalité, ni les mêmes problèmes que nous.

La C.T.C.C. accusait ses adversaires syndicaux de propagande mensongère, d'inefficacité dans la défense des intérêts ouvriers, d'intimidation et de malhonnêteté à l'endroit des travailleurs, d'intéressement excessif aux contributions syndicales, de propension aux grèves illégales et de faste chez les dirigeants syndicaux [42]. Elle attaquait violemment les unions internationales, à cause de leur caractère étranger, au nom, soit d'un sain nationalisme, soit de motifs politiques, soit de la liberté syndicale ou de l'autonomie au sein des structures syndicales, soit de l'efficacité dans la défense des travailleurs car, les chefs syndicaux américains ne pouvaient être en mesure de comprendre les problèmes spécifiques du Canada. Elle leur reprochait, tout aussi violem-

---

41. *Mémoire de la C.S.N. au cabinet provincial*, 17 novembre 1960, p. 2. Nous retrouvons la même attitude, dans des mots différents, au cours des années 40. Voir : congrès de 1943, résolution n⁰ 1, et congrès de 1948, résolution n⁰ 2.
42. La C.T.C.C. ne faisait pas de distinction formelle entre les unions nationales et internationales parce qu'elles étaient associées dans une même centrale et possédaient à ses yeux, les mêmes caractères de neutralisme et de matérialisme. En retour, celles-ci la définissaient comme un syndicalisme « jaune ».

ment, leur neutralité religieuse en qualifiant les chefs de marxistes et en les associant au communisme ou à l'athéisme [43].

La C.S.N. a conservé une partie de l'antipathie de la C.T.C.C. envers les unions internationales. Mais les motifs d'autrefois, matérialisme, neutralisme, etc., sont disparus, bien que d'amers souvenirs des anciennes luttes fratricides demeurent. La C.S.N. accepte le syndicalisme international dans la mesure où les travailleurs désirent exercer leur droit d'association par son entremise. Elle s'y oppose parce qu'elle assimile son existence à celle du colonialisme économique et industriel américain et parce qu'elle considère d'une part, que les grandes unions constituent des machines énormes et trop hiérarchisées dont la puissante bureaucratie s'est intégrée au libéralisme économique en abandonnant les objectifs généraux de la classe ouvrière en vue d'un meilleur ordre social et en mettant la démocratie syndicale en veilleuse et d'autre part, que la qualité des services aux membres est subordonnée aux objectifs institutionnels des organisations [44].

3. LE PLURALISME SYNDICAL ET L'UNITÉ SYNDICALE

La création de la C.T.C.C., en 1921, constituait une option en faveur du pluralisme syndical, parce qu'elle avait pour but de donner aux travailleurs canadiens-français et catholiques, une organisation syndicale spécifique et différente des autres. Depuis, les attitudes et les actions de la C.T.C.C.-C.S.N. ont reposé sur les deux principes de base suivants : la liberté fondamentale des travailleurs quant au choix de leur syndicat ; la solidarité des travailleurs et des classes laborieuses. C'est pourquoi la C.T.C.C.-C.S.N. a refusé l'unité organique des forces syndicales et préconisé leur unité d'action.

En 1956, la C.T.C.C., favorable à une affiliation avec les deux autres centrales syndicales, a rejeté la fusion organique parce que celle-ci entraînait sa désintégration et son assimilation dans le mouvement nord-américain et ne laissait plus aux travailleurs la possibilité de choisir librement leur syndicat. En 1964, le président de la Confédération éliminait tout doute quant à l'attitude de la C.S.N. eu égard à l'unité

---

43. Soulignons qu'au cours des années 50, la rivalité est devenue moins aiguë et par conséquent, la perception des adversaires syndicaux par la C.T.C.C. a été plus modérée à cause de sa maturation syndicale, de la congruence idéologique et de la coopération entre la C.T.C.C. et la F.U.I.Q. et des pourparlers de fusion.

44. Le maraudage de la C.S.N., au début des années 60, était justifié de cette façon. Sur ce plan, elle ne distingue pas entre unions internationales et unions nationales, comme le démontre son offensive contre la C.B.R.T., à Montréal, en 1965, et contre le S.C.F.P., à l'Université Laval, en 1970.

syndicale, en déclarant que l'unité organique ne permet pas de respecter les particularismes individuels et collectifs et qu'elle détruit les valeurs précises qui font l'originalité des individus et des groupes [45]. C'est au nom du droit d'association que la C.S.N. a combattu le mouvement syndical rival, pour les unités naturelles à Radio-Canada en 1967 et au Canadien Pacifique en 1968, pour la représentation paritaire à la C.C.R.O. en 1966-1967 et 1968, qu'elle a ouvert un bureau régional à Toronto en 1967, qu'elle supporte « les gars de Lapalme » depuis 1968 et qu'elle accepte la pratique d'un certain maraudage syndical.

Si elle est favorable à la concurrence intersyndicale au nom du droit d'association et de la primauté des travailleurs sur l'organisation syndicale, la C.S.N. est consciente que celle-ci comporte le risque de luttes fratricides qui affaibliraient, en définitive, la classe ouvrière face au patronat et à l'État. C'est pourquoi valorise-t-elle la solidarité ouvrière et l'unité d'action syndicale. L'esprit qui l'anime nous semble bien illustré par la citation suivante : « Devant des objectifs communs à atteindre, les centrales ont le devoir de faire front commun et d'oublier leurs querelles ou leurs différences idéologiques [46]. »

Depuis le premier front commun C.T.C.C.-F.U.I.Q. contre les bills 19 et 20 en 1954, la C.T.C.C.-C.S.N. a la conviction que l'unité syndicale est possible dans la diversité des organismes, par l'action conjointe sur des problèmes spécifiques, mémoires conjoints, fronts communs etc., tant sur le plan professionnel que politique et par la solidarité basée sur la finalité qui unit tous les organes de la classe ouvrière [47].

C. LA DÉFINITION DES RAPPORTS AVEC LE PATRONAT

De 1940 à 1948, la C.T.C.C., influencée par l'idéologie corporatiste, entretient une conception de « bonne entente » dans la définition de ses rapports avec le patronat. Elle insiste sur l'esprit de collaboration, la bonne volonté de part et d'autre, la probité, le sens de la justice et de l'équité. Elle estime que les employeurs et les employés, loin d'être des ennemis, sont solidaires à cause d'une nature et d'un idéal com-

45. Rapport du président, *Procès-verbal*, quarante et unième session du congrès de la C.S.N., Québec, 1964, p. 13.
46. *Ibid.*, p. 18.
47. La C.S.N. a développé une conscience sociale qui dépasse la solidarité syndicale. En effet, elle se sent solidaire de toutes les manifestations de la classe ouvrière, telles que comités de citoyens, coopératives et autres mouvements d'émancipation sociale ou économique. Elle tend non seulement à entretenir des relations avec eux mais aussi à les supporter moralement, techniquement, voire financièrement.

muns [48]. Elle croit en la possibilité de réaliser la démocratie industrielle par une collaboration permanente dans un esprit de fraternité chrétienne et, par voie de conséquence, en la possibilité d'introduire dans les négociations collectives, une atmosphère de cordialité, de franchise et de politesse.

Cette conception de la C.T.C.C. nous semble bien illustrée par les déclarations suivantes :

> La C.T.C.C. croit en la véritable démocratie industrielle, vivifiée à la base par des organismes patronaux et ouvriers ; ces organismes seront élevés au-dessus des querelles politiques et voués à une collaboration pacifique et permanente dans un esprit de fraternité chrétienne.
> Puis les employeurs devraient ne pas craindre de s'élever au-dessus du plan strictement légal pour régler, avec les syndicats de travailleurs, tous leurs problèmes d'après les deux grandes vertus de justice et de charité [49].

Une telle conception semble l'apanage d'un syndicalisme faible qui ne peut s'imposer et qui doit s'appuyer sur la bonne volonté de son protagoniste afin de survivre. Mais la grève de l'amiante, en 1949, fait disparaître les illusions et met un terme à l'esprit de coexistence. À l'occasion de cette grève, la C.T.C.C. constate qu'elle constitue une force syndicale, prend conscience des oppositions d'intérêt entre le monde patronal et le monde syndical et de la nécessité du militantisme syndical. Elle découvre alors que l'amélioration des conditions de travail peut être une fin en soi et non plus un moyen de réaliser le salut spirituel des travailleurs. C'est pourquoi une conception conflictuelle des rapports avec le patronat succède à la conception précédente de type paternaliste. Ce dernier est maintenant perçu comme un exploiteur des travailleurs qui impose une dictature dans l'entreprise et qui méprise le syndicalisme. C'est un adversaire qui doit être combattu par les moyens propres à l'action syndicale.

---

48. Les deux déclarations suivantes illustrent bien cette approche : « Merci aux employeurs qui collaborent loyalement avec nos syndicats et qui croient en notre idéal », voir : *Procès-verbal*, congrès de 1944, *op. cit.*, p. 38. La C.T.C.C. perçoit la retenue à la source des cotisations syndicales comme une chose allant de soi parce que l'« employeur bien disposé et prêt à coopérer avec un syndicat de travailleurs, qui considère ses ouvriers et leur syndicat comme des associés, sait qu'il rend un service important au syndicat en appliquant ainsi gratuitement la retenue syndicale, et il accepte de le faire », voir : *Procès-verbal*, congrès de 1948, *op. cit.*, p. 54.
49. *Programme de la C.T.C.C. pour l'après-guerre*, mémoire de la C.T.C.C. au cabinet fédéral, 1946, p. 2 et 9.

À partir de 1954, l'idée de coopération est réintroduite dans la définition des rapports patronaux-ouvriers. Elle sera reprise avec encore beaucoup plus de force au cours des années 1960-1970 [50]. Mais il est tenu compte, cette fois, de la divergence d'intérêts. On y retrouve, cependant, dans un langage et sous une forme adaptée aux circonstances actuelles, l'ancien objectif de la cogestion des années 40, dépouillé de sa teinte corporatiste, car il repose sur une volonté d'humaniser les structures déficientes de l'entreprise.

Cette orientation comporte, au départ, une contestation de la structure sociale de l'entreprise. Celle-ci est perçue comme un milieu où les travailleurs sont étrangers et considérés comme une partie intégrante de l'outillage ; où la rationalité de l'organisation déshumanise le travail humain ; où l'employeur, en vertu des droits de la gérance, que le droit civil protège, annihile le sens des responsabilités de l'homme et tient les travailleurs à l'écart des décisions importantes, y compris celles qui le concernent directement. Par opposition, l'homme n'est pas un simple rouage économique mais un être intelligent, doté d'un libre arbitre et capable d'assumer des responsabilités, qu'il faut intégrer dans l'entreprise. C'est pourquoi, la structure de l'entreprise doit être transformée, afin qu'elle devienne une véritable communauté de personnes, qui respecte la nature de l'homme. C'est pourquoi, la participation effective des travailleurs aux décisions, qui les concernent directement, s'avère essentielle. Il en découle, que l'entreprise doit être définie comme ayant une responsabilité sociale, que le champ de la négociation collective doit être élargi et que les travailleurs et leur syndicat ont droit à toute l'information sur les données susceptibles d'affecter leurs conditions de travail et leur avenir. La création de conseils d'entreprise apparaît alors comme un moyen susceptible de favoriser le dialogue entre des partenaires égaux, qui recherchent des solutions valables aux problèmes de l'entreprise.

D. LA DÉFINITION DES RAPPORTS AVEC L'ÉTAT : L'ACTION POLITIQUE

La constitution de 1921 interdisait à la Confédération et à ses corps constitués, tout engagement politique de caractère partisan, aussi

---

50. L'idée de coopération est soulevée dans le rapport moral du président lors du congrès confédéral de 1954. Elle est développée de nouveau dans le rapport moral du président en 1961 puis discutée longuement en 1966. Le président Pepin reviendra sur ce thème en 1968 et 1970. Le rapport du président Picard, en 1954, sur la cogestion, s'inspirait de la loi des comités d'entreprise de 1952

bien au niveau municipal qu'au niveau des gouvernements fédéral ou provincial. Cette orientation initiale a été nuancée par la suite, notamment en 1958, 1962 et 1968, afin de conférer au mouvement une plus grande liberté d'action. Elle est cependant demeurée la pierre angulaire des attitudes et des comportements de la C.T.C.C.-C.S.N. sur le plan politique.

Pour la C.T.C.C.-C.S.N., l'action politique syndicale se situe dans l'ordre des moyens et ne doit pas devenir une fin sinon le syndicat s'éloigne de sa véritable raison d'être, qui est la défense de la cause ouvrière. La C.T.C.C.-C.S.N. est donc demeurée apolitique, au sens partisan du terme, par souci d'efficacité et par respect de la finalité syndicale. Il est essentiel, pour elle, de préserver l'indépendance du mouvement syndical et d'éviter l'établissement de liens organiques avec un parti politique, afin que la mission syndicale ne soit pas interrompue par les aléas des partis politiques. « L'expérience enseigne que les syndicats, pour ne pas perdre de vue le but pour lequel ils ont été fondés, doivent rester parfaitement libres, même à l'égard d'un parti politique qu'ils auraient contribué à porter au pouvoir [51]. »

Cette orientation n'a pas empêché la C.T.C.C.-C.S.N. d'adopter des positions politiques ou d'attaquer un parti politique, à l'occasion, lorsqu'elle jugeait que c'était nécessaire dans l'intérêt des travailleurs et du syndicalisme. En 1957, la C.T.C.C. déclare que le programme du P.S.D. répond aux vœux exprimés à plusieurs reprises par les organisations syndicales. En 1961, la C.S.N. se réjouit de la formation du N.P.D. parce que c'est un parti qui prend ses racines dans les couches laborieuses de la population. En 1944, la C.T.C.C. dénonce le parti C.C.F. à cause de son caractère socialiste. En 1962, le président de la C.S.N. mène une vigoureuse campagne contre le Crédit social parce qu'il constituerait une menace pour le syndicalisme. Il était reconnu, à la fin des années 50, que la C.S.N. constituait la principale force d'opposition au régime duplessiste. Ces engagements peuvent apparaître comme des options politiques partisanes. Ce n'est cependant pas le cas, car ils n'impliquent aucune relation partisane avec une formation politique quelconque. Ils sont conformes à l'idéologie d'un mouvement qui veut exercer une surveillance constante sur les actes des gouvernants, actuels ou virtuels.

Ayant opté pour une action politique non partisane, la C.T.C.C.-C.S.N. a utilisé des modes d'action de type bureaucratique, éducatif ou

en France et sur la codétermination allemande dans l'industrie sidérurgique. Soulignons aussi qu'à l'époque, plusieurs des jeunes cadres de la C.T.C.C. semblaient influencés par la pensée de Mounier.
51. Rapport du président, congrès de 1954, *op. cit.*, p. 28.

d'influence [52]. Le deuxième front, même s'il suppose un engagement politique plus profond et plus systématique qu'auparavant repose sur les mêmes modes d'action.

Nous allons examiner, maintenant, ces trois modes d'action, en traitant plus longuement des méthodes éducatives et de pression, parce que la C.T.C.C.-C.S.N. leur a accordé plus d'importance.

L'action politique bureaucratique réside dans la participation de représentants syndicaux dans des organismes gouvernementaux consultatifs ou administratifs. Il serait trop long d'énumérer les organismes de ce genre où la C.T.C.C.-C.S.N. a participé ainsi que ceux dans lesquels elle a réclamé une représentation. On peut affirmer, sans crainte d'errer, que depuis 20 ans, la C.T.C.C.-C.S.N. désire être présente partout où les intérêts des travailleurs sont en jeu, directement ou indirectement. Elle a favorisé la création de tels organismes et y a recherché une représentation significative, car c'est, pour elle, un excellent moyen d'exprimer le point de vue de la classe laborieuse, de dialoguer avec les protagonistes et d'influencer le pouvoir. On peut faire l'hypothèse que cette participation s'accroîtra dans le contexte de socialisation en vertu de l'idéologie actuelle de la C.S.N. Cependant, une certaine prudence ou réticence est à prévoir, de la part de la C.S.N., d'une part parce qu'elle entretient une crainte envers l'État et la techno-structure de sorte qu'elle veut éviter d'être intégrée dans les rouages étatiques et d'autre part, parce que, consciente qu'elle constitue une force sociale, elle a tendance à promouvoir ses objectifs par la négociation ou par la pression.

C'est en 1949 que nous retraçons la première action d'importance en matière d'action politique éducative. Un comité d'action civique est alors formé, dans le but de faire l'éducation civique des travailleurs, de voir à ce que les réformes économiques et sociales préconisées par la C.T.C.C. soient traduites dans les législations et d'orienter l'opinion publique. L'année suivante, ce comité devient le comité d'orientation politique. En 1952, l'action éducative est intensifiée, comme l'indique un amendement à la constitution.

Article 30 :

La C.T.C.C. aura un comité d'orientation politique formé par le bureau confédéral et qui aura pour fonctions de :

a) Faire connaître au public le programme législatif de la C.T.C.C. ;

---

52. L'expression à la vogue « animation politique » est contenue dans le terme éducatif.

b) Étudier les attitudes des hommes publics touchant ce programme législatif et les problèmes ouvriers et syndicaux dans le but d'informer les syndiqués et les travailleurs en général ;

c) Établir des relations suivies avec les législateurs ;

d) Faire l'éducation politique des syndiqués et des travailleurs en général ;

e) Faire connaître les bonnes et les mauvaises applications de la législation. Un fonds spécial auquel seuls les corps affiliés et leurs membres pourront souscrire, sera créé pour permettre au comité de remplir efficacement son rôle.

Article 30A :

Il est interdit à cette confédération comme à chacun de ses groupements de s'affilier à aucun parti politique et à la C.T.C.C. comme telle d'appuyer aucun parti politique [53].

En 1954, les fonctions de ce comité sont redéfinies de la façon suivante :

Le Comité est d'avis qu'il faille intensifier :

1) L'éducation politique en se servant d'exemples concrets et adaptés au milieu en cause ;

2) L'intervention de la C.T.C.C. et de ses corps affiliés auprès des pouvoirs publics pour faire connaître les aspirations légitimes des travailleurs et obtenir une législation appropriée et conforme au bien ;

3) La publicité afin d'éclairer l'opinion publique sur les raisons qui poussent la C.T.C.C. à s'intéresser à la politique et sur les modalités de cette action.

Cette action politique exclut :

1) La création d'un parti politique ouvrier ;

2) L'affiliation de la C.T.C.C. à un parti politique.

Cette éducation et cette action politique exigent une certaine préparation et un certain programme et nécessitent par conséquent :

1) La nomination d'un permanent libéré exclusivement pour l'éducation politique ;

2) La rencontre sur le plan local, des membres de tous les groupements intéressés à entreprendre une action politique, orientée vers l'élection, là où il sera opportun d'appuyer des candidats soucieux du bien commun ;

---

53. Rapport du président, congrès de 1952, *op. cit.*, p. 168.

3) L'élaboration des points de vue généraux du mouvement en vue de les inclure dans les programmes politiques locaux ;

4) Qu'avant de se lancer dans l'action politique, il faudra bien voir à ce que cette action : *a)* soit possible, opportune, jugée efficace, et que l'éducation préalable ait été faite suffisamment pour que la nécessité d'une action politique réponde à un désir manifeste d'un groupe important de citoyens ; *b)* ne nuise pas aux moyens essentiels tels que : organisation, négociation et éducation ; *c)* ne soit pas contraire à la politique générale du mouvement [54].

En 1958, on décide d'instituer une commission d'éducation politique ayant pour mission de guider le Service d'éducation de la C.T.C.C. et ses comités régionaux, quant aux techniques des programmes d'éducation politique du mouvement. À partir de 1962, l'engagement devient plus profond alors que l'on décide de créer des comités d'action politique.

Chez la C.T.C.C.-C.S.N., l'action politique éducative remplit une triple fin. Elle vise à éclairer les travailleurs sur les options politiques, en particulier lors des élections, dans une perspective d'indépendance vis-à-vis des partis politiques, afin de les aider à exercer leur droit de vote de façon rationnelle [55]. En deuxième lieu, elle tente d'influencer le vote ouvrier par la condamnation publique des hommes ou des partis politiques dont les idées ou les programmes sont considérés antisyndicaux. En troisième lieu, elle vise à sensibiliser l'opinion publique aussi bien que les hommes politiques sur ses revendications législatives, sociales et économiques et sur les problèmes et les besoins de la classe ouvrière, afin de s'en ménager la sympathie. Depuis 1960, ce dernier objectif a acquis un caractère de permanence, a pris de l'importance graduellement au cours de la décennie et s'est élargi aux questions et aux problèmes qui concernent la population dans son ensemble.

D'une part, la C.T.C.C.-C.S.N. a toujours utilisé la méthode d'action politique, dite de pression ou d'influence, sous l'une ou l'autre des modalités suivantes : prises de position officielles du mouvement sur des questions qui intéressent les ouvriers, dans lesquelles on souligne des imperfections du système et propose des solutions dans une perspective syndicale ; démarches de représentants syndicaux auprès des autorités gouvernementales, notamment au ministère du Travail, pour

54. Rapport du Comité d'action politique, congrès de 1954, *op. cit.*, p. 179-180.
55. Le journal *le Travail* publiait une liste des revendications syndicales en parallèle avec des annonces publicitaires ou les programmes des partis politiques en présence.

discuter d'un problème grave (grève, législation, etc.) et tenter de le régler ; mémoires ou documents exposant les revendications syndicales ou portant sur une question précise ; manifestations publiques de masse sur des questions fondamentales pouvant mettre en jeu l'avenir du mouvement syndical (telles que la marche sur Québec contre les bills 19 et 20 et le congrès spécial sur le bill 54).

Ce mode d'action soutient deux objectifs principaux. Il vise d'abord, à accélérer, par la pression, l'adoption de lois ou de modifications aux lois existantes dans le but d'améliorer la condition ouvrière ou des institutions syndicales. C'est une action supplétive à l'action au niveau de l'entreprise. En deuxième lieu, il a pour objet d'institutionaliser ou d'obtenir le droit de cité au syndicalisme, comme corps intermédiaire, dans une société qui conserve beaucoup de réticences à son endroit. Ce dernier objectif a atteint une importance primordiale depuis 1960, en particulier, depuis l'ouverture du deuxième front, car la C.S.N. veut être un élément progressif de la société, un interlocuteur de prestige et de poids et un groupe de pression respecté.

Depuis les réformes constitutionnelles de 1962, la C.S.N. semble se situer très près de la ligne de démarcation entre action partisane et action non partisane. Le Comité central d'action politique est l'instrument qui sert à étendre et à coordonner l'action politique du mouvement. Les dirigeants et les conseils centraux peuvent adopter les attitudes et poser les gestes politiques qu'ils jugent appropriés. Le président général et le secrétaire général ont le droit de prendre position et de faire des déclarations publiques, au nom de la C.S.N., non seulement lorsque celle-ci est attaquée, mais en tout temps. Le Bureau confédéral peut dénoncer un parti et faire connaître sa préférence entre les partis en présence.

Citons l'article 30 de la constitution :

La C.T.C.C. est une centrale syndicale indépendante de tous les partis politiques et il lui est interdit de s'affilier à aucun d'eux. Toutefois, la C.T.C.C. :

a) doit, en temps opportun, soumettre aux divers gouvernements, soit seule, soit conjointement avec d'autres centrales syndicales, les revendications de nature à promouvoir les intérêts professionnels, économiques et sociaux des travailleurs ;

b) peut, par l'intermédiaire du Bureau confédéral, former un comité d'éducation politique, en vue d'examiner et apprécier les attitudes des gouvernements, des partis politiques et des hommes publics ; ce comité fait rapport au Bureau confédéral lequel prend les décisions qu'il juge à propos ; ce comité, enfin, a mandat de coopérer avec le Service d'éducation de la C.T.C.C. pour faire connaître la nature et la portée des revendications de la C.T.C.C. ;

c) peut établir un fonds spécial pour permettre au comité d'éducation politique de remplir efficacement son rôle, mais ce fonds sera alimenté exclusivement par des souscriptions volontaires recueillies auprès de la C.T.C.C. et de ses organisations affiliées ;

d) autorise le Président général, et, en son absence le Secrétaire général, à faire les déclarations publiques d'ordre politique au nom de la C.T.C.C. ; mais telles déclarations d'ordre politique leur sont interdites à l'occasion des campagnes électorales, sauf pour répondre à des attaques dirigées contre la C.T.C.C. elle-même ou contre eux ;

e) exige, de la part du Président général et du Secrétaire général, qu'ils démissionnent de leurs postes s'ils désirent faire de la politique active, sans leur nier, pour autant, le droit d'occuper toute autre fonction qui pourrait leur être confiée à l'intérieur du mouvement ;

f) peut, sur invitation officielle, en dehors des périodes électorales, désigner des représentants auprès de l'un ou l'autre des partis politiques en vue de participer à l'élaboration de son programme d'action, mais les attitudes de tels représentants ne lient pas la C.T.C.C. ;

g) n'intervient pas dans les attitudes que les organisations affiliées jugeraient à propos de prendre du point de vue politique, sauf si elles venaient à l'encontre des intérêts généraux du mouvement ;

h) reconnaît à tout syndiqué la plénitude de ses droits de citoyen.

Il apparaît donc que la C.S.N. a mis au point une formule, qui lui permet de poursuivre une politique de présence systématique et dynamique sur la scène politique, sans avoir à faire de compromis avec un parti politique ou a en subir l'ingérence.

* * *

La C.T.C.C.-C.S.N. attribue une double finalité à l'action syndicale : économico-professionnelle et socio-politique.

À partir d'une approche « bonne ententiste », elle accède graduellement à la conception de la revendication permanente sur le plan économico-professionnel. Elle réalise, en effet, autour des années 50, que l'allégeance et la loyauté des travailleurs s'obtiennent, dans le contexte nord-américain, davantage par le nombre et la qualité des services que par l'idéologie qui anime un mouvement. En matière de revendication économico-professionnelle, elle s'apparente, en gros, au modèle d'affaire nord-américain, compte tenu des caractères qu'elle a retenus de son origine. Il pourrait difficilement en être autrement car, dans une situation concurrentielle, aucune organisation n'a intérêt à se laisser distancer par sa rivale, de sorte qu'avec le temps les politiques et les méthodes d'action se ressemblent, parce que les initiatives de l'une sont généralement imitées par l'autre, dans un laps de temps plus ou moins long.

On retrouve d'autre part chez la C.T.C.C.-C.S.N., une volonté constante de dépasser la fonction strictement professionnelle pour remplir une fonction humaniste et sociale, qui lui confère un caractère réformiste, voire révolutionnaire sur certains aspects. De là provient sa seconde finalité et son originalité dans le contexte nord-américain.

Préoccupée fondamentalement par la dignité de l'homme et sa déshumanisation dans le processus du développement économique, la C.T.C.C.-C.S.N. cherche à recréer une certaine identité entre le travail et le mode de vie. À cette fin, elle cherche à s'appuyer sur une idéologie qui accorde à l'homme une primauté sur l'économique. Son orientation catholique, dès sa naissance, illustre clairement cette finalité. Le nationalisme confessionnel débouche sur le corporatisme comme sur son prolongement. Ni l'une ni l'autre idéologie n'apportent cependant le résultat espéré. Au contraire, leur caractère réactionnaire conduit à des combats d'arrière-garde. Mais face au capitalisme libéral, la C.T.C.C.-C.S.N. ne voit pas de solution valable dans les idéologies de rechange que constituent le socialisme, le communisme et le fascisme. C'est ce qui l'a amenée historiquement à redéfinir ses aspirations initiales et à s'orienter vers une idéologie de participation tant sur le plan communautaire qu'au niveau de l'entreprise. D'une part, on accepte et on cherche à la fois, une intensification du rôle socio-économique de l'État, mais à l'intérieur de structures politico-juridiques où les corps intermédiaires peuvent jouer le rôle de pouvoir compensateur. D'autre part, on vise à reconférer à l'homme le contrôle de sa condition dans le milieu de travail par l'entremise de la négociation et de la participation. Ainsi espère-t-on voir disparaître l'antinomie créée par le développement économique, entre le travail et le mode de vie.

Chapitre 2

La pensée économique

Le développement de la pensée économique de la C.T.C.C.-C.S.N. épouse l'évolution, à la fois, des conditions économiques du milieu et de la définition de soi. L'analyse des problèmes ainsi que la recherche de leurs solutions deviennent, avec le temps, plus rigoureuses et plus approfondies, pour atteindre leur apogée au cours de la révolution tranquille. Ceci permet d'identifier deux grandes périodes principales, quant à l'idéologie économique, que nous qualifions de phase « contestation-accommodation » avant 1960 et phase « contestation-réformisme » après 1960.

I
Phase contestation-accommodation :
1940-1959

Au cours de cette phase, la C.T.C.C. attribue les vices de l'économie d'une part à l'idéologie de la libre concurrence et à l'égocentrisme du système capitaliste, d'autre part aux déficiences des politiques gouvernementales en matière de développement économique. Comme elle aborde la question économique dans une perspective moralisante, la C.T.C.C. dénonce, à la fois, le capitalisme et le communisme comme forme d'organisation de la vie économique. Elle n'est, cependant, pas capable d'élaborer une solution globale de rechange. C'est pourquoi elle ne propose que des actions limitées des agents de l'économie, au niveau des structures économiques. De plus, parce qu'elle craint l'étatisme, elle ne confère à l'État qu'un rôle strictement supplétif de fabricant de règlements visant à protéger les petits salariés. C'est ce que nous qualifions d'idéologie économique de contestation-accommodation.

Ce contenu idéologique est induit des prises de position de la C.T.C.C. sur les problèmes économiques qui la préoccupent au cours de la période : le marché du travail et le pouvoir d'achat. Selon la conjoncture économique, chacun de ces problèmes est, à tour de rôle, l'objet d'une attention particulière. La C.T.C.C. les aborde dans une perspective de consommation, axée sur la famille, unité de base fondamentale. C'est dans la recherche des causes et des solutions que l'optique s'élargira graduellement.

A. POUVOIR D'ACHAT

Pendant les années de guerre, le pouvoir d'achat enregistre un progrès constant, alors que le gouvernement exerce un contrôle sur les prix. C'est pourquoi, les problèmes du coût de la vie et de l'inflation constituent une préoccupation mineure. Si le président soulève cette question au congrès de 1943, c'est pour remettre en question les méthodes de calcul statistique des indices du coût de la vie du gouvernement fédéral et souligner le bas niveau des salaires au Québec, par rapport à l'Ontario [1]. L'année suivante, le congrès confédéral adoptera une résolution dénonçant le caractère permanent de l'inflation [2].

La montée constante des prix, au cours des années 1947-1948, sans une évolution parallèle des salaires, en contrepartie, entraîne par la suite une certaine critique du système économique capitaliste. Ainsi, au congrès de 1948, la C.T.C.C., s'appuyant sur l'encyclique *Quadragesimo anno*, reconnaît que la libre concurrence, contenue dans de justes limites, est une chose utile et légitime, mais refuse, en même temps, de la considérer comme la norme régulatrice par excellence de la vie économique, parce que le libéralisme économique conduit, par lui-même, au contrôle monopolistique des prix par quelques entreprises, à la disparition de la petite entreprise, au déséquilibre économique et à la ruine [3]. L'analyse critique se poursuivra au cours de la décennie suivante, car la C.T.C.C., à la suite de sa maturation idéologique, a pris conscience de l'importance de la fonction économique du syndicalisme.

1. Rapport du président, *Procès-verbal*, vingt-deuxième session du congrès de la C.T.C.C., Granby, 1943, p. 31.
2. *Procès-verbal*, vingt-troisième session du congrès de la C.T.C.C., Trois-Rivières, 1944, résolution no 99, p. 118.
3. *Procès-verbal*, vingt-septième session du congrès de la C.T.C.C., Hull, 1948, résolution no 147, p. 193.

Les moyens que la C.T.C.C. propose pour combattre l'inflation sont l'intervention de l'État et la formation de coopératives de consommation.

Les premières démarches relatives à l'intervention de l'État sont faites dans le but de consolider le pouvoir d'achat des consommateurs dans une perspective à court terme. C'est dans ce sens, que s'interprètent deux résolutions du congrès de 1943 : l'une demandant au gouvernement provincial d'instituer une commission chargée d'établir un standard de pesée et de qualité du pain dans la province et d'en fixer les prix de revient, afin de faire disparaître la concurrence déloyale entre employeurs de cette industrie, ce qui empêche les employés d'obtenir des salaires raisonnables [4] ; l'autre priant la Commission des prix et du commerce en temps de guerre, de fixer des prix rigides et uniformes pour tous les marchands et d'exercer un contrôle plus suivi et plus efficace, afin d'empêcher les augmentations alarmantes du coût de la vie [5]. C'est, aussi, dans le même esprit que la C.T.C.C. se préoccupe, dans les années 40, du fardeau fiscal des travailleurs, des ventes à tempérament, du boni de vie chère et du coût des loyers.

La C.T.C.C. réalise, vers la fin de la décennie, que l'État peut remplir un rôle plus que supplétif en matière de stabilisation du coût de la vie et de progression du pouvoir d'achat. Elle le redéfinit, alors, en insistant sur la fonction contrôle. Dans une résolution de plusieurs pages, au congrès de 1948, la C.T.C.C. dénonce le caractère arbitraire de la détermination des prix dans le régime économique et conclut qu'il incombe, en conséquence, à l'État d'exercer une surveillance démocratique des prix par la création de tribunaux d'arbitrage possédant les pouvoirs de :

a) juger des motifs invoqués par les producteurs primaires ou par l'industrie de base au pays ou encore par les distributeurs des produits et services essentiels à la nation, à l'appui des hausses de prix sollicitées et de les faire connaître au public s'ils ne sont pas justifiés ;

b) enquêter dans tout secteur de la vie économique afin de dépister les abus dans le domaine des prix et les dénoncer publiquement [6].

L'objectif du contrôle permanent des prix, afin de protéger les consommateurs contre les hausses de prix et d'ordonner adéquatement l'activité

---

4. *Procès-verbal*, congrès de 1943, *op. cit.*, résolution n⁰ 29, p. 84.
5. *Ibid.*, résolution n⁰ 69, p. 107.
6. *Procès-verbal*, congrès de 1948, *op. cit.*, résolution n⁰ 147, p. 196.

économique au bien commun de la nation demeure très présent pendant le reste de la période [7].

D'autre part, la C.T.C.C. s'intéresse vivement, au cours des années 40, à la formule des coopératives de consommation, pour régler les problèmes reliés au pouvoir d'achat des travailleurs. Comme son action se situe surtout pendant la période où le pouvoir d'achat enregistre des progrès, il peut sembler qu'elle perçoit la coopération comme un mécanisme à court terme permettant de consolider le pouvoir d'achat. En effet, alors que l'inflation est chronique, pendant la décennie 50, la C.T.C.C. ne présente pas la coopération comme une solution globale, mais adopte plutôt une perspective macro-économique, en se tournant vers la solution de l'État-régulateur. L'orientation des années 40, nous semble être davantage le produit des valeurs corporatives, tirées de la doctrine sociale de l'Église, qui imprègnent encore l'idéologie globale de la C.T.C.C. Celle-ci définit, en effet, la coopération, non seulement comme un moyen pour améliorer la situation économique des familles ouvrières, mais aussi comme un moyen pour établir un ordre social et économique qui repose sur la recherche intelligente du bien commun plutôt que sur la course aux profits. Comme l'indique, avec éloquence, la citation suivante, la coopération favorise cet ordre nouveau, car elle permet :

1) de remplacer la compétition par la solidarité, sa devise étant : tous pour chacun ;

2) de généraliser, non d'abolir la propriété privée ;

3) d'enlever au capital son rôle dirigeant dans l'économie ;

4) de développer les énergies, ainsi qu'un esprit de travail et d'initiative [8].

B. LE CHÔMAGE

Pendant les années de guerre, alors que le taux de chômage est inférieur à 2%, la C.T.C.C. n'y fait que de simples allusions. Elle commence à s'y intéresser au congrès de 1946, car le nombre de chômeurs augmente rapidement, à cause de la fermeture de plusieurs

7. La C.T.C.C. revient à la charge dans ses mémoires annuels au parlement fédéral, en 1951, 1952, 1954 et 1957. Elle traite aussi de la question dans un mémoire particulier en 1951. Voir : *Mémoire de la C.T.C.C. au Comité conjoint de la Chambre des communes et du Sénat sur la Loi des coalitions, re : Fixation des prix de détail*, 23 novembre 1951, 7 pages.
8. *Le Travail*, février 1948, vol. XXIV, n⁰ 2, p. 7.

chantiers de guerre et arsenaux. Elle invite alors le gouvernement fédéral, à investir des milliards dans des travaux publics et à stimuler l'établissement d'entreprises capables d'assurer aux travailleurs, des sources d'emplois stables [9]. Elle réagit, par la suite, aux variations du taux de chômage, lequel demeure relativement bas jusqu'en 1955, en préconisant des mesures à court terme. D'une part, elle demande des restrictions à l'immigration et aux importations et d'autre part, relance l'invitation de 1946 concernant les travaux publics et l'implantation industrielle, notamment, en 1950, 1954 et 1955 [10].

En 1950, au moment où le taux de chômage atteint un sommet d'après-guerre avec 4% au Québec, la C.T.C.C. commence à s'inquiéter et à s'interroger sur les causes de ce problème. Elle amorce alors une critique du libéralisme économique. Dans son mémoire annuel au cabinet fédéral, elle attribue aux structures monopolistiques du libéralisme économique, la responsabilité du problème du chômage. Elle conclut d'une part, que l'action doit porter sur les dirigeants de l'économie car ils agissent comme des inconscients sociaux, en bénéficiant des avantages du régime tout en évitant les charges et d'autre part, que les gouvernements peuvent atténuer partiellement les conséquences du chômage, en élaborant des programmes de travaux publics, en diversifiant les marchés extérieurs et en incitant les entreprises privées à fournir le plus de travail possible [11].

Face à la croissance, à peu près constante, du taux de chômage, à partir de 1954 et de la situation constamment défavorable du Québec par rapport au reste du pays, la C.T.C.C. approfondit son analyse des causes du chômage et des solutions possibles. Elle conclut que le chômage dépend du sous-développement et de la vulnérabilité des économies canadienne et québécoise, ce qu'elle attribue à une mauvaise politique d'exploitation des richesses naturelles et à une économie exagérément axée sur le secteur primaire. Cette constatation l'amène à proposer, en plus des mesures à court terme, des solutions globales au niveau du système politique.

9. *Procès-verbal*, vingt-cinquième session du congrès de la C.T.C.C., Québec, 1946, résolution n⁰ 132, p. 243.
10. Voir : les *Mémoires annuels de la C.T.C.C. au cabinet fédéral* du 10 mars 1950, 10 novembre 1954 et 16 décembre 1955.
11. *Mémoire annuel de la C.T.C.C. au cabinet fédéral*, 10 mars 1950, p. 1-2. On peut constater, qu'à cette époque, le chômage constitue un *input* idéologique, non pas seulement par son niveau absolu, mais aussi et peut-être davantage, par l'évaluation qui en est faite en fonction des attentes au niveau du plein-emploi, résultant de l'expérience de la crise des années 30 et de la Seconde Guerre mondiale.

La C.T.C.C. réclame, en premier lieu, une politique d'exploitation des ressources naturelles qui soit orientée vers la transformation locale des matières premières :

> L'usinage de nos matières au pays contribuerait singulièrement à stabiliser notre économie nationale. Une telle politique, à cause des nombreux investissements qu'elle entraînerait, à cause aussi des emplois stables qu'elle ferait naître, serait une excellente manière de circonscrire le problème du chômage qui menace sans cesse notre économie [12].

Le nationalisme inhérent à cette proposition n'est cependant pas négatif. Au contraire, le capital étranger demeure le bienvenu et doit obtenir une juste rétribution. Mais l'exploitation des ressources naturelles par des capitaux étrangers ne saurait se faire sans restrictions ni sans conditions. Le pouvoir public a le devoir de déterminer les conditions de l'usage que les exploitants étrangers pourront faire de leurs concessions, car « elles font partie d'un patrimoine qui doit **d'abord** servir sa population [13] ».

En deuxième lieu, la C.T.C.C. propose la nationalisation des ressources naturelles et de certains services publics. Il ne s'agit pas là d'une mesure socialiste. Au contraire, la justification d'une telle mesure est puisée dans *Quadragesimo anno* et non dans les écrits marxistes. On estime que le bien commun peut justifier la nationalisation de certaines entreprises, sans pour autant porter atteinte au droit de propriété privée. À l'appui, on cite un extrait de *Quadragesimo anno* :

> Il y a des catégories de biens pour lesquels on peut soutenir avec raison qu'ils doivent être réservés à la collectivité, lorsqu'ils en viennent à conférer une puissance économique telle qu'elle ne peut, sans danger pour le bien public, être laissée entre les mains de personnes privées [14].

Il importe de souligner, en troisième lieu, que la C.T.C.C. établit, à cette époque, un lien entre des revendications qui avaient auparavant un caractère parcellaire. En motivant ses demandes sur le contrôle des prix et de l'inflation, sur la réduction ou les dégrèvements des impôts sur les particuliers et sur l'augmentation des prestations de diverses

---

12. *Mémoire annuel de la C.T.C.C. au cabinet fédéral*, 16 décembre 1955, p. 3. Il semble que la C.T.C.C. ne percevait pas encore clairement, à cette époque, le *trade off* chômage-inflation, à la différence des unions internationales qui acceptaient une certaine marge d'inflation dans une conjoncture de plein-emploi.

13. *Mémoire annuel de la C.T.C.C. au cabinet provincial*, 1er février 1956, p. 6.

14. Extrait de l'encyclique *Quadragesimo anno*, cité dans le rapport du président, *Procès-verbal*, trente-troisième session du congrès de la C.T.C.C., Montréal, 1954, p. 23.

mesures de sécurité sociale, elle ne manque pas de faire état, en plus des motifs spécifiques, que l'application de ses propositions, en consolidant le pouvoir de consommation, aurait pour effet de contribuer à maintenir la demande des biens et de stabiliser le niveau d'emploi [15].

Notons, enfin, que la C.T.C.C., dans le cadre de son étude du problème du chômage et du développement économique, s'interroge sur les conséquences de l'automation sur les emplois. Elle arrive à la conclusion que l'État doit veiller à ce que l'automation progresse sans écraser aucune classe de la société, de façon à ce que ses effets positifs soient répartis équitablement entre les patrons, les ouvriers et l'État. Pour ce faire, les gouvernements devront : 1) favoriser l'expansion des marchés afin de minimiser les effets désastreux de l'automation ; 2) élaborer une politique de plein-emploi afin de conserver un fort pouvoir de consommation, car l'automation provoque un surcroît de production ; 3) contrôler par la surveillance du taux d'intérêt, les possibilités d'emprunts des entreprises en vue d'automatiser ; 4) voir à ce que les travailleurs obtiennent leur part dans l'accroissement de la productivité due à l'automation ; 5) utiliser l'impôt pour contrôler le pouvoir d'achat et la puissance de consommation, afin de réaliser un équilibre entre le pouvoir d'achat et les quantités de biens et de services disponibles sur le marché [16].

II
Phase contestation-réformisme :
les années 60

Pendant les années 60, la pensée économique de la C.S.N. devient plus précise et plus substantielle. L'étude en profondeur des principaux thèmes abordés vers le milieu de la décennie précédente entraîne une

15. L'effort d'unification de la pensée sur le plan des revendications socio-économiques, qui est apparent à partir de 1955, peut être considéré comme le prélude aux propositions globales des années 60. La C.T.C.C. commence, à cette époque, à percevoir l'État comme le principal agent de développement socio-économique et à se libérer de son complexe antiétatique dû au régime duplessiste.

16. Rapport du président, *Procès-verbal*, trente-cinquième session du congrès de la C.T.C.C., Montréal, 1956, p. 12-49. On ira encore plus loin, en adoptant deux résolutions au congrès de 1960, l'une demandant la création d'un Conseil économique provincial chargé d'étudier les effets de l'automation et de suggérer les remèdes appropriés pour en combattre les effets négatifs, l'autre proposant la formation d'une Commission royale d'enquête, dont ferait partie le mouvement ouvrier, afin d'étudier les incidences de l'automation. Voir : *Procès-verbal*, trente-neuvième session du congrès de la C.T.C.C., Montréal, 1960, résolution n° 74, p. 219 et résolution n° 125, p. 125.

réévaluation de l'économie canadienne, un procès du capitalisme et une tentative de redéfinition du rôle de l'État. La C.S.N. cesse de s'accommoder d'un système qu'elle accepte mal, car elle se sent idéologiquement en mesure de formuler des propositions de rechange.

Il y a là, certes, une réaction, tout comme antérieurement, à l'immédiateté des problèmes reliés au chômage et au pouvoir d'achat. L'un et l'autre apparaissent comme des phénomènes pathologiques du capitalisme que les correctifs à court terme ne peuvent régler définitivement, même si l'on continue de les réclamer comme palliatifs. Le chômage, à un sommet en 1960, diminue graduellement jusqu'en 1966 (où le taux demeure néanmoins supérieur à celui de 1953) pour augmenter de nouveau très rapidement à partir de 1967. La progression du pouvoir d'achat, bien que constante, est très lente. En particulier, la progression rapide du salaire nominal dans les années précédant l'Exposition universelle de 1967 est quasi annulée par l'augmentation parallèle des prix à la consommation. Mais, la révolution dans la pensée économique de la C.S.N. est tout autant l'aboutissement de la réflexion amorcée vers 1955 et accélérée par la redéfinition de soi dans le contexte de la réforme syndicale de 1960, de la croissance phénoménale des effectifs, du renouveau dans le leadership et de l'idéologie véhiculée par la révolution tranquille.

A. LE CHÔMAGE ET L'INFLATION

La C.S.N. identifie le chômage comme l'un des problèmes principaux du développement économique du Canada, dès le début des années 60. Le président, dans son rapport moral au congrès de 1962, déclare que, pendant que les pays européens connaissent une prospérité sans égale, l'économie nord-américaine avance péniblement, hypothéquée par un chômage qu'elle ne réussit pas à résorber, faute d'une croissance économique suffisante [17].

Pour la C.S.N., le chômage est un sous-produit du sous-développement économique dont sont responsables les politiques gouvernementales déficientes. C'est pourquoi, on déplore l'inaction gouvernementale dans ce domaine et la pauvreté des mesures prises pour enrayer sa montée. En 1960, le président résumait sa perception de l'action gouvernementale dans les termes suivants :

De la lecture des débats qui ont eu lieu aux Communes, il ressort clairement que l'effort majeur des autorités fédérales a consisté

---

17. Rapport du président, *Procès-verbal*, quarantième session du congrès de la C.S.N., Montréal, 1962, p. 8-9.

en discours dont le plus grand nombre visait, non pas à résoudre ni à éclairer davantage le problème mais au contraire, à le nier, à en diminuer l'importance ou à l'attribuer tout entier au gouvernement précédent [18].

En matière de chômage, nos gouvernements n'ont pas l'air de croire que le temps des grands remèdes est arrivé... Il est clair qu'on s'est contenté jusqu'ici de petits, de très petits remèdes [19].

Les interventions des années subséquentes reposent fondamentalement sur les mêmes jugements de valeur. Il y apparaît que l'État est le principal artisan qui peut remédier à ce mal chronique du système capitaliste, mais qu'il refuse d'assumer, comme il se doit, son rôle de régulateur de l'économie.

Deux idées principales ressortent des prises de position de la C.S.N. sur le problème de l'inflation pendant cette période. D'une part, face aux attaques dont le syndicalisme est l'objet de la part de certains politiciens et employeurs, à cause de la montée concurrente des salaires nominaux et du coût de la vie, celle-ci s'efforce de réfuter la théorie du *wage push inflation*. À cet effet, elle fait valoir que : dans une économie automatisée, les salaires ne constituent qu'une faible partie du prix de revient ; les profits augmentent plus rapidement que les salaires ; les monopoles et les cartels faussent les mécanismes des prix aux consommateurs, en les fixant unilatéralement et arbitrairement ; la détermination des salaires par la négociation collective, par opposition à la fixation arbitraire des prix, constitue, en quelque sorte, un contrôle équivalent à celui de l'arbitrage des prix qu'elle demande depuis 20 ans [20]. D'autre part, parce qu'elle est d'avis que la source réelle de l'inflation se trouve, à la fois, dans l'insuffisance de la production et dans l'absence de contrôle des prix à la consommation, la C.S.N. est en total désaccord avec les politiques du gouvernement Trudeau visant à juguler l'inflation, qu'elle accuse de produire un ralentissement de l'économie et une croissance du chômage. Pour cette raison, elle refuse de coopérer avec ce dernier sur le programme de contrôle volontaire des prix et des salaires. Elle propose plutôt une action sur un double front, en préconisant une politique de stimulation économique de la part du gouvernement fédéral [21] et de stimulation du pouvoir d'achat, par le contrôle des prix et par l'application de mesures visant à réduire

18. Rapport du président, congrès de 1960, *op. cit.*, p. 6.
19. *Ibid.*, p. 11.
20. *Mémoire annuel de la C.S.N. au cabinet fédéral*, 16 février 1966, p. 10-13.
21. Marcel Pepin, *Positions C.S.N.*, Montréal, 1968, p. 91-92.

l'inégalité des revenus entre les divers groupes sociaux [22]. C'est dans cet état d'esprit qu'elle appuie, dans l'ensemble, en 1968, les recommandations du rapport Carter sur la fiscalité fédérale [23].

N'oublions pas, en terminant, que la C.S.N., lorsqu'elle discute des problèmes du chômage et de l'inflation, demeure néanmoins consciente de l'importance de l'accroissement de la productivité pour une économie dynamique. Si elle accepte, en conséquence, le progrès technologique, elle ne tolère pas toutefois qu'il puisse entraîner une compression des salaires ou l'insécurité du revenu. Qu'elle conçoive le plein-emploi dans un contexte de hausse sensible des salaires nominaux et du pouvoir d'achat, constitue une composante importante de son idéologie économique. Ajoutons que le plein-emploi n'est plus perçu uniquement en termes quantitatifs, comme c'était le cas dans l'après-guerre. On se préoccupe de très près de l'aspect qualitatif, en insistant sur le développement des industries de pointe et en soutenant que la classe ouvrière ne doit pas subventionner par de bas salaires les industries marginales ou non rentables.

B. LE CAPITALISME MODERNE :
UN PROBLÈME DE DÉMOCRATISATION

Comme nous l'avons souligné précédemment, l'analyse des problèmes économiques ainsi que l'évolution de la définition de soi amènent la C.S.N. à faire le procès du capitalisme moderne. Celui-ci est amorcé par le président Marchand et complété par le président Pepin. C'est pourquoi, les paragraphes qui suivent sont largement basés sur les déclarations de ces deux définisseurs de situation [24].

Au congrès de 1960, le président Marchand, dans son rapport moral, dénonce le régime de la liberté d'entreprise dans ces termes :

22. Cette orientation s'insère, en même temps, dans le cadre de la lutte contre la pauvreté, où la C.S.N. déplore le marasme dans lequel vit une partie importante de la population, victime du libéralisme économique et affirme le droit de tout salarié à un salaire qui corresponde à ses besoins économiques, sociaux et familiaux. Voir l'exposition de ce point de vue dans : *Procès-verbal*, quarante-deuxième session du congrès de la C.S.N., Montréal, 1966, résolution n⁰ 56, p. 439.
23. *Communiqué de presse*, Québec, 7 septembre 1968.
24. Nous n'oublions pas que la critique du capitalisme n'est pas, à la C.S.N., du ressort exclusif des présidents de la Centrale. En effet, d'autres éléments, en particulier le groupe d'action politique ainsi que le Conseil central de Montréal, s'y sont adonnés de façon quasi systématique au cours des dernières années. Nous nous référons aux présidents, d'une part parce qu'ils sont les porte-parole officiels de la Centrale et d'autre part, parce que le verbalisme plus virulent et plus radical des autres éléments, véhicule, à notre point de vue, les mêmes idées de base.

Laisser faire et se fier entièrement à l'entreprise libre ne conduit nulle part. Cette dernière a prouvé abondamment qu'elle est incapable de diriger notre économie dans le sens du bien commun ; l'expérience nous prouve aussi que l'entreprise libre se soucie exclusivement de ses propres intérêts qui ne concordent pas toujours, loin de là, avec ceux de la nation [25].

Il reprend le même thème en 1962 : « La preuve est faite, que les seuls intérêts privés ne peuvent, en poursuivant leurs objectifs individuels, garantir le progrès et la stabilité économique [26]. »

Il poursuit sa critique, en 1964, en décrivant le régime économique libéral comme la source des états de crises périodiques, du chômage, de la pauvreté au sein de l'abondance, de l'insécurité chronique, des insuffisances du système d'enseignement, de la faiblesse de l'équipement socio-culturel et de l'instabilité urbaine. Il ajoute que les pénuries et les inégalités engendrées par le capitalisme « semblent découler de sa propre logique interne et on peut les considérer à ce titre, comme autant de produits du système lui-même [27] ».

Une remise en question du système de propriété de l'entreprise semble une suite logique à cette dénonciation. C'est ce que fait longuement le président Pepin dans son rapport moral au congrès de 1966. Selon ce dernier, l'économie se développe de façon anarchique, parce qu'elle est dominée par quelques grandes sociétés anonymes, entraînant ainsi une concentration du pouvoir économique dans les mains de quelques individus, ce qui est fondamentalement antidémocratique. De plus, ces grandes entreprises exploitent la collectivité en ne recherchant que leur intérêt propre :

> Voilà donc des entreprises qui, tout en ayant les caractères d'entreprises collectives, restent juridiquement régies par le traditionnel droit civil de la propriété, de sorte qu'elles assument réellement un rôle dont les effets intéressent toute la collectivité, tout en refusant les responsabilités qui s'attachent à ce rôle et tout en refusant que l'on exige d'elles qu'elles s'acquittent de ces responsabilités [28].

> Ce que je veux dire, c'est que ces politiques (des grandes entreprises), lorsqu'elles sont planifiées, le sont d'abord en rapport avec les intérêts strictement privés, peu importe ce qu'il en coûte

25. Rapport du président, congrès de 1960, op. cit., p. 20.
26. Rapport du président, congrès de 1962, op. cit., p. 9.
27. Rapport du président, Procès-verbal, quarante et unième session du congrès de la C.S.N., Québec, 1964, p. 31.
28. Rapport du président, congrès de 1966, op. cit., p. 16-17.

à la collectivité en services sociaux de toutes sortes et en mesures compatibles avec un aménagement humain et juste de la société des hommes [29].

En résumé, la contestation du régime de la libre entreprise, par la C.S.N., repose sur deux motifs principaux, soit : le pouvoir abusif et l'absence de responsabilité sociale du capital ; l'exploitation des travailleurs et des consommateurs qui découle d'un développement économique anarchique. On conclut, alors, que cette situation aberrante ne saurait exister à moins d'être encouragée par l'apathie des pouvoirs publics.

Aussi, ne faut-il pas s'étonner de voir la C.S.N. reprocher vivement à l'État une trop grande condescendance envers l'entreprise privée, comme l'illustrent les exemples suivants. En 1961, elle accuse le gouvernement fédéral d'avoir été trop enclin à maintenir les prérogatives et les privilèges de l'entreprise privée face à la vague montante du chômage [30]. En 1966, elle se montre encore plus virulente. Considérant que l'État doit avoir les pouvoirs de coordination et de rationalisation qui s'imposent, afin que l'entreprise fonctionne d'une manière intégrée au reste de la collectivité, elle conclut que ce dernier n'a pas été à la hauteur de sa tâche :

> L'État a pris plusieurs bons départs... Toujours est-il que dans ses initiatives, où ses décisions pouvaient présenter quelque danger pour l'autonomie et la souveraineté absolues de ceux qui décident pour leur propre compte de l'économie de tout le pays, les effets qu'on espérait se font encore attendre [31].

À titre d'exemple, on cite les cas du Conseil d'orientation économique du Québec et du Conseil économique du Canada, dont on attendait beaucoup mais dont les résultats se sont révélés décevants.

De plus, on reproche à l'État d'avoir commis l'erreur, parce qu'il n'a pas saisi la relation existant entre le domaine social et le domaine économique, de ne prendre des décisions que sur les questions sociales, en laissant l'initiative des décisions économiques au secteur privé. On soutient, en contrepartie, que ce dernier doit s'affirmer le plus fermement possible dans le domaine économique, afin d'être plus libre du pouvoir économique dans l'élaboration de ses politiques sociales et économiques [32].

29. Rapport du président, congrès de 1966, *op. cit.*, p. 17.
30. *Mémoire annuel de la C.S.N. au cabinet fédéral*, 11 décembre 1962, p. 6-7.
31. Rapport du président, congrès de 1966, *op. cit.*, p. 19.
32. *Mémoire de la C.S.N. au Conseil supérieur de la famille*, mai 1966.

Que propose-t-on pour réformer le système capitaliste et mettre un terme aux problèmes soulevés jusqu'ici ? En 1966, le président développe, comme un projet, l'idée de la démocratisation par la participation. Il entend par là, la présence des pouvoirs publics et des corps intermédiaires dans les centres où s'élaborent vraiment les grandes mesures de l'économie et la présence des syndicats là où se décident les politiques de l'entreprise, en particulier en ce qui touche vitalement les travailleurs [33].

Si cette proposition du président s'inscrit dans l'idéologie de la C.S.N., il est permis de conclure que celle-ci entend pénétrer les structures de l'entreprise pour les adapter à l'homme plutôt que de les bouleverser, qu'elle propose que les grandes entreprises acquièrent un caractère public et qu'elle recherche une participation populaire réelle à la vie économique et publique. Ceci écarte à la fois le socialisme intégral et le contrôle étatique à l'état pur.

C. LES PROBLÈMES STRUCTURELS DE L'ÉCONOMIE CANADIENNE

La critique globale du système capitaliste, s'accompagne d'un examen, qui se veut en profondeur, des problèmes de structures de l'économie canadienne. Chaque année, la C.S.N. porte un nouveau diagnostic ou propose une nouvelle médication. L'étude est amorcée par l'entremise du problème de l'exploitation des ressources naturelles.

Poursuivant, en 1960, l'analyse d'un thème abordé dans la période précédente, le président attribue la persistance du chômage chronique dans l'économie canadienne, à l'absence d'une politique rationnelle d'exploitation des ressources naturelles. « Exporter nos richesses sans presque y toucher, c'est vite fait,... mais cela ne crée pas beaucoup d'emplois [34]. » Cette même année, la C.S.N. réclame, comme essentiel, le développement d'une telle politique.

Nous ne croyons pas qu'il soit possible de stabiliser notre économie tant et aussi longtemps que nous ne mettrons pas en vigueur une politique rationnelle de la transformation de nos richesses naturelles [35].

Ce thème constitue, depuis, un axe de développement idéologique comportant trois éléments principaux : le développement du secteur

---

33. Rapport du président, congrès de 1966, *op. cit.*, p. 24-30.
34. Rapport du président, congrès de 1960, *op. cit.*, p. 17.
35. *Mémoire annuel de la C.S.N. au cabinet provincial*, 17 novembre 1960, p. 6.

secondaire, l'expansion des marchés extérieurs et la réduction de l'influence économique américaine.

C'est une idée centrale, chez la C.S.N., qu'il est impérieux de développer un secteur secondaire fort et capable de transformer efficacement sur place les ressources naturelles canadiennes, si l'on veut stabiliser l'économie et réaliser le plein-emploi. Celle-ci est bien élaborée dans le mémoire remis à la Commission sur l'assurance-chômage en 1961 [36]. La C.S.N. met régulièrement de l'avant cet objectif, en réclamant un engagement de l'État dans ce sens et en suggérant diverses mesures à court terme, telles que le contrôle du dumping étranger, la protection des marchés domestiques et l'encouragement à l'« achat chez-nous ».

La C.S.N. est d'autre part, très consciente que le progrès de l'économie canadienne est étroitement relié à la croissance des marchés extérieurs. Ceci va de pair avec le développement d'une industrie de transformation viable. À cet effet, elle réclame une politique commerciale consistante et agressive visant à augmenter et à diversifier les exportations canadiennes. Elle en vient à préconiser, dans cette optique, une politique de crédit à l'exportation ainsi que l'accroissement de l'aide économique aux pays en voie de développement, de façon à accélérer leur capacité d'intensifier leurs relations commerciales éventuelles avec le Canada [37].

La C.S.N. réalise cependant qu'il est très difficile pour le gouvernement canadien d'avoir une politique dynamique en matière de développement du secteur secondaire et d'extension des marchés extérieurs, car les centres de décision économique sont à l'extérieur du pays, à cause de la domination de l'économie canadienne par l'économie américaine. C'est pourquoi, le nationalisme économique, dont nous avons observé la naissance précédemment, prend de plus en plus d'ampleur et devient de plus en plus radical, au cours de la décennie 60. Il conduit, éventuellement, à l'identification d'un bouc émissaire, représenté par l'impérialisme économique américain, dont le complexe militaro-industriel et les sociétés multinationales sont à l'origine de la dépendance et de la vulnérabilité de l'économie canadienne.

Cette situation est considérée comme alarmante dès 1962. La C.S.N. ne se borne pas à s'inquiéter du contrôle direct de l'ensemble de l'économie canadienne par les capitaux américains. Elle souligne, en

---

36. *Mémoire de la C.S.N. à la Commission d'enquête sur l'assurance-chômage*, 18 décembre 1961, voir p. 4.
37. Rapport du président, congrès de 1960, *op. cit.*, p. 20 et résolution n° 114, p. 27 de l'annexe.

particulier, deux conséquences importantes de cette domination auxquelles on était peu sensibilisé antérieurement. D'une part, il est impossible pour le Canada de développer une production originale, car la recherche s'effectue dans les sociétés mères, de sorte que la technologie canadienne n'est qu'une transposition de la technologie américaine. D'autre part, une politique commerciale canadienne apparaît irréaliste parce que les sociétés américaines imposent des restrictions aux exportations de leurs filiales canadiennes, soit pour éviter leur concurrence sur les marchés internationaux, soit à cause des impératifs de la politique du gouvernement américain. Dans ce contexte, le Canada est réduit au rôle de pourvoyeur de matière première et de main-d'œuvre à bon marché [38]. De là, il n'y a qu'un pas à franchir, pour conclure que les possibilités de choix sont, soit de joindre les blocs économiques existants, soit de travailler à la formation d'un nouveau marché commun. Mais toute union économique avec les États-Unis comporte le risque d'une éventuelle intégration politique [39].

Comment contrer la domination économique américaine ? La première réaction naturelle, c'est de prôner le développement du capital canadien et l'application de mesures visant à canadianiser les entreprises américaines.

> Nous ne sommes pas opposés aux investissements américains au Canada, mais nous croyons que les filiales canadiennes des compagnies américaines devraient être plus autonomes et que les canadiens devraient avoir l'opportunité d'acquérir la majorité des parts de telles entreprises [40].

> ...Le Gouvernement et le peuple canadien doivent faire tous les efforts qui s'imposent pour contrebalancer l'influence de ce capital (américain), en favorisant la formation de capitaux canadiens pour fins d'investissements industriels [41].

En poursuivant sa réflexion, en relation avec sa remise en question du capitalisme, la C.S.N. conclut qu'une telle domination économique n'aurait pu se produire sans l'apathie ou la servilité des pouvoirs politiques. Une action pour redresser cette double situation s'impose donc. C'est la signification, en partie, de l'effort de politisation syndicale visant à sensibiliser les travailleurs, l'opinion publique et les hommes politiques dans le sens du contrôle du domaine économique par le domaine politique. C'est pourquoi la C.S.N. se réjouit de toutes les initiatives gou-

---

38. Rapport du président, congrès de 1962, *op. cit.*, p. 13-14.
39. *Mémoire annuel de la C.S.N. au cabinet fédéral,* 13 mars 1962, p. 7.
40. Mémoire au gouvernement fédéral (1961), *op. cit.*, p. 5.
41. Rapport du président, congrès de 1962, *op. cit.*, p. 40.

vernementales, interprétées comme ayant un caractère de décolonisation économique, telles que la création de la Société générale de financement, la nationalisation de l'électricité, les accords commerciaux avec Cuba et la Chine... et continue d'en réclamer d'autres. C'est pourquoi, enfin, la planification économique apparaît comme le principe unificateur des éléments de la redéfinition du rôle de l'État.

D. LA PLANIFICATION ÉCONOMIQUE DÉMOCRATIQUE

On se référait souvent, pendant les années 50, à la planification comme s'il s'agissait d'une panacée, capable de régler à peu près tous les problèmes économiques, mais sans s'aventurer davantage. Cependant, celle-ci devient graduellement, au cours des années 60, l'instrument clé pour sortir du marasme économique et harmoniser le développement économique. On s'efforce, au début de la décennie, de la définir et de la justifier puis, au cours des années suivantes, d'en préciser le processus.

Traitant, en 1960, de l'urgence de déterminer des objectifs nationaux dans les domaines de la concentration et de la coordination industrielles, de la formation professionnelle et de la recherche théorique et appliquée, le président déclarait :

> Une première vérité s'impose d'abord avec évidence, à tous les observateurs honnêtes de notre vie économique : tant et aussi longtemps que le Canada ne s'acheminera pas d'une façon résolue dans les voies de la planification économique, les Canadiens connaîtront de façon chronique et permanente l'insécurité en matière d'emploi [42].

La planification économique s'impose donc, de soi, en vertu des besoins, car seul un plan d'ensemble, supervisé par l'État, peut assurer la stabilisation de l'économie et le plein-emploi. Celle-ci est moralement justifiée et acceptable, d'une part parce que l'État doit venir en aide à l'initiative privée, en vertu du principe de subsidiarité, afin de l'aider à réaliser un équilibre économique et social et d'autre part, parce qu'il ne fait point de doute que l'État a le devoir d'intervenir directement pour sauvegarder le bien commun, là où l'initiative privée refuse ou néglige d'assumer ses responsabilités [43]. Il ne s'agit pas là d'une forme dangereuse d'étatisme, au contraire :

42. Rapport du président, congrès de 1960, *op. cit.*, p. 15.
43. Mémoire au gouvernement fédéral (1961), *op. cit.*, p. 7.

entre l'étatisme et le laissez-faire, entre le communisme et le libéralisme des entreprises privées, il existe une solution de bien commun, une solution raisonnable, qui concilie avec les interventions nécessaires du gouvernement, les libertés fondamentales du citoyen. C'est une solution démocratique et juste que seuls les privilégiés ont intérêt à discréditer [44].

En effet, la planification économique est une aventure démocratique parce qu'elle fait appel à l'expression de la volonté de tous les citoyens sur les choix entre les options fondamentales possibles et parce qu'elle nécessite la collaboration de tous les niveaux de décision, fédéral, provincial, régional et local. « L'élaboration du plan suppose la participation active des divers agents de l'économie ; sous l'impulsion et la responsabilité de l'État [45].

Dans l'esprit de la C.S.N., les étapes de la planification sont les suivantes :

1. la première étape serait une large consultation des groupes socio-économiques ;

2. la seconde étape serait l'élaboration du plan par des organismes techniques travaillant sous la responsabilité de l'État et en relation avec les différents agents de la vie économique ;

3. la troisième étape serait l'approbation définitive du plan par les instances politiques [46].

La C.S.N. n'est pas sans reconnaître que l'application du plan soulève d'importantes difficultés. Considérant que la réalisation de ses objectifs suppose une harmonisation de la politique budgétaire et de la politique économique, une harmonisation des investissements financés par l'État avec ceux des entreprises nationalisées et des sociétés privées, le contrôle du crédit et la soumission du secteur privé aux principes directeurs du plan, elle conclut que : « le bon fonctionnement d'une économie planifiée démocratiquement requiert une réforme des structures et une répartition nouvelle du pouvoir économique excluant tout recours systématique à la contrainte [47]. Cela implique une refonte de l'administration gouvernementale et administrative, de façon à coordonner les activités des divers ministères et administrations. L'organisme central chargé de la planification devrait être consulté lorsque ces derniers établissent leurs budgets, afin de juger de la conformité de leurs décisions par rapport aux objectifs du plan.

44. Rapport du président, congrès de 1960, *op. cit.*, p. 17.
45. Rapport du président, congrès de 1962, *op. cit.*, p. 37.
46. *Ibid.*, p. 38.
47. *Ibid.*, p. 38.

Cela implique, aussi, la recherche d'une solution au problème politique qui se pose au pays. En effet, le système politique canadien a été conçu dans un contexte où l'intervention de l'État dans le domaine économique n'existait pratiquement pas. De plus, le conflit économique et culturel existant à l'heure actuelle, rend difficile une entente sur les champs de compétence et les relations réciproques des divers centres de décision de l'économie, entente indispensable à toute planification économique.

Selon la C.S.N., les principaux éléments d'une politique de planification sont : nationalisation lorsque nécessaire ; intervention de l'État pour créer de nouvelles entreprises par l'intermédiaire d'organismes comme la Société générale de financement ; regroupement et rééquipement d'entreprises suscitées par l'État ; investissements de l'État dans de petites entreprises afin de participer à leur administration [48]. On établira ainsi un réseau de représentants des intérêts publics, ce qui est un moyen efficace d'assurer la coordination des différentes branches de l'économie.

Dans ce contexte, la C.S.N. redéfinit l'État comme un instrument de la collectivité qui assume un rôle d'initiateur et d'entraîneur sur le plan économique par opposition à celui de pourvoyeur de services pour le capitalisme privé, qui a été sien jusqu'à date.

* * *

La continuité dans la pensée économique de la C.T.C.C.-C.S.N. se traduit par une insatisfaction chronique à l'égard du système économique. Il y a cependant une évolution marquée aux niveaux de l'analyse critique des problèmes et de la recherche des solutions. Celles-ci se font avec de plus en plus de rigueur et de profondeur, au fur et à mesure que l'on progresse dans le temps. Bien qu'une approche de consommation, axée sur les dichotomies, chômage-sécurité du revenu et inflation-pouvoir d'achat, semble animer les politiques économiques de la C.T.C.C.-C.S.N., il nous paraît évident que le débat de fond est celui de la place de l'homme, producteur-consommateur, dans les structures économiques. Ceci est plus ou moins implicite avant 1960, mais devient manifeste par la suite.

Globalement, la pensée économique de la C.T.C.C.-C.S.N. évolue selon un axe contestation-accommodation et contestation-réformisme. La contestation se situe au niveau de l'évaluation du système alors que

---

48. Rapport du président, congrès de 1966, *op. cit.*, p. 30-31.

l'orientation accommodation ou réformisme existe au niveau des structures de fonctionnement du système.

La contestation du système économique se produit sur deux plans. D'une part, il est globalement condamné *in se*, parce que, étant fondé sur l'individualisme, la concurrence et l'égocentrisme, il conduit inévitablement aux structures monopolistiques, aux inégalités socio-économiques, à une inflation et à un sous-emploi de caractère pathologique. De plus, ce système est incapable de produire, par son propre dynamisme, des solutions aux problèmes qu'il engendre. D'autre part, il est de nouveau condamné à cause de ses effets sur les structures économiques canadiennes dont la vulnérabilité (faiblesse du secteur secondaire et mauvaise politique d'exploitation des ressources naturelles) et la dépendance (colonialisme économique américain) contribuent à accroître les effets disfonctionnels du système lui-même.

L'analyse critique du néo-libéralisme économique, par la C.T.C.C.-C.S.N., peut être résumée par l'entremise du diagramme suivant :

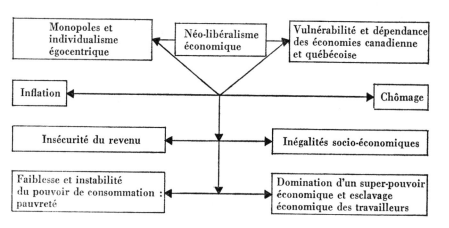

Ce n'est pas dans les idéologies globales que la C.T.C.C.-C.S.N. recherche des remèdes aux maux économiques qu'elle diagnostique. En dépit de sa réputation d'engagement intellectuel, elle n'a jamais été attirée par les « ismes », en matière économique. Ses origines chrétiennes lui ont appris, dès le début de son histoire, à craindre le libéralisme aussi bien que le socialisme et le communisme. Par une démarche, qu'elle veut personnelle, elle propose des solutions qui reposent sur une profession de foi en l'homme et sur une conscience de la nécessité de l'intervention de l'État au niveau de l'entreprise, bien qu'elle entretienne une crainte constante de l'étatisme. Le programme économique de la C.T.C.C.-C.S.N. peut être résumé globalement par le diagramme suivant :

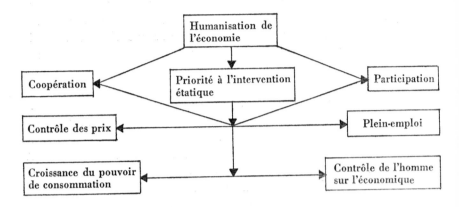

Ce programme économique est implicite dans la phase d'accommodation, bien qu'il ne soit pas aussi bien articulé que dans la phase suivante. La C.T.C.C. y recherche une humanisation de l'économie qui ne met pas en cause, de façon fondamentale, les structures du capitalisme, sur le plan des solutions aux problèmes. Dans un premier mouvement, inspiré de l'idéologie de *Quadragesimo anno*, elle s'efforce de combattre l'insécurité du revenu, causée par l'inflation et le chômage, en promouvant l'idée de la cogestion au niveau de l'entreprise, l'organisation de coopératives au niveau de la consommation et l'intervention supplétive de l'État par des travaux publics et le développement des marchés. Dans un second mouvement, la négociation collective est substituée à la cogestion et un contrôle de l'économique par le politique est proposé (contrôle des prix, politique d'exploitation des ressources naturelles, nationalisation de certaines ressources naturelles ainsi que de certains services publics). Dans ce cadre, les corrections à apporter au système sont inspirées davantage par une idéologie d'adaptation que par une idéologie de transformation.

Ce programme apparaît plus clairement depuis 1960. L'orientation réformiste est cristallisée dans le concept de « démocratisation économique », que la C.S.N. propose constamment, lequel se concrétise dans la participation ouvrière au niveau de toutes les structures économiques et dans la « planification économique démocratique », au niveau de la société. Les autres attitudes (telles que nationalisation, décolonisation économique, politiques fiscales et d'emploi, etc.) sont des sous-produits de cette pensée. D'autre part, l'action syndicale sur deux fronts devient prérequise, car l'action politique syndicale apparaît comme un instrument essentiel pour accélérer le processus de transformation.

Quant à la politisation économique du syndicalisme, une ambiguïté subsiste et appelle une clarification à court terme. Celle-ci devrait, à notre point de vue, démystifier le verbalisme révolutionnaire et faire ressortir le caractère fonctionnel d'une transformation radicale dans la perspective d'une évolution accélérée.

Chapitre 3

La pensée sociale

La C.T.C.C.-C.S.N. a généralement été considérée dans les milieux intellectuels comme un mouvement à fonction sociale et paraprofessionnelle. Cette perception provient de ce que ce mouvement a traditionnellement accordé un intérêt considérable et soutenu aux divers problèmes sociaux. Ce chapitre ne porte cependant que sur ses principales politiques. Nous omettons les questions qui ne sont l'objet que de prises de position sporadiques ou intermittentes, parce qu'elles sont moins significatives au point de vue idéologique. Nous traiterons de l'éducation et de la sécurité sociale, plus spécifiquement, de la santé, de la famille, de la vieillesse et de l'assurance-chômage. Nous essaierons de dégager les principes qui animent la pensée du mouvement, ainsi que la façon dont il entend les actualiser.

I
L'éducation

Le problème de l'accessibilité à l'instruction et à la culture pour les classes populaires, abordé dans une perspective de consommation, est le fil conducteur du développement de la pensée de la C.T.C.C.-C.S.N. en matière d'éducation [1]. Les revendications portent chronologiquement,

---

1. Cet objectif est si important qu'il entraîne la C.T.C.C. à faire volte-face sur le plan constitutionnel. En effet, en 1957, celle-ci se prononce en faveur de l'acceptation par les universités des subventions du gouvernement fédéral alors qu'elle rejetait auparavant toute ingérence fédérale sur les prérogatives provinciales en matière d'éducation. Comme la C.S.N. est revenue très rapidement à l'orthodoxie constitutionnelle, cette prise de position s'explique probablement par l'engagement politique du mouvement, à l'époque, face à l'étranglement finan-

d'abord sur le domaine technique et professionnel, puis, s'étendent graduellement jusqu'au niveau universitaire. À la perspective individualiste des années 40, s'ajoute, au cours des années 50, une approche collective dont la signification apparaît pleinement pendant les années 60. La rationalisation des prises de position évolue en conséquence. Avant 1960, l'éducation est un bien rare dont il faut pourvoir la classe ouvrière. Au cours des années 60, c'est un droit relié à la démocratie sociale.

A. L'ÉDUCATION :
UN BIEN RARE POUR LA CLASSE OUVRIÈRE

Que la scolarisation et la culture soient des biens dont la classe ouvrière est privée, à cause du coût de la fréquentation scolaire et de la structure du système d'éducation, constitue l'idée dominante de la C.T.C.C. en matière d'éducation, à la fin des années 40. Elle explicite, par la suite, sa pensée dans deux mémoires : l'un à la Commission royale d'enquête sur l'avancement des arts, des lettres et des sciences au Canada, en 1950 ; l'autre à la Commission royale d'enquête sur les problèmes constitutionnels, en 1954.

Dans le premier mémoire, la C.T.C.C. émet le principe que « les ouvriers, comme les autres membres de la société, ont droit à l'instruction et à la culture [2] », parce qu'il s'agit d'un droit fondamental et universel. Se référant, ensuite, à la situation de la classe ouvrière, elle conclut que les fils d'ouvriers aspirent de plus en plus à poursuivre des études supérieures, mais qu'ils ne peuvent y accéder d'une part, parce que leurs parents ne disposent pas de ressources financières suffisantes pour en assumer le coût et d'autre part, parce qu'ils sont forcés de quitter l'école en bas âge, pour aller sur le marché du travail, afin d'assumer leur part du revenu familial.

La C.T.C.C. analyse l'obstacle d'ordre culturel dans le second mémoire, en comparant de façon critique les systèmes francophone et anglophone d'éducation. Elle conclut que le faible taux d'études secondaires chez les Canadiens français s'explique, en grande partie, par un

---

cier dont les universités étaient victimes. Elle démontre, cependant, que le mouvement accordait une importance prioritaire à l'objectif de l'accès à l'instruction et à la culture.

2. *Mémoire de la C.T.C.C. à la Commission royale d'enquête sur l'avancement des arts, des lettres et des sciences au Canada*, avril 1950, p. 2.

système d'éducation qui ne favorise pas la poursuite de telles études, contrairement au système existant dans le milieu anglophone[3].

Comment éliminer ces deux obstacles ? Il ressort clairement des propositions mises de l'avant, que l'on attribue à l'État la responsabilité quasi exclusive, de réaliser pour tous, l'accessibilité à l'éducation et à la culture. Celles-ci portent d'une part, sur des mesures palliatives à la carence financière des chefs de familles ouvrières (gratuité des manuels et de l'enseignement, bourses d'étude) et d'autre part, sur la réforme en profondeur des structures du système d'éducation.

Notons, en premier lieu, que la C.T.C.C. accepte, à la fin des années 40, l'idée qu'il faut rendre la fréquentation scolaire obligatoire jusqu'à un certain âge, afin d'obtenir un niveau souhaitable d'instruction et d'éducation au sein de la population. C'est pourquoi, elle a, à l'occasion de congrès confédéraux, réclamé, à plusieurs reprises, une application rigoureuse de la loi portant sur la scolarité obligatoire. Sa pensée va cependant plus loin, car l'élévation du niveau de scolarité lui apparaît comme un moyen de prévenir l'exploitation des jeunes sur le marché du travail. Elle développera ce thème devant la Commission provinciale d'enquête sur les problèmes constitutionnels, en 1954, pour justifier sa proposition portant sur la prolongation jusqu'à 16 ans de la fréquentation scolaire obligatoire. Que l'éducation constitue une arme efficace contre le chômage est un argument que l'on utilise souvent par la suite.

Mais, la fréquentation scolaire obligatoire est une mesure vaine si le problème du financement des études pour les enfants des familles ouvrières n'est pas résolu. Les moyens proposés pour atteindre cet objectif sont la gratuité scolaire et les bourses d'étude.

En 1950, la C.T.C.C. traite de la gratuité des manuels et de l'enseignement, comme d'un prérequis à la fréquentation scolaire obliga-

---

3. *Mémoire de la C.T.C.C. à la Commission royale d'enquête sur les problèmes constitutionnels par le Parlement de Québec,* 1954, voir p. 27 et ss. Le raisonnement de la C.T.C.C. est le suivant. Après ses études primaires, l'étudiant canadien-français, qui désire obtenir un diplôme d'immatriculation correspondant à celui du *High School,* doit en l'absence d'un secteur public d'enseignement, se diriger vers le secteur des institutions privées, pour y faire des études classiques, dont le coût est très élevé. D'autre part, le système d'enseignement, dit « primaire supérieur » comporte des inconvénients considérables car, le diplôme obtenu ne donne accès qu'à un nombre restreint d'écoles universitaires et force l'étudiant, qui désire obtenir un baccalauréat ès arts, à poursuivre, avec difficultés, sa formation afin d'en obtenir l'équivalence. Dans les deux cas, l'étudiant francophone est désavantagé par rapport à l'étudiant anglophone, lequel peut facilement accéder à toutes les facultés universitaires et écoles professionnelles supérieures après quatre ans de *High school* et deux ans de *College.*

toire [4]. En 1954, on réclame la gratuité scolaire pour les quatre premières années du cours secondaire, tant dans le secteur privé que dans le secteur public, en proposant que le gouvernement verse aux institutions d'enseignement une somme équivalente aux frais encourus par élève [5]. Le congrès de 1960 préconise la gratuité scolaire à tous les niveaux : primaire, secondaire et universitaire [6]. Cette dernière proposition constitue maintenant l'un des buts principaux visés par la C.S.N. en matière d'éducation.

Quant aux bourses d'étude, la politique du mouvement peut être résumée de la façon suivante : il faut que les fils de familles ouvrières qui possèdent les capacités intellectuelles pour poursuivre des études secondaires ou universitaires, aient accès à la formation dispensée dans les institutions de haut savoir ; l'État a le devoir de leur octroyer des bourses d'étude pour suppléer à leur faiblesse financière ; le critère d'attribution des bourses doit être celui des aptitudes et non pas celui de l'allégeance politique ou du favoritisme [7].

Il y a là un objectif d'égalité sociale qui nous paraît bien illustré par la phrase suivante : « Il faut que des bourses en nombre important permettent aux étudiants doués mais peu fortunés de poursuivre des études supérieures tout comme leurs camarades de familles aisées [8]. »

B. LA DÉMOCRATISATION DE L'ÉDUCATION

Au cours des années 1960, l'approche de consommation au bénéfice d'une classe sous-privilégiée est intégrée dans une approche sociale globale dans laquelle la question de l'éducation est perçue comme un problème de démocratisation sociale.

Par démocratisation de l'éducation, la C.S.N. entend beaucoup plus que la facilité matérielle accordée à tous de fréquenter les écoles. À ses yeux, l'éducation est un besoin essentiel, à la fois de l'individu

---

4. *Mémoire de la C.T.C.C.*, 1950, *op. cit.*, p. 2.
5. *Mémoire de la C.T.C.C.*, 1954, *op. cit.*, p. 29. On y recommande, en même temps, l'intégration dans le secteur public d'enseignement, des quatre premières années du cours classique.
6. *Procès-verbal*, trente-neuvième session du congrès de la C.T.C.C., Montréal, 1960, résolution n° 57, annexe, p. 12.
7. *Procès-verbal*, vingt-deuxième session du congrès de la C.T.C.C., Granby, 1943, résolution n° 30, p. 84. *Mémoire de la C.T.C.C.*, 1950, *op. cit.*, p. 3.
8. *Mémoire de la C.T.C.C.*, 1954, *op. cit.*, p. 30. On propose ainsi que l'État remplace l'aide charitable fournie par les ecclésiastiques à des jeunes doués mais sans ressources financières. Cela demeure néanmoins conforme à l'esprit de justice et de charité du mouvement confessionnel.

et de la société, ce qui implique d'une part, qu'une chance égale d'acquérir une formation correspondant à leurs aspirations et à leurs aptitudes soit accordée à tous les individus et d'autre part, que l'enseignement soit conçu comme un moyen privilégié d'élever le niveau intellectuel et moral de toute la communauté. La C.S.N. rejette, alors, le slogan populaire des années 50, « qui s'instruit s'enrichit » parce qu'elle considère que l'éducation répond à un besoin social aussi bien qu'économique et qu'elle a la fonction de libérer les hommes de toutes leurs chaînes, celles de l'ignorance comme celles de l'argent. Il s'agit d'une coupure radicale avec le passé. On définit, maintenant, l'éducation comme un investissement social dont la communauté doit assumer le coût, alors qu'elle avait été perçue auparavant comme un investissement et un coût individuels, pendant que les plus démunis étaient aidés au nom de la justice et de la charité.

C'est dans cette ligne de pensée, que s'inscrivent les prises de position du mouvement, depuis une décennie, en particulier devant la commission Parent et à l'occasion de l'élaboration des politiques gouvernementales en matière d'éducation, notamment, lors du bill 21 portant sur la création des Collèges d'enseignement général et professionnel (CEGEP), du projet de loi concernant la Commission des écoles catholiques de Montréal et de l'adoption de la charte de l'Université de Montréal.

Quels moyens la C.S.N. propose-t-elle pour atteindre l'objectif de la démocratisation de l'éducation ? C'est dans son mémoire à la commission Parent que se trouve, principalement, l'essence de sa pensée [9].

Il est fondamental, pour la C.S.N., que le système d'éducation soit construit de façon à répondre aux besoins caractérisés du milieu sociologique et des individus. Il apparaît clairement qu'elle veut éviter, en cela, d'une part l'application d'une conception de l'éducation axée sur les professions libérales et d'autre part, l'hermétisme académique des normes et des exigences du monde universitaire ou de la recherche scientifique. C'est pourquoi, elle recommande : que l'enseignement primaire constitue une préparation véritable à la vie en fournissant à tous les enfants, quels que soient leur milieu social et leur niveau d'aptitudes, les connaissances de base indispensables ; que l'enseignement secondaire comporte deux branches, l'une théorique et l'autre pratique, de façon à couvrir toutes les études supérieures à celles du cours primaire ; que le professeur soit intégré davantage dans la structure sco-

---

9.   *Mémoire de la C.S.N. à la Commission royale d'enquête sur l'enseignement dans la province de Québec*, mai 1962. Les paragraphes suivants sont basés sur ce mémoire, particulièrement sur les pages 10-17, 20-27, 29-47.

laire, conformément à sa fonction [10] ; que l'enseignement fasse davantage appel aux méthodes actives, en particulier, à la discussion et aux techniques audio-visuelles ; que les programmes d'étude comportent un élément de formation sociale, civique et démocratique, tant au primaire qu'au secondaire [11] ; que la gratuité scolaire soit instaurée, afin de démocratiser l'accès à l'éducation [12] ; que les parents puissent contrôler l'éducation de leurs enfants parce qu'il s'agit d'une prérogative essentielle de la famille [13].

Animée par l'idée de démocratisation sociale, imbue de l'idéologie à l'effet que l'éducation doit être considérée comme un investissement de la société et non plus comme un investissement privé, la C.S.N. réalise que la réforme en profondeur du système d'éducation ne peut être réalisée que par l'État. Elle lui attribue donc la responsabilité première quant : à la mise en place des structures et à leur administration ; à la réalisation de la gratuité effective d'un enseignement de qualité ; à la conciliation de l'héritage culturel et des exigences du monde moderne ; au développement de la recherche scientifique ; au financement de tout ce système.

Eu égard au financement de l'éducation, la C.S.N. s'en remet à la taxation générale. Reconnaissant, cependant, que le coût de l'éducation peut devenir onéreux pour les individus et les entreprises, elle suggère que celui-ci soit supporté en partie par l'imposition de redevances annuelles sur l'exploitation des ressources naturelles de la province [14].

10. À partir de 1967, elle appuiera moralement la C.E.Q. dans ses revendications à cet effet et sur le plan salarial, en affirmant que les réformes dans le système d'éducation ne doivent pas se faire sur le dos des enseignants.
11. Cette dernière proposition constitue un élargissement d'une revendication antétérieure. En effet, pendant les années 50, la C.T.C.C. préconisait l'inclusion dans les programmes d'étude, d'un enseignement portant sur la coopération, le catéchisme syndical et la doctrine sociale de l'Église. La résolution, numéro 52, du congrès de 1950 s'y référait explicitement.
12. Dans un communiqué de presse, en date du 20 janvier 1967, le secrétaire général de la C.S.N. protestera contre la décision gouvernementale de retarder la gratuité scolaire et appuiera les revendications de l'U.G.E.Q. sur ce point, en affirmant que la C.S.N. et la population du Québec n'accepteront pas que le gouvernement tente d'économiser sur ce qui constitue la première priorité au Québec.
13. La C.T.C.C. avait toujours considéré l'éducation comme un droit fondamental des parents. À partir de 1960, la C.S.N. s'intéressera de près à diverses mesures concrètes visant à favoriser l'application de ce droit : élection de commissaires d'écoles par les contribuables ; droit de vote lors des élections des commissaires, pour les locataires aussi bien que les propriétaires ; représentation des parents, en particulier dans les milieux ouvriers, sur les conseils d'administration des CEGEP ; consultation ou participation des parents tant au niveau gouvernemental qu'au niveau des commissions scolaires et des écoles.
14. *Mémoire de la C.S.N.*, 1962, *op. cit.*, p. 41.

C. L'ÉDUCATION DES ADULTES

C'est depuis 1960, surtout, que la C.S.N. s'est exprimée en matière d'éducation des adultes. De prime abord, c'est le problème de l'accessibilité, dans une perspective démocratique, qui est le sujet de préoccupation. Puis, le président Pepin élargit la vision du problème, en 1966, en l'intégrant dans un concept de démocratisation sociale visant à permettre aux travailleurs de participer davantage et de façon plus éclairée, aux prises de décisions sociales et économiques qui les concernent. Pour la C.S.N., l'éducation des adultes est une nécessité humaniste qui a, comme fonction, d'assurer à tous une adaptation constante aux nouvelles formes de vie et de civilisation et une exigence vitale qui doit permettre, à ceux qui le désirent, de compléter leurs compétences ou d'acquérir celles qu'ils n'ont pu se procurer plus tôt. « Pour un monde en transformation, il faut un système d'éducation nouveau, des moyens de culture adéquats qui aident l'homme à grandir avec son œuvre, à devancer le changement et à préparer un avenir qu'il ne peut imaginer un quart de siècle à l'avance [15]. »

C'est dans cet esprit qu'elle avancera les propositions suivantes. Afin de fournir aux adultes, qui ont dû quitter l'école trop tôt, les moyens d'acquérir la formation de base qui leur manque, le congrès de 1960 adopte deux résolutions, l'une visant à améliorer l'accessibilité des cours du soir ou par correspondance dans les écoles publiques, l'autre recommandant l'instauration d'une politique de congrès d'éducation afin d'inciter les jeunes travailleurs à compléter leur formation [16]. On préconise, en plus, la création d'instituts régionaux pour adultes, en vue d'une éducation permanente et d'une poursuite de la formation technique des jeunes chômeurs [17]. En 1966, la C.S.N. demande au Conseil supérieur de l'éducation, d'accorder une priorité à l'éducation des adultes, car si leur perfectionnement ou leur recyclage n'est pas rendu possible, c'est l'économie tout entière qui en subira les conséquences, faute d'une main-d'œuvre adaptée aux réalités nouvelles [18].

Tout en étant consciente que l'éducation des adultes est la responsabilité conjointe de tous ceux qui s'intéressent à l'éducation, la C.S.N., face à l'ampleur et à l'importance de cette tâche, ne peut que conclure qu'il incombe à l'État de coordonner et de rationaliser les ressources

15. *Mémoire de la C.S.N.*, 1962, *op. cit.*, p. 50.
16. *Procès-verbal*, *op. cit.*, résolutions nos 62 et 64, annexe, p. 13.
17. *Procès-verbal*, quarante-deuxième session du congrès de la C.S.N., Montréal, 1966, p. 28.
18. *Mémoire de la C.S.N. au Conseil supérieur de l'éducation*, novembre 1966, p. 3.

publiques et privées existantes, de développer des structures susceptibles de répondre aux besoins multiples et d'en assurer le financement,
en collaboration avec les initiatives privées [19].

II
La sécurité sociale

A. CONSIDÉRATIONS GÉNÉRALES

Avant 1950, la C.T.C.C. ne propose pas de définition articulée
de la sécurité sociale. Les réclamations sont parcellaires et portent sur
des problèmes spécifiques. Elles visent à élargir le champ d'application
des mesures gouvernementales. Il s'agit d'une approche de consommation ayant pour but d'améliorer la protection des familles ouvrières.

C'est en 1950 que la C.T.C.C. précise sa définition de la sécurité
sociale. Elle lui attribue, à la fois, une fonction sociale et une fonction
économique. Lors du congrès confédéral, tenu à Sherbrooke en 1950,
le président déclare que la sécurité sociale n'est pas le fruit d'un pater-
nalisme, mais un droit qui englobe la sécurité de l'emploi, la sécurité
du revenu, la sécurité de la capacité physique de travail et la sécurité
quant aux revenus de remplacement et de complément. Il fait alors
sien l'article 25 de la Déclaration universelle des droits de l'homme
de 1948 à l'effet que :

> Toute personne a droit à un niveau de vie suffisant pour assurer
> sa santé, son bien-être et ceux de sa famille, notamment pour l'ali-
> mentation, l'habillement, le logement, les soins médicaux ainsi
> que pour les services sociaux nécessaires ; elle a droit à la sécurité
> en cas de chômage, de maladie, d'invalidité, de veuvage, de vieil-
> lesse ou dans les autres cas de perte de ses moyens de subsistance
> par suite de circonstances indépendantes de sa volonté [20].

Il ajoute que la sécurité sociale est aussi une mesure économique qui,
en assurant un revenu décent et au-dessus du minimum vital, a un
effet positif sur la répartition des revenus :

> La sécurité sociale, en assurant une répartition plus juste du reve-
> nu national, maintient, en dépit des risques sociaux, un certain
> pouvoir d'achat chez ceux qui, indépendamment de leur volonté,
> sont victimes de tels risques. Dans la mesure où la chose est

19. *Mémoire de la C.S.N.*, novembre 1966, *op. cit.*, p. 41.
20. *Procès-verbal*, vingt-neuvième session du congrès de la C.T.C.C., Sherbrooke,
   1950, p. 32.

possible, il est évidemment préférable de proportionner les prestations ou les secours aux revenus perdus, jusqu'à un certain niveau de vie, et non de rechercher le minimum qui, écartant momentanément la misère noire, laisse les gens dans une pauvreté indigne d'une civilisation chrétienne [21].

Partant de cette définition, les revendications de la C.T.C.C., jusqu'en 1960, sont fondées sur l'idée de la stabilité de la cellule familiale, à laquelle s'ajoutent les principes de l'unité des classes sociales face aux risques sociaux, de la promotion de la paix sociale et de la prévention de l'athéisme et du communisme. La sécurité sociale apparaît alors comme un supplément au minimum vital.

Au cours des années 60, la C.S.N. procède à une analyse du système de sécurité sociale ainsi que de ses principales mesures. Elle conclut alors que l'entreprise privée n'a pas assumé adéquatement cette responsabilité, ce qui l'amène à réviser en profondeur son idéologie dans ce domaine. C'est, à notre point de vue, dans un mémoire au Conseil supérieur de la famille, en 1966, que se trouve le mieux exprimée la substance de sa nouvelle pensée.

Dans ce mémoire, la C.S.N. prétend que le régime de sécurité sociale est inadéquat pour trois raisons principales. En premier lieu, les diverses mesures existantes ne constituent qu'un système de prestation qui, bien qu'utile pour atténuer certaines faiblesses économiques et corriger certaines injustices, est tout à fait impuissant à éliminer la pauvreté et à supprimer les déficiences, ce qui est sans cesse reporté à plus tard. De plus, aucun principe unificateur ne relie les diverses mesures de sécurité sociale, lesquelles ne sont que des palliatifs adoptés indépendamment les uns des autres. Enfin, l'équipement social, dont les institutions ont été développées de façon anarchique par l'initiative privée, est pauvre et non approprié aux besoins des diverses catégories de défavorisés.

Par conséquent, le système de sécurité sociale doit être repensé selon le principe de base suivant :

> Un citoyen, une fois lancé dans la vie, doit pouvoir, quoi qu'il arrive, bénéficier d'un soutien social suffisamment fort et suffisamment constant pour compenser d'une manière satisfaisante, pour les conséquences de la condition défavorable dans laquelle il se trouve... Prévoir pour le citoyen, dans un système intégré, le maintien relatif de sa position sociale pendant la durée de son existence [22].

---

21. *Procès-verbal*, congrès de 1950, *op. cit.*, p. 39.
22. *Mémoire de la C.S.N. au Conseil supérieur de la famille*, mai 1966, p. 33-34.

Pour cela, il faut que le système de sécurité sociale soit conçu comme un tout, dont les parties sont interreliées par l'entremise d'une philosophie générale, d'une finalité globale et de normes de base bien définies. Ceci implique d'une part, que l'assistance sociale doit viser à récupérer les assistés et à les restituer à une vie aussi normale et productive que possible, et d'autre part : « un groupe cohérent d'institutions qui, par une double fonction, protègent ces derniers contre les principaux risques de l'existence et opèrent une certaine égalisation des revenus [23]. »

Dans cette perspective, la C.S.N. débouche naturellement sur la nécessité d'une politique de la sécurité sociale. Et, c'est à l'État qu'elle demande de préparer un programme cohérent et compréhensif, qui dépasse la fonction traditionnelle d'aide aux déshérités et qui soit, à la fois, un instrument de redistribution des revenus et d'harmonisation de la société globale. La C.S.N. définit l'optique que doit adopter l'État de la façon suivante :

> Mais pour ce qui est de l'État, nous ne saurions concevoir de sécurité sociale véritable sans envisager le développement d'un vaste réseau d'institutions et d'installations appelées à servir d'instrument pour une réorganisation de la vie humaine à l'échelle et dans les conditions propres à la société industrielle. Ceci supposerait nécessairement une transformation radicale de la pensée législative en la matière, ainsi que des plans quinquennaux inspirés à la fois par des analyses techniques rigoureuses, des besoins et des moyens à mettre en œuvre, ainsi que par une philosophie de la société moderne où les impératifs du profit et de la production seraient subordonnés, dans l'ordre des préoccupations, à ceux de l'édification d'une cité humaine nouvelle [24].

Il s'agit pour la C.S.N. d'un changement radical d'attitude car, avant 1960, la crainte du pouvoir étatique était manifeste. La C.T.C.C. entretenait, en effet, à l'égard de l'État une attitude empreinte d'une certaine ambiguïté. Elle lui demandait d'agir comme pourvoyeur de service, sans exiger qu'il ait, en contrepartie, une philosophie sociale définie. Elle lui demandait d'améliorer son rendement et d'organiser de nouvelles structures tout en lui refusant, en même temps, le droit de contrôler. Dans les années 40, en particulier, l'État socialiste faisait figure de spectre. Pendant toute la période 1940-1960, la C.T.C.C. recherche un système de sécurité sociale aussi adéquat, complet et efficace

---

23. *Mémoire de la C.S.N.*, mai 1966, *op. cit.*, p. 32.
24. *Ibid.*, p. 26.

que possible, mais il demeure évident qu'elle s'oppose à ce que celui-ci soit dominé par l'État, comme l'illustre bien cette déclaraiton du président en 1950 qui, après avoir recommandé la plus grande décentralisation possible dans l'application des mesures de sécurité sociale et la constitution d'organismes tripartites de surveillance quant à l'application de la loi, terminait son rapport moral dans ces termes : « Autrement, la sécurité sociale, chez nous, prendra de plus en plus la forme étatiste, ce qui la rapprochera du totalitarisme et l'éloignera de la démocratie [25]. »

Le financement de la sécurité sociale soulève un problème constitutionnel. La C.T.C.C.-C.S.N. ne l'a pas évité. Il est intéressant de suivre l'évolution de sa pensée sur ce point.

Pendant les années 40, la C.T.C.C. considère qu'il est impossible de légiférer de façon satisfaisante dans l'intérêt national sans une coopération entre les gouvernements intéressés parce que le domaine de la sécurité sociale est très vaste. Elle suggère donc que certaines mesures de la sécurité sociale soient l'objet d'ententes fédérales-provinciales lesquelles seraient intégrées dans des législations concurrentes et à caractère contractuel [26]. Pendant les années 50, la C.T.C.C. supporte la politique autonomiste en matière de sécurité sociale du gouvernement Duplessis. Elle réclame le respect des juridictions provinciales, en vertu des particularismes du Québec, en affirmant que l'indépendance constitutionnelle du Canada ne doit, pour aucune considération, marquer le début d'un empiètement fédéral sur les droits des Canadiens français [27]. Elle insiste sur les prérogatives des provinces en demandant qu'une entente fédérale-provinciale assure aux provinces des sources de revenus suffisantes pour assumer pleinement leurs responsabilités [28].

En 1954, la C.T.C.C. éprouve cependant le besoin de prendre certaines distances à l'égard d'un autonomisme strictement négatif en déclarant que l'autonomie ne doit pas être un obstacle à la sécurité sociale.

Nous croyons que le sens de l'autonomie doit s'accompagner d'un souci authentique d'assurer le plus tôt possible à notre population les services sociaux les plus adéquats, les mesures de sécurité sociale les plus complètes et les plus efficaces. À cette seule condition, les travailleurs pourront apprécier les mérites d'une poli-

---

25. Rapport moral du président, congrès de 1950, *op. cit.*, p. 44.
26. *Mémoire de la C.T.C.C. au cabinet fédéral*, février 1944, p. 1.
27. *Mémoire de la C.T.C.C. au cabinet provincial*, mars 1950, p. 1.
28. *Mémoire annuel de la C.T.C.C. au cabinet fédéral*, mars 1952.

tique autonomiste. Si, au contraire, cette dernière continuait à se présenter avec toute sa séquelle habituelle de conservatisme, voire de retard et de régression sociale, force nous serait de la dénoncer avec vigueur [29].

La C.S.N. demeure fidèle à la ligne de pensée autonomiste. Comme nous le verrons plus loin, en étudiant ses prises de position sur les diverses mesures de sécurité sociale, elle considère qu'il appartient au gouvernement du Québec, pour des raisons culturelles et sociologiques, d'assumer l'entière responsabilité de la politique de sécurité sociale et qu'il importe, en conséquence, de conclure avec le gouvernement fédéral, des ententes sur un réaménagement approprié de la fiscalité.

B. LA SANTÉ

Le domaine de la santé a constitué, pour la C.T.C.C.-C.S.N., un objet de préoccupation de première importance, parce que c'est le bien le plus précieux que possède l'individu. Son action a porté sur deux objectifs principaux : l'assurance-maladie et la sécurité au travail.

1. L'ASSURANCE-MALADIE

Dès 1943, la C.T.C.C. endossait le principe d'un régime d'assurance-maladie contributoire et centré sur la famille [30]. C'est en 1954, cependant, que sa pensée devient précise, alors qu'elle définit la santé, dans son mémoire à la Commission royale d'enquête sur les problèmes constitutionnels, comme une question primordiale et de caractère public, qui est rattachée étroitement à la justice et à la sécurité sociales [31]. Résumons-en les principaux points.

Par des comparaisons statistiques sur les taux de mortalité due à certaines maladies (diphtérie, poliomyélite, tuberculose, etc.), la C.T.C.C. établit que le Québec est dans une situation déplorable par rapport à l'Ontario et au reste du Canada. Elle en attribue la cause à l'absence de protection adéquate contre le risque de la maladie, soulignant que seules les personnes à revenus élevés ou indigentes, ces dernières étant couvertes par la loi de l'assistance publique, sont pro-

---

29. *Mémoire de la C.T.C.C.*, 1954, *op. cit.*, p. 22.
30. *Mémoire de la C.T.C.C.* au comité de la Chambre des communes à Ottawa, chargé d'étudier l'assurance-maladie et autres matières connexes, 15 juin 1943, 2 pages.
31. *Mémoire de la C.T.C.C.*, 1954, *op. cit.*, p. 12-25. Les mêmes idées seront exposées dans le mémoire annuel au gouvernement provincial en 1956.

tégées contre les risques de la maladie, alors que le reste de la population ne bénéficie pas de soins essentiels à cause du coût élevé des frais médicaux et hospitaliers.

On considère que les systèmes privés d'assurance-maladie et d'hospitalisation sont inadéquats, parce qu'ils sont fondés sur la recherche du profit, atteignent moins du tiers de la population et ne couvrent pas tous les principaux risques. C'est pourquoi on propose, comme seule solution valable, un régime d'assurance-santé complet et contributoire, qui serait financé conjointement par le gouvernement de la province, les employeurs et les assurés (proportionnellement à leurs revenus), couvrirait les frais médicaux, chirurgicaux et hospitaliers, laisserait à chacun le libre choix de son médecin et prévoirait un programme d'éducation populaire en matière d'hygiène et de médecine préventive. On propose aussi que le plan soit élaboré par une commission provinciale représentative des divers groupes sociaux et qu'il soit administré d'une façon décentralisée sous la surveillance de cette commission et de comités régionaux.

Cette dernière proposition illustre la crainte du contrôle étatique qui caractérise la pensée de la C.T.C.C. Le congrès de 1944 s'était prononcé contre le contrôle étatique sur l'assurance-santé [32]. Le congrès de 1948 s'était prononcé contre l'étatisation de la médecine et des hôpitaux, à partir d'attendus dénonçant la disparition des libertés à la suite d'une telle étreinte de l'État [33]. La même attitude prévaut, au cours des années 50, alors que l'on demande à l'État de développer un régime d'assurance-maladie, mais selon une modalité qui annule l'influence étatique. Dans les années 60, la présence dynamique de l'État est acceptée davantage, mais l'on s'efforce, néanmoins, d'en atténuer l'impact.

Le mémoire conjoint, C.S.N.-F.T.Q.-U.C.C., préconise un régime d'assurance-maladie universel, complet, obligatoire et public : « c'est-à-dire, régi directement par l'État. On ne voit pas bien l'État abandonnant à l'entreprise privée une clientèle captive de consommateurs de soins médicaux, car aux lois du marché, il s'impose d'y substituer alors la loi de la démocratie [34]. » Si l'on reconnaît à l'État un rôle prépondérant dans l'administration du système d'assurance-maladie, néanmoins, on préfère manifestement à une gestion directe par l'État, celle

32. *Procès-verbal*, vingt-troisième session du congrès de la C.T.C.C., Trois-Rivières, 1944, résolution nº 83, p. 108-109.
33. *Procès-verbal*, vingt-septième session du congrès de la C.T.C.C., Hull, 1948, résolution nº 150, p. 200.
34. *Mémoire sur l'assurance-maladie*, présenté par la C.S.N., la F.T.Q. et l'U.C.C. au Comité conjoint sur l'assurance-maladie, Québec, 19 avril 1966, p. 2.

d'une régie tripartite, composée de représentants autorisés du gouvernement, des consommateurs et des professions médicales et paramédicales.

Au cours des années suivantes, la C.S.N. a exercé une pression soutenue sur le gouvernement, pour l'adoption rapide du régime d'assurance-maladie, en répétant à plusieurs reprises, à partir de 1966, que le gouvernement possédait toutes les données nécessaires à cet effet et qu'il s'agissait d'une mesure prioritaire, qui ne devait subir aucun retard ; en rejetant vigoureusement, en 1967, le projet de période de transition proposé par la commission Castonguay et en protestant violemment contre les retards dus aux négociations entre le gouvernement et les groupes médicaux. Il est à prévoir, d'une part, que la C.S.N. continuera d'exercer des pressions pour étendre la couverture de l'assurance-maladie à tous les soins médicaux et paramédicaux et d'autre part, qu'elle s'efforcera d'exercer une surveillance vigilante sur le coût de celle-ci, en particulier, sur les honoraires médicaux.

2. LA SÉCURITÉ AU TRAVAIL

Quant à la sécurité au travail [35], les préoccupations principales de la C.T.C.C. portaient sur l'élargissement de la couverture des maladies industrielles, sur l'augmentation des indemnités payées par la Commission des accidents du travail, sur l'indexation des indemnités au coût de la vie et sur des questions connexes, telles que la création d'un tribunal d'appel des décisions de la C.A.T., l'entraînement d'un personnel qualifié pour aider les travailleurs à préparer leurs réclamations ou l'accélération du processus décisionnel de la C.A.T., etc. [36]. Il s'agit donc, d'une action spécifiquement revendicative qui a pour but d'accroître la quantité ou la qualité des services.

C'est en 1966, dans un mémoire portant sur la sécurité publique et la sécurité des travailleurs, que la C.S.N. approfondit l'analyse de la question et présente une pensée articulée [37].

---

35. Une grande partie de l'action syndicale, en matière de sécurité au travail, se situe au niveau de la convention collective, particulièrement en ce qui a trait aux mesures préventives. Une analyse des conventions collectives en révélerait le contenu. Mais, nous nous intéressons ici aux politiques du mouvement, uniquement dans la perspective de la santé.

36. On retrouve dans la plupart des rapports de congrès, des références ou des résolutions portant sur l'un ou l'autre de ces points.

37. *Mémoire de la C.S.N.*, au *Comité interministériel de la sécurité publique et de la sécurité des travailleurs*, octobre 1966. Les paragraphes suivants sont basés sur ce mémoire. Voir p. 12-28.

Ce mémoire porte sur le régime existant les jugements critiques suivants : absence de lien organique entre la législation, la réparation et la prévention ; absence des travailleurs dans le domaine de la prévention, lequel est l'apanage exclusif d'associations patronales subventionnées par l'État ; fonction strictement administrative de la C.A.T., ce qui a pour effet de la tenir trop éloignée des accidentés ; nombre restreint des inspecteurs, sauf dans les mines et insuffisance de leur formation technique et spécialisée.

Considérant que la réparation, la législation (y incluant l'inspection) et la prévention, dans un régime de sécurité au travail, constituent des fonctions essentielles qui s'influencent réciproquement, la C.S.N. propose une refonte complète du système, dans une perspective d'intégration et de coordination formelle de ces trois fonctions. Selon cette proposition, le statut de la C.A.T. devrait être révisé afin de conférer à la commission les pouvoirs nécessaires pour assumer la responsabilité de l'inspection et de la prévention, tout en lui conservant son rôle quant à la réparation. Dans ce nouveau cadre, le service de réparation devrait comporter des structures assez souples pour assurer une coopération rapide et efficace avec le service de prévention et le service d'inspection. Enfin, la prévention devrait être confiée à un centre de prévention des accidents industriels, auquel participeraient tous les intéressés (travailleurs, employeurs, gouvernement) et dont le rôle serait d'assurer le contrôle et la coordination du travail des associations patronales de prévention qui sont en existence.

Il apparaît donc que la C.S.N. s'oriente vers un nouveau modèle suivant lequel l'attitude strictement revendicative dans une perspective de consommation est mise en veilleuse au bénéfice d'une emphase sur la prévention, sur la participation ouvrière et sur l'intervention dynamique de l'État.

C. LA FAMILLE

Pour la C.T.C.C.-C.S.N., la cellule familiale est l'unité sociale fondamentale. Elle transcende l'individu. Les politiques socio-économiques doivent être subordonnées à ses besoins. On considère qu'une société, qui n'a pas de sollicitude particulière pour la famille et le foyer, ne peut se prétendre une société chrétienne et civilisée [38]. C'est pourquoi, on s'est préoccupé de très près des problèmes de la famille, en vue d'améliorer son sort et de protéger ses traditions et ses valeurs.

---

38. *Mémoire de la C.T.C.C.*, 1944, *op. cit.*, p. 4.

Cette attention a porté principalement sur le travail féminin, les allocations familiales, le logement et les finances familiales.

1. LE TRAVAIL FÉMININ

L'acceptation positive du travail féminin par la C.T.C.C.-.C.S.N. est récente. Ainsi, en 1962, les congressistes renvoyèrent pour étude, toutes les recommandations préparées par le comité féminin sur l'émancipation de la femme au travail, que présidait Mlle Jeanne Duval. À ce même congrès celle-ci subit la défaite au poste de vice-présidente de la C.S.N., poste qu'elle occupait précédemment. L'idéologie de la « femme au foyer » prédominait encore.

Pendant la guerre, la C.T.C.C. tolère le travail féminin, comme un mal nécessaire, après avoir pris soin d'affirmer que : « Le rôle de la femme, c'est d'élever des enfants et d'être au foyer... les femmes ne doivent pas prendre la place des hommes [39]. » Aussi, s'empresse-t-on, dès la fin de la guerre, de prôner le retour de la femme mariée au foyer, afin d'y assurer l'éducation familiale, la sécurité du foyer et l'expansion de la famille [40].

En même temps, la C.T.C.C. s'inquiète de la santé de la femme à l'usine, ce qu'elle considère être une question d'intérêt public à cause de ses répercussions possibles sur la cellule familiale. « La famille de demain risque de subir des répercussions pénibles dues au fait que la mère, avant le mariage, aura laissé sa santé à l'usine [41]. » Pour la même raison, le congrès de 1948 demande qu'il soit interdit de faire travailler les jeunes filles et les femmes, plus de sept (7) heures par jour et plus de trente-cinq (35) heures par semaine [42]. On ne semble pas disposé davantage, au cours des années 50, à accepter favorablement que les épouses aient une occupation autre que celle de gardienne du foyer. Cependant, l'adoption, en 1957, d'une résolution préconisant la reconnaissance du principe « à travail égal, salaire égal » est l'indice d'une évolution latente [43].

En 1964, reconnaissant le fait de la croissance de l'effectif féminin au sein de la force de travail, le président s'emploie, dans son rapport moral, à définir le statut de la femme au travail ainsi que les conditions qui lui permettraient de concilier ses obligations au foyer avec celles

---

39. *Procès-verbal*, congrès de 1943, *op. cit.*, résolution n⁰ 80, p. 114.
40. *Ibid.*, résolution n⁰ 99, p. 230.
41. *Mémoire de la C.T.C.C. au cabinet fédéral*, février 1943, p. 3.
42. *Procès-verbal*, congrès de 1948, *op. cit.*, résolution n⁰ 84, p. 168.
43. *Procès-verbal*, trente-sixième session du congrès de la C.T.C.C., Québec, 1957, résolution n⁰ 28, p. 131.

de son occupation. Il propose de supprimer toutes discriminations basées sur le sexe, d'assurer aux femmes une rémunération égale pour un travail égal et de les faire bénéficier de congés et d'allocations de maternité [44].

Si la C.S.N. accepte, maintenant, le travail de la femme mariée, elle n'abandonne pas pour autant son objectif de protection de la cellule familiale. Elle endosse la déclaration du B.I.T. qui reconnaît à la femme le droit de choisir entre rester au foyer et travailler à l'extérieur du foyer et qui préconise que, dans le second cas, tout doit être mis en œuvre pour protéger adéquatement la santé de la femme et celle de ses enfants. C'est dans cet esprit qu'elle s'est opposée, en 1967, au travail de nuit de la femme et qu'elle souhaite la création de comités conjoints (travailleuses, employeurs, gouvernement) pour étudier les problèmes soulevés par le travail féminin, en vue d'une législation qui puisse constituer à la fois, une protection efficace pour les individus et une mesure préventive pour la bonne santé de la famille et de la société [45].

2. LES ALLOCATIONS FAMILIALES

La C.T.C.C. considère les allocations familiales comme une mesure sociale nécessaire et populaire. Elle estime que le gouvernement doit faire en sorte que ces allocations représentent un supplément au-dessus d'un salaire vital et non au-dessus d'un salaire insuffisant, si l'on veut qu'elles constituent véritablement une assistance aux familles nombreuses et ne servent pas de prétexte à un gel de certains salaires inférieurs [46]. Il lui apparaît que la famille québécoise a, plus que tout autre, besoin de cette mesure de sécurité sociale, à cause du nombre d'enfants, de la faiblesse des revenus et du haut niveau de chômage [47].

Considérant le caractère social de cette mesure, la C.T.C.C., dès les premières années de son adoption, demandera que le taux des allocations soit indexé au coût de la vie [48], que celles-ci soient versées

---

44. Rapport du président, *Procès-verbal*, quarante et unième session du congrès de la C.S.N., Québec, 1964, p. 11.
45. *Ibid.*, p. 11.
46. *Mémoire de la C.T.C.C.*, 1944, *op. cit.*, p. 4.
47. Il est intéressant de souligner, cependant, que le congrès confédéral de 1944 adopta deux résolutions (nos 73 et 82) à l'encontre du projet fédéral de législation sur les allocations familiales pour les motifs suivants : ce projet constitue un empiétement fédéral sur les prérogatives provinciales, sanctionne l'enfant illégitime, enlève les droits du père de famille et défavorise les familles nombreuses à cause du taux décroissant.
48. *Procès-verbal*, vingt-cinquième session du congrès de la C.T.C.C., Québec, 1946, résolution no 121, p. 238.

La pensée sociale

à tous les enfants, y incluant les enfants de plus de 16 ans qui poursuivent leurs études, que le taux croisse selon l'âge [49].

Après une période de silence sur la question au cours des années 50, la C.S.N. révise sa pensée en matière d'allocations familiales dans le cadre de son analyse critique des régimes de sécurité sociale. Ceci la conduit à adopter le point de vue du gouvernement provincial, qui aspire à modifier la conception et la portée des allocations familiales, en transformant le mode de répartition, de manière à obtenir, pour un déboursé global d'un même ordre, une mesure mieux adaptée à la réalité sociologique de la famille québécoise [50].

3. LE LOGEMENT

La C.T.C.C. s'est peu exprimée sur la question du logement, au cours des années 40, sauf pour demander à l'État d'exercer une surveillance sur le coût des loyers des ouvriers, de geler les prix de certains loyers et de favoriser l'accès du petit salarié à la propriété par une forme de crédit à l'habitation. En effet, des résolutions sur ces points apparaissent épisodiquement dans les rapports de congrès de cette période.

La situation est toutefois différente, au cours des années 50, car la C.T.C.C. s'intéresse de près au problème de l'habitation. En 1950, elle réclame une politique progressiste et généreuse d'habitations familiales répondant aux besoins des petits salariés, en demandant, en même temps, une protection immédiate des locataires contre l'exploitation des propriétaires due à la rareté des logements [51]. En 1952, la C.T.C.C. est d'avis que l'habitation est le problème social le plus angoissant de l'heure, que la crise du logement est plus aiguë au Québec que dans le reste du pays et qu'elle affecte surtout les petits salariés. C'est pourquoi, elle en traite longuement dans son mémoire annuel au gouvernement provincial.

Dans ce mémoire, elle attribue la cause première de la crise du logement au Québec aux facteurs suivants :

    a) l'accroissement naturel de la population et le nombre annuel de mariages sont plus élevés dans notre province que dans l'ensemble du pays bien que la quantité de maisons construites chaque année soit inférieure ;

---

49. *Procès-verbal*, congrès de 1948, *op. cit.*, résolution n° 148, p. 199.
50. *Mémoire de la C.S.N.*, mai 1966, *op. cit.*, p. 28.
51. *Mémoire de la C.T.C.C.*, 1950, *op. cit.*, p. 2.

b) la politique fédérale d'immigration n'a pas assez tenu compte de la situation du logement au pays et particulièrement dans notre province ;

c) le développement industriel extraordinaire de la province... qui a provoqué une véritable congestion dans certains grands centres urbains ;

d) le manque de matériaux, à certaines périodes, a pu causer un ralentissement dans la construction d'habitations familiales ;

e) notre législation en matière de logement, tant fédérale que provinciale, ne répond pas aux besoins [52].

Elle ajoute alors, que le principal obstacle à la construction d'habitations familiales n'a pas été attaqué par la législation actuelle et qu'il provient du montant considérable de la mise de fonds initiale et du taux élevé d'intérêt hypothécaire, ce qui empêche la grande majorité des salariés de rêver même à devenir propriétaire.

La solution, selon la C.T.C.C., réside fondamentalement dans la création d'un crédit urbain : « ... la C.T.C.C. est convaincue que le problème du logement chez nous est avant tout un problème de crédit qui ne sera résolu que le jour où le gouvernement instituera un crédit urbain [53]. » On propose, en conséquence, que le montant total, nécessaire à la construction d'une maison unifamiliale, soit avancé par les gouvernements fédéral et provincial, aux familles dont le revenu insuffisant ne leur donne pas accès à la propriété.

On peut dire que par la suite, la C.T.C.C.-C.S.N. a considéré le logement comme une nécessité vitale au même titre que la nourriture et le vêtement. Le président Pepin en fera une composante essentielle de son « camp de la liberté » en 1970.

Cette définition du problème amène la C.S.N. à préconiser une intervention étatique de plus en plus directe et importante. En effet, après avoir attribué à l'État une fonction de contrôle des prix des loyers, dans les années 40, et d'aide au financement des habitations, dans les années 50, on débouche, au cours des années 60, sur une politique étatique globale de l'habitation, prévoyant la construction de loyers à prix modiques, la rénovation urbaine, y incluant le réaménagement des municipalités et des quartiers urbains, la création d'un

---

52. *Mémoire annuel de la C.T.C.C. au cabinet provincial,* 3 décembre 1952, p. 3-4.
53. *Ibid.,* p. 7.

vaste secteur de logements publics et l'élimination de la spéculation foncière ainsi que le contrôle de l'entreprise privée [54].

4. LES FINANCES FAMILIALES

La quasi-totalité de l'action syndicale, tant au niveau de la convention collective qu'au niveau des politiques socio-économiques, a des effets directs ou indirects sur les aspects financiers de la cellule familiale. Mais, ce qui retient l'attention et mérite d'être souligné spécifiquement, c'est la campagne que la C.S.N. mène, depuis une dizaine d'années, en faveur de l'assainissement des finances familiales. Dirigée par un homme issu d'une importante famille de commerçants de Québec, cette campagne vise à redresser la situation d'endettement chronique et permanent dont souffre la famille ouvrière. À cette fin, un service composé de conseillers techniques qualifiés pour aviser les familles qui ont des problèmes financiers a été créé ; une association coopérative d'économie familiale a été formée en 1965 ; des ententes ont été conclues avec certaines caisses populaires afin que les travailleurs puissent bénéficier de petits prêts à des taux d'intérêt raisonnables ; des campagnes d'opinion publique ont été lancées contre les compagnies de finance, accusées de prêter à des taux exorbitants, voire usuriers.

Cette campagne se situe, aussi, au niveau politique. Dans son mémoire au cabinet fédéral, en 1964, la C.S.N. constate avec répugnance, que l'exploitation des petites gens s'exerce sous le regard tolérant de la loi car, certains prêteurs pratiquent l'usure en dépit de la loi sur les petits prêts, la publicité tapageuse fausse le coût réel des emprunts et l'emprunteur doit signer des formules de contrat obscures quant à la portée de son engagement. Elle propose alors : la majoration, jusqu'à $5 000 du montant des prêts tombant sous la Loi des petits prêts, de façon à protéger davantage l'emprunteur ; la limitation du taux d'intérêt, 8% étant considéré comme raisonnable ; la surveillance étroite, par le surintendant des assurances, des opérations des sociétés et des individus autorisés à prêter de l'argent [55].

En 1965, elle va encore plus loin, en demandant au gouvernement de créer une commission spéciale sur le problème du crédit à la con-

---

54. Ces idées sont développées principalement d'une part, dans le mémoire de la C.S.N. au Conseil supérieur de la famille en 1966 et d'autre part, dans le rapport du congrès de 1970. De plus, la C.S.N. a mené une vigoureuse campagne, mais sans succès, pour faire appliquer certaines de ses idées, en proposant la conversion des îles de l'exposition universelle de 1967, en un secteur public de logements à prix modiques.
55. *Mémoire de la C.S.N. au cabinet fédéral*, 19 février 1964, p. 15-20.

sommation et de préparer une nouvelle loi, destinée à contrôler efficacement les activités des compagnies de finance.

Dans cette campagne, la C.S.N. ne nie pas que le crédit et le prêt constituent une fonction socio-économique importante. Ce qu'elle vise essentiellement, c'est que le crédit soit accessible à ceux qui en ont besoin, sans que l'on profite de l'occasion et que le consommateur ne soit entraîné dans un marasme financier chronique.

D. SÉCURITÉ ET PENSIONS DE VIEILLESSE

Les prises de position de la C.T.C.C.-C.S.N., en matière de sécurité de la vieillesse, reposent sur deux idées de base principales. Premièrement, la vieillesse est un risque social que la société doit assumer humainement. Le président disait dans son rapport moral de 1950 :

> Il est humain et il est chrétien de donner aux vieillards la certitude qu'ils ne seront point abandonnés le jour où ils ne pourront plus, par leur travail, assurer leur subsistance. Dans cette optique, pas question de retourner à la famille ou à la charité privée. Il ne s'agit pas de distribuer des responsabilités mais de faire face à la réalité [56].

Deuxièmement, la sécurité de vieillesse est un droit relevant de la stricte justice (ce que l'on formulera en 1963) car, une personne qui travaille régulièrement pendant toute sa vie active, contribue au bien-être économique et social de la communauté et de ce fait, obtient le droit de recevoir jusqu'à la fin de ses jours, un revenu qui lui permette de vivre décemment [57].

Sur cette base, la C.T.C.C.-C.S.N. a d'une part constamment procédé à une double revendication, du type de consommation, visant à réduire l'âge de l'éligibilité et à augmenter le montant des pensions payées par l'État et d'autre part, a travaillé à la mise sur pied d'un système de pension aux retraités, fondé sur des formules collectives.

En 1950, on préconise un régime national, contributoire et universel qui pourrait être supplémenté par la convention collective. La contribution du salarié y serait équivalente à 2% de son salaire annuel, celle de l'employeur devrait être plus élevée que celle du salarié et celle du gouvernement représenterait un pourcentage donné du revenu

---

56. Rapport du président, congrès de 1950, *op. cit.*, p. 39.
57. Projet d'un régime contributoire de pensions universelles pour la province de Québec, *Mémoire de la C.S.N. au gouvernement provincial*, octobre 1963, voir : p. 5.

national [58]. En 1960, le congrès recommande au gouvernement provincial d'instituer une loi obligeant les employeurs à créer un fonds de pension contributoire et transférable [59]. En 1962, la C.S.N. revient à la charge en exigeant un fonds de pension minimum et contributoire pour tous les salariés de la province [60]. En 1963, on produit un rapport détaillé, analysant la question en profondeur, dont nous allons résumer les grandes lignes.

Ce rapport contient, au départ, une critique sévère des diverses formes de plans privés de retraite, que l'on accuse de créer une situation chaotique et anarchique et de contribuer à la désorganisation économique, car l'investissement des fonds, par les compagnies privées, ne tient aucunement compte des impératifs socio-économiques de la communauté. Plus concrètement, on fait état des facteurs négatifs suivants : non-transférabilité ou transférabilité partielle ; mode inéquitable de remboursement des contributions, au départ ; protection insuffisante, car, en dépit de contributions importantes de la part des salariés, la rente à l'âge de la retraite devient aléatoire à cause de l'inflation ; administration unilatérale des fonds ; couverture d'une minorité de salariés.

On réclame alors, en stricte justice et humanité, un système de retraite et de vieillesse qui assure, à chaque membre de la société, le droit de vivre convenablement lorsqu'il devient incapable de produire. La C.S.N. propose, à cette fin, un système à trois paliers : *a)* une pension de vieillesse payable, de droit, à tous, dès l'âge de 65 ans et versée par le gouvernement du Québec à la suite d'une entente fiscale conclue avec le gouvernement fédéral ; *b)* un régime de pension universel intégrant les régimes privés, contributoire et transférable, dont les cotisations des employeurs et des salariés seraient versées à un fonds spécial, désigné sous le nom de Caisse de retraite du Québec et dont l'administration relèverait d'une commission autonome tripartite, composée de représentants du gouvernement, des employeurs et des salariés ; *c)* la liberté pour les employeurs et les employés d'instituer des systèmes de pension supplémentaires sur le plan universel [61].

Dans ces propositions, la C.S.N. poursuit un double objectif, social et économique, comme l'indique la citation suivante : « Apporter une solution fondamentale au problème du revenu pour les citoyens âgés et fournir à la communauté les moyens financiers pour exercer une

---

58. *Procès-verbal*, congrès de 1950, *op. cit.*, p. 40-41.
59. *Procès-verbal*, congrès de 1960, *op. cit.*, résolution n° 69, annexe, p. 14.
60. *Mémoire de la C.S.N. au gouvernement de la province de Québec*, 19 février 1962, p. 19.
61. *Mémoire de la C.S.N.*, février 1964, *op. cit.*, p. 6-19.

certaine mesure de direction et de contrôle sur sa vie économique [62]. »
Dans cette optique, elle appuiera, en 1964, le projet de caisse de retraite
du gouvernement provincial et la principale réserve qu'elle aura, en
1965, sur la loi instituant la Caisse de dépôts, sera que cette dernière
ne constitue pas un instrument qui permette au Québec de se donner
des instruments économiques, tout en remplissant une fonction sociale.

E. L'ASSURANCE-CHÔMAGE

Jusqu'en 1960, cette question est abordée dans une perspective
de consommation. On cherche à améliorer les avantages que la Caisse
d'assurance-chômage procure, en présentant des demandes portant sur :
l'élargissement du champ d'application, notamment en ce qui a trait
à la qualification aux prestations des femmes mariées, des grévistes
et de certains groupes de travailleurs, comme les employés d'hôpitaux
et d'institutions religieuses ; sur l'augmentation du montant des prestations et de la durée de la période d'éligibilité, en cherchant, en particulier, à les relier aux besoins de la famille et au coût de la vie ; le
partage du coût de l'assurance-chômage entre les travailleurs, les employeurs et le gouvernement, en proposant entre autres, l'extension de
la cotisation à des groupes de faibles risques.

Au cours des années 60, étant donné le taux élevé du chômage
chronique et la révision globale de sa pensée en matière de sécurité
sociale, la C.S.N. traite à plusieurs reprises de la question de l'assurance-
chômage dans des résolutions, des mémoires et des déclarations publiques.

Un mémoire particulier, en 1961, énonce une définition de l'assurance-chômage. On y précise que celle-ci ne doit pas être considérée
comme un substitut à l'emploi, ni comme un instrument pour combattre les dépressions économiques. Elle doit au contraire être intégrée
dans une politique qui garantit un revenu adéquat à tous, car le chômage est un risque social qui, pour des raisons humanitaires et de
justice distributive, doit être assumé par la collectivité [63].

Dans cet esprit, on propose de transformer radicalement le système
existant, selon les modalités suivantes : une caisse d'assurance-chômage
fédérale aux points de vue ressources et paiements ; aucune limitation
quant à la durée des prestations de chômage ; généralisation du sys-

62. *Mémoire de la C.S.N.*, février 1964, *op. cit.*, p. 46.
63. *Mémoire de la C.S.N. à la Commission d'enquête sur l'assurance-chômage*,
    18 décembre 1961, p. 19-22.

tème de façon à ce que toute catégorie de travailleurs soit cotisée et puisse éventuellement retirer des prestations ; administration par un organisme doté d'une autonomie comptable ; financement par un impôt fédéral général plutôt que par le mode actuel des cotisations. La C.S.N. vise, dans ces propositions, à répartir plus équitablement sur la collectivité le fardeau du chômage et à éliminer le problème de financement posé par l'épuisement progressif de la Caisse d'assurance-chômage [64].

En 1966, l'analyse du problème est poussée encore plus loin. On propose l'abolition du système actuel parce qu'il relie les prestations à l'idée de rémunération au travail, limite la durée des prestations et ne constitue qu'un système de prestation qui ne fournit pas les moyens nécessaires pour relancer convenablement et de façon rationnelle le travailleur dans la production. En contrepartie, on propose d'intégrer l'assurance-chômage dans le cadre général de la sécurité sociale, et comme telle, de la redéfinir de la façon suivante :

> Nous pensons que le système de sécurité sociale relatif au chômage, devrait non seulement fournir des prestations et des renseignements sur les emplois vacants, mais également comporter un organisme très élaboré, bien intégré à l'ensemble du système et qui serait chargé de la formation du travailleur en chômage, du recyclage, de l'orientation professionnelle, du développement de la main-d'œuvre en fonction des objectifs économiques à court et à long terme [65].

Considérant le contenu de ces deux mémoires, ainsi que les prises de position de la C.S.N., sur le projet de loi relatif à l'assurance-chômage, au début de 1968, et sur le livre blanc sur l'assurance-chômage, à l'été 1970, il appert que la pensée de la C.S.N., quant au problème du chômage, est maintenant structurée de la façon suivante : *a)* c'est fondamentalement par une politique de plein-emploi que l'on peut combattre efficacement le problème du chômage ; *b)* la protection du chômeur doit relever de la politique générale de sécurité sociale plutôt que de dépendre d'une formule d'assurance collective ; *c)* la politique de main-d'œuvre doit pourvoir à la réintégration active du chômeur sur le marché du travail.

*   *   *

Le modèle que nous avons observé par rapport aux politiques économiques, prévaut aussi, quant aux politiques sociales. Celles-ci sont

64. *Mémoire de la C.S.N.*, décembre 1961, *op. cit.*, p. 24-25.
65. *Mémoire de la C.S.N.*, mai 1966, *op. cit.*, p. 22.

centrées sur la famille comme unité de consommation et évoluent suivant un axe contestation-accommodation et contestation-réformisme.

La famille apparaît comme une unité socio-économique qui est handicapée par certaines conséquences disfonctionnelles du développement économique. Les principales disfonctions sont un accès limité à l'éducation et à la culture ainsi qu'un état généralisé d'infériorité en matière de sécurité sociale des classes ouvrières.

Comment faire face à ces problèmes ? On peut identifier trois étapes dans l'évolution de la pensée de la C.T.C.C.-C.S.N. sur ce point. Au cours des années 40, l'orientation contestation-accommodation domine. Il en résulte un ensemble de revendications parcellaires et limitées qui ne constituent que des palliatifs aux problèmes. La C.T.C.C. s'efforce d'accroître le degré d'accessibilité à l'éducation d'une part, et d'étendre la couverture et d'augmenter les montants des bénéfices des diverses mesures de sécurité sociale, d'autre part. La fin des années 50 marque un point tournant bien que l'orientation contestation-accommodation continue de prédominer. En effet, en plus de revendiquer fortement des améliorations similaires à celles de la décade précédente, la C.T.C.C. réétudie et réévalue le système social en s'efforçant de redéfinir ses politiques globalement. Elle confère, alors, à la sécurité sociale, une fonction d'assistance sociale, mais aussi une fonction économique et une fonction politique. De plus, elle commence à substituer à la notion d'un bien de consommation dont sont privés les travailleurs, celle du droit de tous à l'éducation et à la sécurité sociale. Cette tendance se finalise dans les années 60 alors que la C.S.N. adopte une orientation contestation-réformisme. Elle met, alors, systématiquement en cause les structures du système et soumet des projets de réforme qui se veulent définitifs. Ainsi, la C.S.N. propose de réorganiser la sécurité au travail en intégrant les fonctions de prévention, législation et réparation dans la perspective d'une responsabilité communautaire plutôt qu'individualiste ; elle définit l'assurance-chômage comme une mesure socio-économique qui n'est que supplétive mais qui doit constituer l'un des éléments d'une politique garantissant le revenu ; elle réclame une véritable politique de la communauté pour l'ensemble des éléments qui composent la sécurité sociale.

Ce processus d'évolution entraîne une redéfinition du rôle de l'État similaire à celle qui se produit à propos de la vision du système économique. Ce rôle, de caractère supplétif au départ, devient celui d'un initiateur et d'un créateur.

Chapitre 4

Les relations du travail

Nous avons pu constater, lors de l'étude de la définition des rapports avec les autres, au premier chapitre, que la C.T.C.C.-C.S.N. accepte la conception globale du système de relations industrielles nord-américain. Ce dernier comporte un réseau de relations, par lesquelles les parties intéressées peuvent s'affronter, pour définir leurs droits et leurs devoirs réciproques, établir des règles qui gouvernent leurs comportements respectifs et rechercher conjointement des solutions à leurs problèmes. Ce réseau repose sur une infrastructure juridique, qui détermine les règles du jeu et confère à chaque participant un statut et un pouvoir. Il se concrétise, finalement, dans la convention collective. Mais, cette structure met en cause certaines valeurs de base, reliées au droit d'association, à la résolution des conflits et au rôle de l'État.

Ce chapitre porte sur ces trois derniers points. Il complète la définition de soi dans le contexte des relations industrielles. Il s'agit, en l'occurrence, d'une étude de la définition des acteurs du système de relations industrielles et non pas d'une étude des politiques de négociation collective.

I
La liberté syndicale

La C.T.C.C.-C.S.N. a traditionnellement défendu les droits individuels et collectifs, au risque parfois, de s'aliéner une partie de l'opinion publique ou de s'attirer l'ire et l'opposition des puissances politiques ou économiques. Il semble, donc, logique qu'elle considère la liberté syndicale, comme un droit fondamental, qui ne saurait être contesté ni limité indûment. Si elle tolère, à l'occasion, certaines limitations à la reconnaissance ou à l'exercice du droit d'association, c'est pour des motifs conjoncturaux et temporaires ou au nom d'un bien commun d'un ordre supérieur. Il en est ainsi, parce qu'elle définit le droit d'association, par référence à la doctrine sociale de l'Église, comme un droit naturel absolu et moralement nécessaire, qui est intimement relié à la sociabilité humaine et aux exigences de la démocratie et de la justice sociale [1].

Actualisée, la liberté syndicale comporte, du point de vue individuel : « le droit d'adhérer à un syndicat, le droit de choisir son syndicat et le droit de retraite [2] », et du point de vue collectif : « le droit à la reconnaissance officielle, le droit d'être représenté auprès de l'employeur et le droit de négocier au nom de ses membres [3] ».

Cette attitude est conforme à la conception des rapports avec les membres, contenue dans la définition de soi. On peut alors se demander pourquoi la C.T.C.C.-C.S.N. ne rejette pas le système du monopole juridique de représentation syndicale ainsi que les clauses de sécurité syndicale, car les deux contiennent des restrictions quant aux libertés individuelles d'association [4].

La place accordée à l'individu dans l'idéologie de la C.T.C.C.-C.S.N. pourrait la conduire logiquement à préconiser le pluralisme syndical de représentation ainsi que le syndicalisme minoritaire. Si elle n'adopte pas cette ligne de conduite, c'est qu'elle est consciente, d'une

---

1. Au congrès de 1948, le président, dans son rapport moral, développe longuement ce thème en s'appuyant abondamment sur les encycliques *Rerum novarum* et *Divini redemptoris* ainsi que la Lettre de la Sacré-Congrégation du Concile du 5 juin 1929. Voir : *Procès-verbal*, vingt-septième session du congrès de la C.T.C.C., Hull, 1948, p. 34-36. Par la suite, c'est ce contenu doctrinal, qui soutient les revendications du mouvement sur la reconnaissance et la protection du droit d'association. Entre autres, on le retrouve spécifiquement dans le *Mémoire supplémentaire de la C.T.C.C. à la commission Tremblay concernant les relations entre les corporations municipales et scolaires et leurs employés*, 3 juin 1954, p. 1. Si la C.S.N. n'y fait plus appel par des références aussi spécifiques, ce sont, néanmoins, les mêmes valeurs de base qui l'inspirent.
2. *Mémoire de la C.T.C.C. au cabinet fédéral*, février 1943, p. 4.
3. *Ibid.*, p. 4.
4. Les luttes menées par la C.S.N., au cours des dernières années, au sujet des unités naturelles à Radio-Canada, chez le Canadien Pacifique et dans la fonction publique fédérale ne constituent pas une négation du principe du monopole de représentation. Le débat portait sur les critères de définition d'une unité appropriée de négociation : la C.S.N. faisant valoir le facteur culturel comme déterminant, ce qui n'était pas reconnu par la commission fédérale des relations du travail. Il demeure, cependant, que la C.S.N. prévoyait un monopole de représentation syndicale pour les unités de négociation plus restreintes qu'elle proposait.

part que la véritable liberté syndicale réside finalement, une fois le droit d'association reconnu, dans la capacité d'agir et d'autre part, que le monopole juridique de représentation syndicale constitue, dans le contexte culturel, historique, économique et politique nord-américain, la structure de relations industrielles qui maximise l'efficacité de l'action syndicale au niveau de la convention collective [5]. Il y a là, une acceptation implicite, des caractéristiques du système de relations industrielles nord-américain et de son idéologie de base suivant laquelle les rapports patronaux-ouvriers sont moins des rapports de classe que des rapports de force entre deux groupes concurrents et interdépendants, vivant dans un état d'équilibre dynamique relatif. La solidarité d'un groupe compact, sans fissure et présentant un front uni, dans une même unité de négociation, représente alors la meilleure garantie du droit individuel d'association. Il apparaît, dans ce contexte, plus important de préserver la liberté d'association quant au choix de l'union ou de la centrale syndicale.

C'est globalement, pour les mêmes motifs, que les clauses de sécurité syndicale ne sont pas définies comme des entraves au droit individuel d'association. On présente, en effet, la sécurité syndicale comme une mesure de protection, que recherchent les travailleurs, pour renforcer leur syndicat face à l'employeur et aux non-syndiqués. Elles sont essentielles pour le syndicat afin de : « remplir efficacement son rôle et d'assurer toutes ses responsabilités sans que son existence ne soit mise en danger par l'employeur ou par certains salariés ne faisant pas partie d'un syndicat libre [6] ». Dénonçant, en 1962, l'attitude du Crédit social, le président réaffirmera cet énoncé, en d'autres termes, en déclarant que les clauses de sécurité syndicale n'ont pas été négociées pour remplir les coffres syndicaux mais parce qu'« elles constituent d'abord une protection contre l'antisyndicalisme du patronat qui, dans bien des cas, au cours des conventions collectives, essaie d'affaiblir le syndicat en vue de s'en libérer ou d'être en meilleure posture à la négociation suivante [7]. »

5. On remarque, dans les minutes des discussions du Conseil supérieur du travail, en vue de la Loi des relations ouvrières de 1944, que les représentants de la C.T.C.C. étaient favorables, en principe, à l'accréditation des syndicats minoritaires. Au début des années 60, le président Marchand, tout en reconnaissant que le pluralisme syndical, dans une même unité de négociation, correspondait davantage à la démocratie industrielle, déclarait que le système de représentation monopolistique actuel constituait la meilleure formule dans le contexte nord-américain pour assurer aux syndicats un bon pouvoir de marchandage.
6. Rapport du président, congrès de 1948, *op. cit.*, p. 41.
7. Rapport du comité du rapport du Bureau confédéral, *Procès-verbal*, quarantième session du congrès de la C.S.N., Montréal, 1962, p. 278.

Les relations du travail

Le mouvement se sent d'autant plus à l'aise pour soutenir ce point de vue, qu'il a trouvé, par l'interprétation de la doctrine sociale de l'Église, une justification morale et normative de toutes les clauses de sécurité syndicale, y compris celles de l'atelier fermé et de la retenue syndicale [8].

La C.T.C.C.-C.S.N. ne se contente pas de définir et de défendre, au niveau des principes, la liberté d'association. Elle en est une ardente propagatrice. Elle vise, d'une part à étendre constamment la reconnaissance juridique du droit d'association et d'autre part, à rendre l'exercice de ce droit, viable et efficace, en travaillant à l'élimination des obstacles qui le handicapent, au fur et à mesure qu'ils sont identifiés. Elle agit à cet effet, tant au niveau du législateur qu'au niveau de l'action directe. Il serait trop long de rappeler ici tous les gestes qu'elle a posés dans ce sens, même en s'en tenant aux principaux. Soulignons seulement qu'elle est rarement absente des conflits qui mettent en cause le droit d'association, qu'il s'agisse de ses membres, de syndicats rivaux ou de nouveaux syndiqués, y apportant son appui moral lorsque ce n'est pas son appui financier ou technique [9] et que ses mémoires aux gouvernements provincial et fédéral contiennent, en majorité, des revendications visant à accroître l'efficacité de l'exercice du droit d'association [10]. De plus, elle est en campagne de façon presque constante, en vue de faire reconnaître le droit d'association à des groupes qui en sont privés [11].

8. Rapport du président, congrès de 1948, *op. cit.*, p. 47 et ss.
9. Que le lecteur se rappelle les nombreuses grèves de reconnaissance syndicale au cours des années 50, la marche sur le parlement de Québec contre les bills 19 et 20, en 1954, le support accordé aux réalisateurs de Radio-Canada en 1960, ainsi que celui fourni aux fonctionnaires provinciaux en voie de syndicalisation au cours des années 1960-1965, la lutte pour les unités naturelles, au niveau fédéral en 1967-1968, la bataille encore en cours pour « les gars de Lapalme ».
10. Les principaux obstacles que l'on vise à éliminer sont : les congédiements pour activité syndicale, spécialement en période d'organisation syndicale ; les difficultés reliées aux poursuites en réclamation de la part des travailleurs ; les syndicats de boutiques ; les problèmes posés par les sous-contrats et les changements de raison sociale des compagnies. La Commission des relations ouvrières est aussi souvent l'objet de vives critiques. Il est intéressant de noter qu'on formule à son égard à peu près les mêmes griefs dans les années 60 qu'à la fin des années 40 : lenteur administrative, exagération de la procédure, décisions arbitraires, voire contradictoires et favoritisme. Nous en traiterons dans la dernière partie de ce chapitre.
11. Chronologiquement, ces campagnes visent : en 1952, les employés des Arsenaux, les fonctionnaires fédéraux ainsi que les employés de l'Imprimerie nationale ; en 1954, les employés des gouvernements fédéral, provinciaux et municipaux ; au début des années 60, les fonctionnaires fédéraux et provinciaux ; en 1966, les employés de l'Imprimerie de la Reine et de l'Office national du film ; dans les années récentes, les cadres des entreprises.

La résolution des conflits, dans le système de relations industrielles nord-américain, c'est le double problème de la définition de la fonction de la grève dans ce système et de la définition des modes et des mécanismes de prévention et de solution des conflits.

Le droit de grève, dans l'idéologie de la C.T.C.C.-C.S.N., est une composante intégrale de la liberté syndicale. En s'appuyant sur la doctrine sociale de l'Église, on le définit comme un droit naturel secondaire qui découle de l'exercice du droit d'association. Il devient alors, un moyen essentiel d'action qui ne saurait souffrir de limitations, si ce n'est pour des motifs très sérieux [12]. Il en découle que la grève est l'un des rouages normaux du processus des rapports patronaux-ouvriers. Cette idéologie, développée vers la fin des années 40, constitue une rupture sur l'orientation initiale, où la grève, sans être bannie totalement, était perçue comme un instrument de luttes de classe, allant à l'encontre de la collaboration patronale-ouvrière.

Il est intéressant d'observer parallèlement l'évolution de la pensée de la C.T.C.C.-C.S.N. quant à l'aspect instrumental de la grève et quant au rôle des mécanismes de résolution des conflits, car le second est dépendant du premier.

Dans les années 40, la C.T.C.C. perçoit le recours à la grève comme un moyen extraordinaire, que l'on utilise seulement lorsque tous les autres modes de règlement d'un conflit ont été épuisés. C'est pourquoi, elle est disposée à accepter assez facilement, au nom du bien commun, des restrictions au droit de grève, telles que son interdiction dans les services publics ou sa suspension pendant la guerre, ainsi que les mesures temporisatrices (conciliation, arbitrage, délais légaux) avant qu'une grève puisse être légalement déclarée. C'est dans cet esprit que l'on propose, en 1943, qu'une grève ne puisse être légale avant que le différend n'ait été soumis à une commission de conciliation et d'enquête ou à un tribunal d'arbitrage, composé de trois membres, avec un engagement, au préalable, des parties concernées, à en accepter les recommandations [13]. L'année suivante, la C.T.C.C. suggère au gouvernement provincial :

---

12.   Rapport du président, congrès de 1948, *op. cit.*, p. 48.
13.   *Mémoire de la C.T.C.C.*, février 1943, *op. cit.*, p. 2.

de former des tribunaux permanents d'arbitrage dans les principaux districts judiciaires de la province, tout en conservant une commission provinciale de relations ouvrières qui pourrait agir comme tribunal provincial devant lequel on pourrait en appeler, s'il y a lieu, des décisions des tribunaux inférieurs ou des tribunaux de district [14].

Pendant les années 50, la C.T.C.C. considère encore que la grève constitue un moyen ultime. Elle accepte, d'avance, lors de ses campagnes pour la reconnaissance du droit d'association de divers groupes de fonctionnaires, que leur droit de grève soit réglementé. Mais, comme elle relie davantage le droit de grève à la négociation collective, elle a tendance à chercher à réduire les effets des mesures temporisatrices ou restrictives. On remet plus particulièrement en cause le système d'arbitrage obligatoire, en soulevant les griefs suivants : la longueur des délais avant l'obtention d'une sentence arbitrale rend souvent l'exercice du droit de grève complètement impossible ; la mauvaise qualité générale des sentences arbitrales ne contribue pas au règlement des points litigieux ; la difficulté des parties à s'entendre sur un arbitre impartial relève d'un véritable marchandage ; les employeurs utilisent l'arbitrage, comme une mesure dilatoire, avant de négocier sérieusement [15]. De même, suite aux expériences traumatisantes de grèves, telles qu'à Asbestos et à Louiseville, on s'interroge sur les moyens d'éliminer la violence dans les conflits du travail. On propose alors comme mesures : l'interdiction du recours à l'injonction lorsque la grève est légale ; l'interdiction d'embaucher des *scabs* et l'arrêt obligatoire des opérations et des activités connexes de l'entreprise touchée par la grève ; l'interdiction du piquetage ; l'assurance, qu'après une grève, chaque salarié réintégrera son poste et ne sera pas l'objet de représailles [16]. On rejette la responsabilité de la violence dans les conflits du travail, sur l'intervention des tiers (*scabs*, police, fiers-à-bras).

14. *Communiqué aux Conseils centraux des syndicats nationaux catholiques,* 6 mars 1944, p. 1.
15. Voir, en particulier, les rapports de 1954 et 1956 du Service technique : *Procès-verbal,* trente-troisième session du congrès de la C.T.C.C., Montréal, 1954, p. 103 et *Procès-verbal,* trente-cinquième session du congrès de la C.T.C.C., Montréal, 1956, p. 133. Voir aussi : *Procès-verbal,* trente et unième session du congrès de la C.T.C.C., Shawinigan Falls, 1953, rapport du bureau confédéral, p. 58-59. On s'y plaint aussi du manque de qualifications des conciliateurs.
16. Ces idées sont développées, initialement, au congrès de 1950. Voir : *Procès-verbal,* vingt-neuvième session du congrès de la C.T.C.C., Sherbrooke, 1950, p. 107. À la page suivante, on va encore plus loin, lorsqu'il s'agit d'une grève due à un employeur qui refuse de négocier, en proposant que l'État saisisse l'entreprise et en assume la gérance en vue de conclure une entente avec le syndicat.

Au cours des années 60, la grève est définie comme un moyen ordinaire dans le processus de négociation collective, la menace de grève constituant en soi un renforcement du pouvoir de marchandage syndical. On dira : « La grève est le produit véritable d'un régime où tout est décidé en dehors de l'ouvrier et par d'autres que lui [17]. » Derrière cette attitude, se trouve l'idée de base que les parties impliquées doivent assumer elles-mêmes la responsabilité de régler leurs problèmes de relations industrielles sans l'intervention d'un tiers et que le conflit ouvert, s'il est nécessaire, devienne une véritable épreuve de force économique entre elles [18].

Cette redéfinition donne lieu à une action dans une triple direction. On préconise la reconnaissance du droit de grève pour tous les salariés syndiqués, sauf pour les pompiers et les agents de la paix, parce qu'ils sont responsables de la sécurité publique. On combat les mesures temporisatrices ou restrictives, en réclamant l'élimination des délais juridiques de façon à ce que le droit de grève soit acquis à l'expiration de la convention collective et en proposant, pour les différends, la substitution d'un système de conciliation facultative, d'arbitrage facultatif et de médiation préventive au système de conciliation ou d'arbitrage obligatoire [19]. C'est dans cette même perspective, qu'il faut interpréter la réaction négative de la C.S.N., en 1966, face au projet de loi fédéral C-170, imposant aux syndicats de fonctionnaires l'obligation de choisir au préalable, avant de soumettre une requête en accréditation, la méthode qu'il suivra pour régler ses différends avec l'employeur [20], ainsi que sa proposition à l'effet que la détermination des services essentiels soit, dès le début, l'objet de la négociation collective entre les parties et de l'arbitrage en l'absence d'entente, car la provision du bill 55, prévoyant que celle-ci doit être l'objet d'un con-

17. *Procès-verbal*, quarante-deuxième session du congrès de la C.S.N., Montréal, 1966, rapport du président, p. 23.
18. L'objectif de transformer le modèle de solution des conflits dans le secteur privé acquiert un caractère stratégique dans le secteur public, car on a reproché à plusieurs reprises à l'État de se servir du bien commun public, pour ne pas négocier comme employeur et pour justifier son intervention comme législateur dans les conflits où il était impliqué.
19. Cette proposition est développée d'une façon détaillée dans le rapport du président, lors du congrès de 1962, *op. cit.*, p. 5 et 49. La conciliation était perçue comme une étape à franchir avant d'avoir le droit de recourir à la grève, d'une part parce qu'elle était de caractère obligatoire et d'autre part, parce que l'on considérait ce service comme inefficace et politisé. Une résolution du congrès de 1960 définit l'arbitrage. Voir : *Procès-verbal*, trente-neuvième session du congrès de la C.S.N., Montréal, 1960, résolution n° 31, p. 238. Soulignons que l'arbitrage obligatoire des griefs n'est pas mis en cause. Sur ce point, on se préoccupe plutôt de la qualité des arbitres et de leurs sentences.
20. *Mémoire de la C.S.N. sur le bill C-170*, juillet 1966, p. 12-18.

sensus, est interprétée comme une soumission de l'exercice du droit de grève à la volonté de l'employeur [21]. Enfin, on reformule les idées, développées en 1950, dans le but d'éliminer la violence pendant les grèves, mais dans une optique visant à faire de la grève une confrontation économique véritable entre les protagonistes en conflit, en insistant sur la fermeture de l'entreprise pendant une grève [22].

III

Le rôle de l'État

L'État participe au système de relations industrielles comme employeur et comme tierce partie. Ce qui donne lieu à une double définition de son rôle, du point de vue syndical, en qualité d'employeur.

A. L'ÉTAT, TIERCE PARTIE

La C.T.C.C.-C.S.N. définit le rôle de l'État, comme tierce partie dans le système de relations industrielles, à peu près de la même façon que dans les systèmes social et économique. Cependant, le caractère supplétif de ce rôle est encore plus apparent. On ne lui reconnaît pas encore, en effet, la fonction novatrice qu'on lui attribue dans les domaines social et économique. C'est parce que l'on considère que la solution des problèmes de relations industrielles relève principalement des parties immédiatement concernées. Il leur appartient, donc, de développer leurs propres *modus vivendi* et leurs propres lois, à l'intérieur des cadres créés par les dispositions générales d'ordre public. En conséquence, la présence de l'État devient nécessaire, seulement lorsque les parties sont incapables d'aplanir elles-mêmes les difficultés qu'elles rencontrent. Son rôle comporte la double fonction d'organiser, comme législateur, les structures juridiques qui facilitent des rapports harmonieux et stables entre les parties et d'intervenir, de façon supplétive, pour coordonner et pacifier ces rapports.

Chez la C.T.C.C.-C.S.N., la propension à réclamer l'intervention de l'État varie inversement au pouvoir de marchandage. En position de faiblesse, on requiert son action pour humaniser les employeurs, les mettre à la raison, les forcer à reconnaître un syndicat ou à négocier

21. *Mémoire particulier de la C.S.N. au cabinet provincial sur le bill 55*, 3 août 1965.
22. *Mémoire de la C.S.N. au cabinet provincial*, 19 février 1962, p. 8.

de bonne foi. En position de force, cette intervention est généralement mal reçue, même si l'on reconnaît que l'un des aspects fonctionnels du rôle de l'État est de veiller à maintenir un état d'équilibre entre les parties.

La fonction législative de l'État, pour l'organisation et l'harmonisation des rapports entre les parties, constitue l'une des caractéristiques essentielles du système de relations industrielles, que la C.T.C.C.-C.S.N., tout comme les mouvements syndicaux concurrents, ne met pas en doute. Dans l'actualisation de cette fonction, les divergences ou les oppositions qui apparaissent dans le temps, donnent lieu à des revendications ou à des actions particulières précises, comme on a pu le constater dans les sections précédentes de ce chapitre. C'est pourquoi, nous ne nous attarderons pas sur cette question, afin d'examiner plutôt les attitudes de la C.T.C.C.-C.S.N. face aux agences administratives créées par l'État.

L'action de l'État, comme tierce partie, dans le système de relations industrielles, s'exerce, en grande partie, par l'entremise des agences administratives qu'il forme : Commission des relations du travail (C.R.O.-C.R.T.) et organismes de résolution des conflits. Comme leurs activités portent sur des aspects centraux des rapports patronaux-ouvriers, il est logique qu'elles soient l'objet d'une vive attention de la part du syndicalisme. La C.T.C.C.-C.S.N. s'est montrée particulièrement éveillée sur ce point [23].

La Commission des relations du travail (C.R.O.-C.R.T.) a été la principale cible des critiques et des revendications de la C.T.C.C.-C.S.N. Celle-ci ne met pas en cause le bien-fondé de l'existence d'un tel organisme. Ce sont le fonctionnement de la commission et les résultats de ses activités qui donnent naissance à des griefs. Les principaux portent sur les structures, les procédures, les délais et la partialité des décisions. Les revendications ont alors pour but de corriger ces sources d'insatisfaction. On peut en juger par une brève revue de certaines prises de position du mouvement.

Dès 1944, la C.T.C.C. se plaint de la lenteur des procédures et demande des améliorations afin que les ouvriers n'aient plus à souffrir de retards injustifiés [24]. En 1948, elle décrit la commission comme une entrave à l'organisation professionnelle et à la négociation, par ses

---

23. Comme l'aspect conciliation et arbitrage a été couvert dans la partie portant sur la résolution des conflits, nous ne traiterons ici que de la Commission des relations de travail.
24. *Procès-verbal*, vingt-troisième session du congrès de la C.T.C.C., Trois-Rivières, 1944, résolution n° 53, p. 90.

décisions arbitraires et contradictoires, sa procédure contestable, sa soumission aux pressions et son favoritisme envers les associations dominées par les employeurs. Elle réclame alors, que celle-ci soit réformée sur une base représentative et que ses décisions, ainsi que leurs motifs, soient rendus publics, du moins dans les cas contestés [25]. En 1956, elle demande que les procédures soient réduites afin d'éliminer les retards préjudiciables aux travailleurs, qui tentent de faire reconnaître leur droit d'association [26]. La même année, une résolution du congrès recommande que la nomination des membres de la commission soit soustraite à l'influence politique et confiée aux organisations ouvrières [27]. Dans les années 60, les attaques contre la commission s'accentuent. Considérant que celle-ci est assimilable à un tribunal de justice, d'une très grande importance par les conséquences de ses décisions sur le droit au travail des salariés et de leurs familles, la C.S.N. exige qu'elle soit réformée dans les plus brefs délais, dans l'intérêt du bien commun, de la justice et de la paix sociale [28]. En 1962, la C.S.N. propose un projet élaboré de refonte des structures de la commission, visant à accélérer les prises de décision, à assurer une représentation adéquate des organisations ouvrières et l'indépendance politique des membres [29].

La commission, ayant été un sujet constant d'insatisfaction, il n'est pas surprenant que la C.S.N. se soit réjouie de sa disparition et de son remplacement, en 1969, par un nouveau régime d'accréditation syndicale. Jusqu'à présent, le système des enquêteurs, commissaires-enquêteurs et tribunal du travail semble avoir donné satisfaction, car il n'a pas encore été l'objet de critiques majeures.

B. L'ÉTAT-EMPLOYEUR

La définition de l'État-employeur, par la C.S.N., est récente et coïncide avec la pénétration syndicale chez les fonctionnaires, au cours des années 60. Elle repose sur l'idée de base que l'État, en qualité d'employeur, est un employeur comme les autres et même davantage, il est le chef de file parmi les employeurs. En conséquence, les employés du secteur privé doivent être au moins sur un pied d'égalité avec ceux du secteur public et rien ne saurait justifier que l'État refuse à ses

---

25. *Mémoire de la C.T.C.C. au cabinet provincial*, 22 décembre 1948, p. 3.
26. *Mémoire de la C.T.C.C. au cabinet provincial*, 1er février 1956, p. 3.
27. *Procès-verbal*, congrès de 1956, *op. cit.*, résolution no 2, p. 167.
28. *Procès-verbal*, congrès de 1966, *op. cit.*, amendements aux résolutions nos 28, 29 et 30, p. 300-301, et *Procès-verbal*, congrès de 1962, *op. cit.*, résolution no 4, p. 308.
29. *Mémoire de la C.S.N. au cabinet provincial*, 19 février 1962, p. 10-11 et 12.

salariés les avantages et bénéfices qu'il oblige les entreprises privées à accorder aux leurs. Ceci est illustré par les faits qui suivent.

En 1962, la C.S.N. invite le gouvernement provincial à traiter ses employés comme ceux du secteur privé, d'une part en déclarant qu'il est injustifiable qu'un État qui impose la reconnaissance syndicale à l'ensemble des employeurs puisse se soustraire à cette obligation lorsqu'il s'agit de ses propres employés et d'autre part, en dénonçant vigoureusement la pratique d'accorder des salaires inférieurs aux fonctionnaires pour la simple raison qu'ils servent la communauté [30]. La même année, la C.S.N. intervient auprès du gouvernement fédéral, afin que les fonctionnaires bénéficient immédiatement et avec une pleine rétroactivité des augmentations recommandées par la Commission du service civil [31]. En 1965, en protestant contre une disposition du bill 55, interprétée comme donnant à la Commission de la fonction publique des pouvoirs qui la rendent à la fois juge et partie, la C.S.N. affirme qu'il est inconcevable que les employés du gouvernement ne puissent en appeler des décisions de la commission, à un organisme extérieur, par voie d'arbitrage, comme cela existe dans toute convention collective du secteur privé, car les employés civils ont droit à la même mesure de justice et de sécurité. En 1966, on propose que le bill C-170 soit amendé en s'inspirant de la loi fédérale des relations industrielles, en matière de négociation collective, de conciliation et de grève, en disant que le gouvernement démontrerait ainsi qu'il ne craint pas d'assumer les obligations, qu'il impose aux entreprises qui relèvent de sa juridiction.

De son expérience de relations industrielles avec l'État, comme employeur, notamment à l'Hydro-Québec, à la Régie des alcools et dans le secteur hospitalier, la C.S.N. tire aussi la conclusion que l'État est un employeur comme les autres.

> Nous comprenons mal que l'État puisse copier les méthodes les plus mauvaises des entreprises privées, ou plutôt nous croyons le comprendre trop bien : il nous est apparu assez clairement, au cours de plusieurs de nos négociations avec l'État ou avec ses agences, que ces négociations se déroulaient sous l'œil vigilant des grands intérêts privés et que ceux-ci n'entendaient pas voir le gouvernement adopter à l'endroit de la main-d'œuvre des attitudes plus sociales que celles dont eux-mêmes étaient disposés à faire preuve envers leurs propres employés [32].

30. *Mémoire de la C.S.N. au cabinet provincial*, 19 février 1962, p. 15 et 17.
31. *Procès-verbal*, congrès de 1966, *op. cit.*, résolution n° 94, annexe, p. 18.
32. Rapport du président, congrès de 1960, *op. cit.*, p. 19.

Quatre conclusions, au point de vue idéologique, se dégagent clairement de ce chapitre. Premièrement, la liberté d'association est un droit naturel fondamental, qui constitue un prérequis pour réaliser un équilibre entre les parties dans le système de relations industrielles, dont la reconnaissance et l'exercice doivent être facilités par une infrastructure juridique appropriée et, qui ne saurait être l'objet de restrictions, dans son exercice, que pour des raisons de bien commun. Ce droit acquiert un caractère de plus en plus prioritaire, car les limitations, généralement bien perçues dans les années 40, sont maintenant de moins en moins bien acceptées. Deuxièmement, le cœur du système de relations industrielles réside dans le réseau d'échange entre les participants directement intéressés, lequel pourvoit au dialogue et permet une confrontation ou une épreuve de force, lorsque c'est nécessaire. C'est pourquoi, les infrastructures, spécialement en matière de résolution des conflits, doivent être conçues de façon à amener les parties directement intéressées à assumer leurs responsabilités. Cette conclusion en entraîne une autre, à l'effet que la fonction de l'État est de nature supplétive, spécialement, en matière d'organisation des structures de rapports entre les parties et en matière d'assistance dans le règlement des conflits. Enfin, l'État comme employeur n'est pas différent, à aucun point de vue, des autres employeurs, sauf qu'il doive donner le bon exemple.

Deuxième partie

Fédération provinciale du travail du Québec

Fédération des unions indutrielles du Québec

Fédération des travailleurs du Québec

Chapitre 5

Définition de soi

En vue de réaliser l'unité syndicale, les deux grandes centrales américaines rivales, la Fédération américaine du travail et le Congrès des organisations industrielles signent un pacte de non-maraudage en 1953, concluent un accord de fusion en 1954 et forment ensemble une nouvelle centrale syndicale en 1955, la F.A.T.-C.O.I. Avec un an de décalage, leurs contreparties canadiennes, le Congrès des métiers et du travail du Canada (C.M.T.C.) et le Congrès canadien du travail (C.C.T.), suivent les mêmes étapes pour créer le Congrès du travail du Canada (C.T.C.) en 1956. Le processus d'unité syndicale prévoyait la fusion subséquente des organismes intermédiaires et des unions aux juridictions concurrentes. C'est pourquoi, la Fédération provinciale du travail du Québec (F.P.T.Q.) et la Fédération des unions industrielles du Québec (F.U.I.Q.) se fusionnent en 1957, en donnant naissance à la Fédération des travailleurs du Québec (F.T.Q.).

Dans cette nouvelle fédération provinciale se marient deux mouvements disparates par leurs sources d'appui chez les travailleurs, leur importance numérique respective, les valeurs de référence des leaders, leurs conceptions de l'action syndicale et leurs visions respectives de l'un et l'autre. L'étude de l'idéologie de la F.T.Q. ne peut faire abstraction de ces données de base. C'est pourquoi, nous allons décrire, dans un premier temps, les principaux caractères existentiels et idéologiques de la F.P.T.Q. et de la F.U.I.Q. avant de procéder à l'analyse de l'idéologie de la F.T.Q.

C'est en janvier 1938, que la F.P.T.Q. est créée en vertu d'une charte émise par le C.M.T.C. Ce nouvel organisme remplace le Comité exécutif provincial, constitué en 1892, dont le rôle était restreint à la représentation des affiliés du C.M.T.C. auprès des autorités provinciales et dont les officiers avaient toujours été désignés par ce dernier. Il s'agit, en l'occurrence, de la formalisation d'une structure intermédiaire de type horizontal, remplissant sensiblement la même fonction que la structure antérieure, mais dont les membres disposent en plus du pouvoir d'élire leurs dirigeants.

Il est nécessaire de connaître, au préalable, la situation d'une organisation telle que celle de la F.P.T.Q. au sein des structures du syndicalisme nord-américain, afin de dégager le problème du développement d'une idéologie qui lui soit authentique. Elle tient, en effet, ses pouvoirs et son orientation globale de l'organisme qui lui donne naissance. Mais, ce dernier ne peut octroyer à ses dépendants, plus de statut qu'il n'en possède lui-même. Or comme nous allons le voir, il en a très peu.

Le syndicalisme nord-américain s'est développé par le bas, de sorte que ce sont les unions qui ont été à l'origine des centrales syndicales, telles que la F.A.T. et le C.M.T.C. et qui leur ont délégué une partie de leurs pouvoirs. Mais, les unions ont traditionnellement cherché à conserver précieusement, voire jalousement, la plus grande marge possible d'autonomie entre elles et face à leurs centrales. C'est pourquoi, les centrales actuelles, tout comme leurs ancêtres, ne sont conçues que pour répondre aux besoins fonctionnels du mouvement syndical dans un contexte contemporain. La division des responsabilités a été historiquement la suivante, en termes généraux. Sur le plan professionnel (négociation collective, administration des conventions collectives, recours à la grève), les unions internationales ou nationales constituent les centres de décision, alors que les centrales ont un rôle d'appui, spécialement dans les conflits de grande envergure. En matière d'organisation, c'est la même répartition de pouvoir qui prévaut. Normalement, la recherche et l'éducation syndicale relèvent aussi des unions, les centrales agissant de façon supplétive afin d'aider les unions plus faibles ou manquant de ressources. Les relations extérieures et l'action politique sont des responsabilités conjointes. Les pouvoirs des centrales concernent l'intervention auprès des législatures et des administrations gouvernementales, la représentation dans les organismes internationaux et le règlement des conflits de juridiction. Ce dernier pouvoir a un certain caractère aléatoire dans le cas d'une union récalcitrante qui est puissante, car la sanction d'expulsion que peut lui imposer la centrale, n'affecte à peu près pas sa capacité d'action.

De par sa nature même, la F.P.T.Q. constitue un sous-centre syndical qui remplit une fonction analogue à celle de la centrale nationale, mais à un niveau différent :

La Fédération du travail de la province de Québec est organisée dans le *but de promouvoir de la législation sociale tendant à protéger et à améliorer le sort de la classe ouvrière de cette province.*

Convaincus qu'une connaissance plus approfondie des intérêts de la classe ouvrière est essentielle à l'amélioration de son sort et réalisant que ceci ne peut s'obtenir que par une organisation plus complète des salariés, nous déclarons nous unir sous les règles suivantes dans le but de :

a) Conduire une campagne intensive d'éducation et d'organisation ;

b) Réclamer collectivement nos demandes de législation sociale ;

c) Coopérer activement aux efforts des travailleurs organisés pour améliorer leurs conditions sociales ;

d) Pourvoir à la diffusion de renseignements et d'informations utiles au travail organisé ;

e) Influencer l'opinion publique par des moyens possibles et légaux en faveur du travail organisé et *promouvoir l'esprit du trade-unionisme international* [1].

Face aux unions nationales et internationales, la F.P.T.Q. présente une image de marginalité aux points de vue représentativité, leadership et authenticité idéologique.

L'affiliation étant volontaire, la fédération ne groupera toujours qu'une minorité des locaux membres du C.M.T.C. Sur la base du paiement de la taxe per capita, on a estimé ses effectifs à 11 761 en 1943, à moins de 30 000 en 1949 et à 33 845 environ en 1956. En 1956, elle regroupait entre 25% et 30% des membres québécois des unions affi-

---

1.   Déclaration de principes et préambule de la constitution adoptée en juillet 1938. C'est nous qui soulignons. On les retrouve textuellement dans la nouvelle constitution adoptée en juin 1950 alors que la F.P.T.Q. adopte le nom de Fédération du travail du Québec (F.T.Q.). Afin d'éviter des confusions, nous utiliserons néanmoins le sigle F.P.T.Q. jusqu'à la fusion de 1957.

liées au C.M.T.C. [2]. Les dirigeants sont très conscients de la faiblesse numérique de la fédération. C'est pourquoi, ils cherchent, d'une part à la corriger en lançant des appels répétés pour le regroupement des forces québécoises du C.M.T.C. au sein de la F.P.T.Q. et d'autre part, à voiler la relativité de la représentativité qu'ils revendiquent auprès de l'État et de l'opinion publique. Le refus du secrétaire-trésorier, au congrès de 1949, de publier le rapport financier, parce qu'il exposerait au grand public la faiblesse de la F.P.T.Q. est un incident qui illustre bien cette dernière remarque [3].

À la faiblesse numérique, s'ajoute une pauvreté des ressources financières et humaines. Les revenus de la F.P.T.Q. sont inférieurs à $3 000 en 1943 et se situent aux environs de $15 000 en 1956 [4]. Elle n'a aucun permanent syndical, le président, lui-même demeurant rattaché à son union d'origine et un salarié de celle-ci. De plus, les présidents, provenant d'unions numériquement faibles, n'ont pas d'assises syndicales fortes, seul Roger Provost pourra revendiquer de telles assises à la suite de sa nomination, en 1952, au poste de directeur canadien des Ouvriers unis des textiles d'Amérique.

Les unions demeurent les centres de décision en matière de négociation collective, d'organisation et d'éducation et n'y associent à peu près pas la fédération. Le rôle principal de celle-ci consiste à préparer des mémoires sur les questions ouvrières, à l'intention du gouvernement provincial, à partir des résolutions adoptées par les représentants des unions, lors des conventions annuelles. Mais, la F.P.T.Q. ne jouit pas d'un monopole dans ce rôle, car les unions ne se gênent pas pour faire leurs propres représentations ou revendications auprès du gouvernement. En fait, pour les unions, la fédération est un instrument que l'on utilise à ses propres fins, lorsque le besoin se fait sentir, sans se tenir lié davantage envers elle. Il n'est pas étonnant alors, que les dirigeants de la F.P.T.Q. déplorent constamment l'individualisme des unions et se plaignent de leur tendance à poser des gestes qui entraînent l'intervention de la fédération, sans l'avoir préalablement consultée.

Pour ces raisons, la F.P.T.Q. ne constitue pas un centre de fermentation idéologique et n'est pas un définisseur de nouvelles situations. Elle est, en réalité, un porte-parole qui sert de véhicule québé-

2. Ces estimés ont été faits par : Michel Brossard, *l'Idéologie économique de la Fédération des travailleurs du Québec*, thèse de M.A. (relations industrielles), Université de Montréal, 1969. Voir : p. 201-202.

3. Voir : *Rapport des délibérations de la douzième conférence annuelle de la F.P.T.Q.*, Granby, 10-12 juin 1949, p. 23-24.

4. Michel Brossard, *op. cit.*, p. 201 et 202.

cois, par ses congrès, ses mémoires et son journal, à l'idéologie du syndicalisme d'affaire définie par les unions de métiers internationales et nationales.

Le contenu idéologique du syndicalisme d'affaire peut être résumé brièvement dans les termes suivants :

Il accepte l'ordre social existant, le système capitaliste et l'idéologie qui les soutient. Il se présente, au point de vue fonctionnel, comme le défenseur des intérêts d'un groupe économique sous-privilégié, sans pour cela se préoccuper du contrôle des entreprises ou de la prise du pouvoir politique. Il se borne à promouvoir les intérêts économico-professionnels de ses membres, en améliorant leurs conditions de travail et en protégeant la sécurité de leur emploi. Il s'efforce, à cette fin, de contrôler l'offre de travail en vue de transiger avec les employeurs en utilisant la pression économique. Il préfère l'action économique à l'action politique et la méthode de la réglementation conjointe par la négociation collective et la grève plutôt que les réglementations autonome et externe. Pour atteindre efficacement ses objectifs, il a besoin d'un fort pouvoir institutionnel. Il mise donc sur les clauses de sécurité syndicale au niveau de l'entreprise et pratique l'action politique d'influence (antichambre et pressions), dans le but d'obtenir des législations qui protègent le droit d'association et certains droits et intérêts de ses membres [5].

C'est la conception d'action syndicale que la fédération doit défendre et promouvoir, sa position structurelle et sa faiblesse intrinsèque ne lui permettant pas de manifester une autonomie idéologique. Mais, cette forme de syndicalisme était en perte de vitesse, aussi bien au Québec que dans la reste de l'Amérique du Nord. Alors que le secteur de pointe de recrutement syndical se trouve, avec l'industrialisation rapide, chez les travailleurs semi-qualifiés et non qualifiés, on s'en tient principalement à la formule de l'organisation par métiers. Alors que l'intervention gouvernementale se fait de plus en plus significative, tant sur les questions ouvrières que sur les questions socio-économiques, les unions internationales de métier s'accrochent à l'idéologie gompérienne. À l'occasion, un porte-parole de la F.P.T.Q. tente un effort de redéfinition de la situation. Mais, étant donné la surdité des unions, cela demeure sans suite.

À cause de ce vacuum idéologique, dans une situation qui se détériore, la fédération est amenée à s'adonner, comme l'écrivait Léo

5. Louis-Marie Tremblay, *la Théorie de Selig Perlman et le syndicalisme canadien*, thèse de doctorat (sciences sociales), Québec, Université Laval, 1964, p. 279.

Roback, à « une stratégie de sauve qui peut [6] ». Celle-ci implique une servilité aux intérêts et aux objectifs des unions de métier qui entraîne, d'une part, la définition comme adversaires des mouvements concurrents (C.T.C.C. et F.U.I.Q.) et d'autre part, une certaine collusion avec le pouvoir politique dans le but d'obtenir des faveurs sur le plan de la législation ouvrière, de créer un climat avantageux pour la négociation des décrets, car l'État y joue un rôle déterminant et peut-être aussi, de veiller à ce que l'antisyndicalisme de Duplessis se déverse sur les adversaires plutôt que sur soi.

II
La Fédération des unions industrielles du Québec

Les 6 et 7 décembre 1952, a lieu, à Montréal, le congrès de fondation de la F.U.I.Q. Selon l'article 2 de sa constitution, celle-ci avait pour buts, de regrouper les affiliés québécois du Congrès canadien du travail, de promouvoir la coopération entre eux, de veiller à la défense de leurs intérêts et de les représenter auprès du gouvernement provincial, conformément à la politique établie par le C.C.T. Jusqu'alors, ce sont les conseils du travail de Montréal et de Québec qui agissaient comme porte-parole des unités québécoises de cette centrale syndicale [7]. Comme le C.C.T. exigeait, selon sa constitution, que trois conseils du travail régionaux soient créés avant d'accorder une charte de fédération provinciale, ce n'est qu'avec la formation d'un conseil du travail à Joliette que put être créée la F.U.I.Q.

Nous estimons approximativement les effectifs de la F.U.I.Q. à 38 500 en 1953, 28 200 en 1954, 34 150 en 1955, 30 350 en 1956 et 31 950 au moment de la fusion [8].

6. Léo Roback, « L'idéologie de la Fédération des travailleurs du Québec : évolution historique », manuscrit, Université de Montréal, 1967, p. 8.
7. Le leadership était surtout fourni par le conseil du travail de Montréal, à cause de son importance numérique. Ce dernier était en majorité anglophone de sorte que les réunions se déroulaient en anglais jusqu'en 1950. Les leaders étaient largement politisés, jusqu'à ce que l'offensive anticommuniste de Philip Murray n'entraîne l'expulsion des éléments radicaux du conseil du travail.
8. Ces estimés sont basés sur le paiement des taxes per capita selon les rapports financiers de la fédération. S'ils ne donnent pas une image exacte de la situation, car ils paraissent à première vue supérieurs à la réalité, ils permettent néanmoins d'avoir une idée de l'importance numérique relative des membres dans les syndicats en règle avec la fédération.

L'idéologie de la F.U.I.Q. a des racines dans deux grandes traditions syndicales nord-américaines, le mouvement industrialiste personnifié par le C.I.O. et le mouvement socio-nationaliste représenté par le Congrès pancanadien du travail et ses prédécesseurs, dont la jonction s'était réalisée, au Canada, par la création du C.C.T. en 1940.

Le C.I.O. est issu d'une volonté de renouveler le syndicalisme américain, engourdi par l'idéologie gompérienne et anachronique dans sa définition du milieu, par un retour aux sources du mouvement ouvrier. Après les échecs répétés des mouvements ouvriéristes, le gompérisme s'était avéré une formule efficace pour lutter contre le capitalisme naissant. Mais, en réalisant un contrôle sur l'offre de travail et en s'institutionalisant, le syndicalisme de métier apolitique avait perdu toute volonté de changement et, trop occupé à maximiser ses bénéfices, se refusait à prendre conscience que le cycle de la première révolution industrielle était complété alors qu'une nouvelle ère de transformations technologiques et économiques s'annonçait déjà. C'est ce qu'avaient compris les dissidents de la F.A.T. lorsqu'ils créèrent le Comité pour l'organisation industrielle. Dans son désir de rejoindre les travailleurs non organisés, le C.I.O. reprenait, à son compte, les idéaux des I.W.W. et des mouvements industrialistes face aux défis posés par le développement économique et avait tendance à vouloir assumer, à son tour, les objectifs globaux du mouvement ouvrier au niveau de l'entreprise et au niveau de la société. Se voulant une réponse ouvrière, dans une économie industrielle, le C.I.O. sublimait les valeurs de solidarité ouvrière, bifonctionnalisme socio-économique du syndicalisme, militantisme syndical et engagement politique. Ce dernier se manifestait par un appui inconditionnel (voire même un certain noyautage), au parti démocrate, plutôt que par la création de partis politiques ouvriers, sauf pour l'American Labor Party dans l'État de New York.

Ces valeurs se mariaient fort bien avec celles du groupement qui s'alliait aux unités canadiennes du C.I.O., en 1940. Le Congrès pancanadien du travail, la dernière-née des centrales syndicales concurrentes du C.M.T.C., était, en effet, en filiation directe des Chevaliers du travail et de la Fédération canadienne du travail. Ce mouvement concurrent s'était toujours distingué du C.M.T.C. par son emphase sur la formule industrielle plutôt que la formule de métier, sur la canadianisation du syndicalisme et sur la politisation syndicale. Lors de sa formation, en 1927, le Congrès pancanadien du travail constitue un assemblage hétéroclite d'éléments hétérogènes, aux tendances révolutionnaire, radicale-communiste, socialiste-modérée et centriste, qui n'ont vraiment en commun que leur négation du modèle d'action syndicale propagée par le C.M.T.C. Il passe cependant très tôt sous la domination d'Aaron Mosher et de la Fraternité canadienne des employés de chemin de fer qui l'imprègnent de leur idéologie socialiste et nationaliste pancanadienne.

Même si l'avant-gardisme initial du C.C.T. s'était quelque peu émoussé, au moment de la création de la F.U.I.Q., sous l'effet de l'institutionalisation et de la bureaucratisation, les valeurs dominantes de l'idéologie de cette centrale syndicale demeuraient celles des organisations qui lui avaient donné naissance. Les idées de conscience sociale, solidarité ouvrière et militantisme syndical étaient purgées du radicalisme des éléments communistes et de l'O.B.U. Le nationalisme pancanadien était compatible avec le lien américain, à cause de l'autonomie relative des unités canadiennes vis-à-vis du C.I.O. L'engagement politique s'était concrétisé par l'endossement du parti C.C.F. comme l'instrument politique des travailleurs organisés en 1943 et par la création d'un comité national d'action politique en 1944.

Comme fédération, représentant le C.C.T. sur le plan provincial, la F.U.I.Q. endosse l'idéologie du syndicalisme industriel, quant à la bipolarité de l'action syndicale.

> Par définition, les unions ouvrières forment un corps qui doit défendre les intérêts des ouvriers dans tous les domaines. Le groupement des ouvriers se fit dans le but d'unifier les méthodes de défense pour obtenir justice. Or, ce n'est pas seulement sur le plan du travail quotidien que l'ouvrier est lésé. On sait très bien que la classe ouvrière a besoin d'obtenir justice sur les plans économique, social et politique [9].

Cependant, les valeurs socialistes et nationalistes acquièrent une saveur québécoise et sont alors actualisées d'une façon originale, parce que la F.U.I.Q. probablement plus que toute autre organisation syndicale de l'époque, communie à l'idéologie de rattrapage, telle que décrite par Marcel Rioux [10].

En effet, que l'économie québécoise accuse un retard considérable sur celle de l'Ontario, à cause de son sous-développement, sa dépendance, sa vulnérabilité et l'exploitation irrationnelle de ses ressources naturelles, constitue l'élément dominant de la perception, par la

9. Extrait d'un éditorial portant sur « les buts du syndicalisme » dans *les Nouvelles ouvrières*, mai 1955, p. 2. Un éditorial du même journal, de novembre 1952, se référant à la création de la F.U.I.Q., développait les mêmes idées. Le texte de 1955 a été choisi de préférence à celui de 1952, à cause de sa formulation.

10. Marcel Rioux, *la Question du Québec*, Paris, Seghers, 1969, 184 p.

F.U.I.Q., du milieu économique. Comme corollaire, un décalage analogue existe entre la situation du travailleur québécois et celle de l'ouvrier ontarien. L'objectif du rattrapage nécessite, dans une perspective socialiste, une intervention dynamique de l'État. Mais, la F.U.I.Q. constate très tôt la présence d'un fossé infranchissable entre ses propres idéaux et la conception des besoins des ouvriers du premier ministre Duplessis.

> Plusieurs réformes réclamées par la Fédération (*Mémoire au gouvernement provincial*, le 9 décembre 1952) sont d'ordre socialisant, entre autres une loi sur l'assurance-santé. Le premier ministre, par ses répliques à ces demandes, démontre qu'il ne préconise en rien les méthodes socialisantes par lesquelles la classe ouvrière obtiendrait justice [11].

L'éditorialiste ajoute que le gouvernement provincial, en dépit de sa vantardise, évolue avec un retard considérable sur les problèmes posés par l'industrialisation et l'urbanisation, parce qu'il conserve une conception typiquement agraire de la société québécoise et pratique l'opportunisme politique, de façon à se ménager l'appui électoral des comtés ruraux à l'intérieur d'un découpage électoral périmé. Il conclut qu'il faut s'engager dans l'action politique, afin d'envoyer à la législature du Québec des députés qui sachent comprendre l'évolution de la province et y appliquer des lois adéquates [12].

D'autre part, le gouvernement Duplessis est aussi défini comme antisyndical. La F.U.I.Q. lui fait particulièrement grief : du caractère restrictif de sa Loi des relations ouvrières par rapport à celles des autres provinces ; de l'intervention violente et intempestive de la police provinciale dans les grèves ; de la menace constante représentée par la loi du cadenas dont la généralité des termes rendait possible à peu près toute interprétation [13] ; de sa façon cavalière de traiter avec les syndicats, dont la F.U.I.Q., en particulier.

Dès sa création, la F.U.I.Q. apparaît doublement politisée, d'une part par la finalité de ses objectifs socio-économiques et d'autre part,

11. Éditorial portant le titre « Incompatibilité », dans *les Nouvelles ouvrières*, décembre 1952, p. 2.
12. *Ibid.*, p. 2.
13. Province de Québec, *Loi protégeant la province contre la propagande communiste*, chapitre 52, S.R.Q., 1941. L'article 3 prévoyait que : « Il est illégal pour toute personne qui possède ou occupe une maison dans la Province, de l'utiliser ou de permettre à une personne d'en faire usage pour propager le communisme ou le bolchevisme par quelque moyen que ce soit. » Les syndicalistes craignaient qu'un tel texte ne soit utilisé par un premier ministre, antisyndical, en sa qualité de procureur général, pour détruire les unions qui s'attiraient son ire.

par l'identification, comme adversaire, d'un gouvernement défini comme conservateur, rétrograde, antidémocratique et antisyndical. L'identification précise de l'adversaire gouvernemental constitue un facteur important dans le développement de l'idéologie de la F.U.I.Q. suivant une ligne originale par rapport au syndicalisme industriel canadien. Et, c'est au début de 1954, que se situe, à notre point de vue, l'élément déterminant dans la structuration de son idéologie.

À la fin de la session de 1953, le gouvernement provincial introduit des projets d'amendements à la législation ouvrière avec les bills 19 et 20. Le premier prévoyait que :

> Une association qui tolère, au nombre de ses organisateurs ou officiers, une ou plusieurs personnes adhérant à un parti ou à un mouvement communiste ne peut être, pour les fins de la présente loi, considérée comme une association *bona fide* et la reconnaissance prévue par le présent article, à titre de représentant d'un groupe de salariés ou d'employeurs, doit lui être refusée ou révoquée selon le cas [14].

Le second était à l'effet que toute association, dans le secteur public, qui s'engage dans une grève, perdrait son certificat de reconnaissance syndicale et devrait procéder à une nouvelle requête en accréditation. Le caractère rétroactif de ces deux bills accentuait leur iniquité. Pour cette raison, le certificat de reconnaissance syndicale de l'Alliance des professeurs catholiques de Montréal serait révoqué.

Face à ces deux projets de loi, la F.U.I.Q. et la C.T.C.C. prennent conjointement la tête d'un mouvement de protestation qui constitue, à l'époque, une véritable levée de boucliers. Sous l'initiative de la F.U.I.Q., est organisée une marche de protestation sur Québec. Le 24 janvier 1954, plusieurs milliers de militants de la F.U.I.Q., de la C.T.C.C. et de l'Alliance se réunissent au palais Montcalm, à Québec, à l'occasion d'une manifestation monstre visant à sensibiliser l'opinion publique et à faire pression sur le gouvernement.

Cette « marche sur Québec » n'impressionna nullement le gouvernement, car les bills 19 et 20 sont sanctionnés le 28 janvier suivant. Elle contribua à affermir les préjugés antisyndicaux de Duplessis, au point que celui-ci refuse, par la suite, à plusieurs reprises, d'honorer

---

14. Amendement à l'article de la Loi des relations ouvrières, province de Québec, *Loi modifiant la Loi des relations ouvrières*, chapitre 10, article 1, S.R.Q., 2-3 Élizabeth II, 1953-1954. D'autre part, le bill 20 fut qualifié de « bill Guindon ». Ce dernier, président de l'Alliance des professeurs catholiques de Montréal, était l'objet d'une vive antipathie de la part du premier ministre Duplessis, qu'il lui rendait d'ailleurs.

une promesse faite en 1952, à l'effet de nommer un représentant de la F.U.I.Q. à la Commission des relations ouvrières, sous prétexte que celle-ci ne pouvait logiquement participer à l'administration de lois qu'elle réprouvait. En contrepartie, l'interrogation profonde, qui s'ensuivit au sein de la F.U.I.Q., donna lieu à une nouvelle prise de conscience, en entraînant une cristallisation de la définition de soi et de la définition des rapports avec les autres.

La mise au point s'effectue dès le congrès suivant, à Champigny, en juin 1954. Les discours du président et du secrétaire général établissent le bilan du régime duplessiste. Ces derniers font ressortir que les bills 19 et 20 constituent une suite logique de la politique d'un gouvernement réactionnaire qui crée des diversions pour éviter d'attaquer les véritables problèmes socio-économiques, tels que l'habitation ou le chômage et, qu'au-delà de la survie du syndicalisme, c'est la démocratie elle-même qui est en danger. À la question, qu'est-ce qu'il faut faire maintenant, le secrétaire général répond que l'unique solution réside dans l'action politique permanente. C'est dans cet esprit que le congrès adopte une recommandation du rapport du comité d'action politique, l'autorisant à préparer un manifeste énonçant les droits fondamentaux revendiqués, à la fois en tant que citoyens et en tant que syndicalistes.

L'année suivante, à Joliette, le congrès adopte le *Manifeste au peuple du Québec.*

Le manifeste débute par une définition de soi, dans une perspective sociale-démocratique, que nous croyons utile de reproduire *in extenso*, sans autre commentaire.

> Devant le honteux spectacle d'un Gouvernement asservi aux intérêts égoïstes du capitalisme domestique et étranger jusqu'à leur sacrifier nos richesses naturelles de l'Ungava, jusqu'à nier à nos travailleurs leurs droits fondamentaux, jusqu'à abandonner notre classe agricole à son sort tout en faisant son éloge et jusqu'à faire fi de nos libertés civiles et démocratiques acquises au cours de siècles de luttes ; devant le spectacle de cette tyrannie sans précédent dans les annales de notre province, depuis l'établissement de la responsabilité ministérielle, et devant l'apathie complice de la députation dite d'opposition, les signataires de ce manifeste lancent un cri d'alerte aux citoyens du Québec de toutes les classes de la société, et leur demandent de travailler collectivement à la mise en œuvre des principes énoncés dans ce manifeste.

> Alors que nous vivons dans un monde divisé en deux, soit d'une part les forces capitalistes, soit d'autre part les forces totalitaires,

nous refusons de croire que nous avons à choisir entre ces deux régimes. Nous préconisons une sociale-démocratie. Nous voulons un socialisme démocratique qui respectera la propriété personnelle, les traditions et la foi des masses canadiennes-françaises [15].

Suit un exposé de principes sur les droits de l'homme et les libertés civiles, la confédération canadienne, la sécurité sociale, la socialisation des ressources naturelles et des services publics, les relations ouvrières-patronales, l'agriculture, l'éducation et le système parlementaire, qui veut représenter la somme des opinions politiques de la F.U.I.Q. Nous traiterons plus tard de ces questions, en les examinant de façon spécifique, lorsqu'il y a lieu.

Le manifeste formulait des objectifs, mais demeurait muet quant aux moyens. La seule proposition à cet effet du Comité d'action politique, recommandait la formation d'un nouveau parti politique, mais elle fut rejetée à la majorité des voix, après un débat orageux. Ce rejet peut être considéré comme équivalent, en pratique, à une fin de non-recevoir du manifeste, au niveau de l'action. Il est surtout significatif si l'on considère, d'une part qu'il illustre clairement l'absence de consensus idéologique total et la présence en conséquence d'un conflit latent, au sein de la F.U.I.Q., ce qui avait constitué jusque-là un handicap sur le plan de l'action politique, dont les échos résonnaient même dans les réunions du C.C.T. et d'autre part, qu'il servira de catalyseur à la manifestation au grand jour des divisions internes.

Rappelons, avant d'aborder ce sujet, que les affiliés du C.C.T. devaient reconnaître le parti C.C.F., comme l'arme politique des travailleurs organisés. Mais, cette politique n'a pas rapporté de dividendes au Québec. Dans l'esprit du C.C.T., soit d'informer le public et de mieux défendre les intérêts ouvriers, la F.U.I.Q. crée, lors du congrès de 1952, un comité d'action politique, en lui donnant comme mandat de préparer un programme politique provincial. De son propre aveu, l'action du C.A.P. soulève peu d'intérêt chez les membres et donne peu de résultats jusqu'aux événements reliés aux bills 19 et 20. En particulier, lors des élections fédérales de 1953, suite à l'intervention du C.C.T., la F.U.I.Q. promet d'aider le C.C.F., mais apparemment sans grand effet réel, car le C.A.P. ne joue qu'un rôle mineur dans la campagne électorale. En 1957, Roméo Mathieu résumait les causes de l'échec de l'appui au C.C.F., de la façon suivante :

Aux congrès nationaux, rarement et de moins en moins, les délégués du Québec s'objectaient aux résolutions appuyant le C.C.F. ;

---

15.   Fédération des unions industrielles du Québec, *Constitution et manifeste politique*, Montréal, 1955, p. 11.

mais de retour à la maison, ils ne faisaient rien ou à peu près rien pour mettre de telles résolutions en œuvre. Et ceci pour plusieurs raisons. D'abord, ils n'étaient pas convaincus eux-mêmes de son bien-fondé. Puis, ils sentaient une résistance obstinée de leurs membres et du public québécois en général [16].

Les éléments les plus éclairés de la F.U.I.Q., en effet, constataient que les syndiqués ainsi que le grand public étaient réfractaires au C.C.F. parce qu'il ne collait pas à la réalité québécoise. Et c'est par cette réalité qu'ils se sont politisés.

À cause du nationalisme québécois, des divergences existaient entre la F.U.I.Q. et le C.C.T. ainsi que le C.C.F., de sorte que la première apparaissait parfois comme un trouble-fête face à la politique pancanadienne, à l'anglo-saxonne, du C.C.T. Ainsi, la F.U.I.Q. appuyait les revendications fiscales du gouvernement provincial alors que le C.C.F. s'objectait au principe de la déductibilité de l'impôt provincial, appuyant en cela la politique du gouvernement central à l'égard des contributions fiscales du Québec. Sur le plan constitutionnel, les éléments les plus actifs de la F.U.I.Q. favorisaient la thèse des deux nations, laquelle était rejetée tant par le C.C.T. que par le C.C.F. À cet effet, rapportons un incident. En 1955, la F.U.I.Q. propose une résolution demandant au congrès de reconnaître, en principe, que des Canadiens français devraient à l'occasion faire partie de missions internationales. Le comité des résolutions écarta cette proposition en alléguant que le critère de sélection était la compétence et non l'origine ethnique. Roméo Mathieu fit alors une violente intervention, en demandant que le congrès manifeste publiquement son caractère binational et bilingue, et en insinuant que le C.C.T. voulait que les Canadiens français suivent la direction et non pas qu'ils y participent. Le congrès maintint la recommandation du comité des résolutions, sous prétexte de ne pas accorder de statut particulier aux Canadiens français [17].

Le rejet, au congrès de Joliette, de la recommandation portant sur la formation d'un parti politique québécois, constituait une victoire des partisans du C.C.F., représentés par le président Lamoureux, sur l'aile autonomiste, représentée par le secrétaire général Mathieu. Il s'ensuivit une lutte pour le pouvoir au sein de la fédération. Au congrès de 1955, Lamoureux et Mathieu cherchèrent l'un et l'autre à se déloger de leurs postes respectifs par personnes interposées, mais

---

16. Fédération des unions industrielles du Québec, *Discours de Roméo Mathieu à la conférence politique,* 20 janvier 1957, p. 1.
17. Voir : Canadian Congress of Labor, *Proceedings of the Fifteenth Annual Convention,* Toronto, octobre 1955, p. 35.

Définition de soi

sans succès [18]. Lamoureux fut plus heureux au congrès du C.C.T., de la même année, en ravissant le poste de vice-président à un Mathieu devenu *personna non grata* à la suite de l'intervention dont nous avons parlé précédemment.

À la suite de ces échecs, les plus ardents partisans du manifeste fondent la Ligue d'action socialiste dans le but de faire de l'éducation socialiste-démocratique. On les retrouve, en 1956, dans le Rassemblement, mouvement composé d'éléments progressifs, préoccupés par la recherche d'une nouvelle formule politique au Québec. Comme la déclaration de principes du Rassemblement recoupe la plupart des positions officielles de la F.U.I.Q., celle-ci lui accorde son appui, car ce dernier semble être, en quelque sorte, la réalisation du vœu exprimé en 1954.

> Il est à noter que cette fois, le désir que nous avons exprimé à notre congrès de Champigny est en train de se réaliser. Il suffit de jeter un coup d'œil sur le comité exécutif du Rassemblement pour se convaincre qu'il s'agit véritablement d'un Rassemblement. En effet, on y trouve deux universitaires, trois syndicalistes, dont deux de la C.T.C.C. et le secrétaire du comité d'éducation politique de la F.U.I.Q., un membre en vue de l'Union catholique des cultivateurs, trois journalistes connus, un avocat et un agronome. Et les adhésions qui parviennent au Rassemblement nous viennent aussi de tous ces milieux autant urbains que ruraux [19].

La définition de soi, en termes d'opposition au régime duplessiste, conditionne la définition des rapports intersyndicaux. Sur ce plan, on peut dire que la route de la F.U.I.Q. convergeait vers celle de la C.T.C.C. mais divergeait de celle de la F.P.T.Q.

La collaboration avec la C.T.C.C. débute en 1949, à l'occasion de la grève de l'amiante, lorsque le C.C.T. et ses unités québécoises supportent moralement et financièrement le combat mené par cette dernière. De là, les deux groupes développent graduellement une compréhension mutuelle qui leur permet d'éviter le maraudage systématique et de cimenter des liens de solidarité. C'est pourquoi, il apparaîtra tout naturel qu'ils s'appuient mutuellement, dans les conflits de Noranda en 1953 et de Louiseville en 1952. La compatibilité idéolo-

---

18. Ces événements sont décrits dans : Michel Grant, *l'Action politique syndicale et la Fédération des unions industrielles du Québec*, thèse de M.A. (relations industrielles), Université de Montréal, juin 1968. Voir : p. 57-58 et 134-135.
19. *Discours politique de Roméo Mathieu à la conférence politique*, 20 janvier 1957, p. 3.

gique de la C.T.C.C. et de la F.U.I.Q. résultait de la similitude de leur engagement social et de leur perception des problèmes particuliers du Québec, de leur opposition au régime duplessiste et ce, en dépit de l'apolitisme officiel de la C.T.C.C., ainsi que des affinités intellectuelles de plusieurs de leurs leaders respectifs. Avec la lutte conjointe contre les bills 19 et 20, les liens d'amitié et de solidarité atteignent leur apogée, de sorte qu'un esprit de coopération succède définitivement à l'esprit de concurrence.

Les rapports avec la F.P.T.Q. étaient d'une nature différente, car celle-ci représentait une forme d'action syndicale que la F.U.I.Q. rejetait en partie. Les affiliés de la F.P.T.Q. pratiquaient un syndicalisme de « pain et beurre » doublé d'un faible engagement social qui était à l'opposé de celui des syndicats de la F.U.I.Q. L'attitude conciliante de la F.P.T.Q. envers le gouvernement et le patronat lui attirait leur faveur, car favoriser l'accréditation de l'un de ses affiliés, c'était courir moins de risque pour la paix industrielle. Elle profitait de la situation par un lobbying politique soutenu et par une agressivité sur le plan de la concurrence syndicale. Si elle s'était opposée au bill 5 en 1948, en compagnie de la C.T.C.C. et des unités québécoises du C.C.T., il demeure qu'elle refusa de joindre le cartel syndical contre les bills 19 et 20 et qu'elle présenta, plutôt, au gouvernement provincial, un mémoire proposant des amendements qui, aux yeux des autres centres syndicaux, empiraient ces deux projets de loi.

III
La fusion
F.U.I.Q.-F.P.T.Q.

Rien ne laissait présager, en 1954, une éventuelle fusion F.U.I.Q.-F.P.T.Q. Une fusion F.U.I.Q.-C.T.C.C. semblait beaucoup plus plausible. Si celle-ci devait se réaliser quelques années plus tard, nous n'y voyons que l'aboutissement d'une démarche, entreprise aux États-Unis par le C.I.O. et l'A.F. of L., poursuivie par leurs contreparties canadiennes, le C.M.T.C. et le C.C.T., qui devait nécessairement aboutir au regroupement des fédérations provinciales. Elle impliquait la mise en veilleuse des engagements idéologiques à long terme et la valorisation des idées de solidarité et de force syndicales. Dans ce sens, elle pouvait être présentée comme « une condition nécessaire du progrès syndical », afin d'éliminer la concurrence et ses séquelles disfonctionnelles, d'améliorer la qualité des services aux membres et d'entraîner une plus grande efficacité d'action face aux adversaires [20].

Les pourparlers de fusion entre la F.U.I.Q. et la F.P.T.Q. s'avérèrent néanmoins difficiles, de sorte que ces deux fédérations furent les dernières à conclure un accord de fusion au Canada, en février 1957. L'aile engagée de la F.U.I.Q. aurait bien voulu inclure la C.T.C.C. dans l'accord, non seulement par esprit de solidarité syndicale, mais aussi parce que la jonction de leurs forces au sein d'une organisation provinciale unique, aurait permis aux éléments progressistes de faire contrepoids aux éléments moins dynamiques combinés de la F.P.T.Q. et de la F.U.I.Q. [21]. Ce sont ces derniers qui empêchèrent par leurs exigences que la triple fusion ne se concrétise [22]. Faute de mieux, la F.U.I.Q. veilla à éviter que la fusion ne constitue une déclaration de guerre à la C.T.C.C. Ainsi, en prévision de la signature du pacte de non-maraudage, l'exécutif adopta la résolution suivante : « Il est convenu que notre président établira clairement que le pacte de non-razzia avec le C.M.T.C. ne devra pas être interprété comme une collusion contre la C.T.C.C. [23]. »

La fusion se conclut dans des termes qui ne modifiaient pas les positions et les politiques des deux organismes, comme l'indique bien le passage suivant :

Il convient en terminant de bien comprendre le paragraphe suivant extrait de l'accord de fusion entre la Fédération des unions industrielles du Québec et la Fédération du travail du Québec, fusion qui se consommera le 15 février 1957.

[La F.T.Q. et la F.U.I.Q. s'entendent pour que la Fédération fusionnée recommande fortement à ses unions et conseils affiliés de s'intéresser le plus possible aux questions politiques, tout en leur laissant pleine liberté quant aux méthodes et documents qu'ils utiliseront à cette fin, pourvu qu'ils soient conformes à l'ancienne politique de la F.T.Q. ou de la F.U.I.Q. ou avec de nouvelles politiques établies par la Fédération fusionnée.]

Autrement dit, les méthodes et les documents de la F.U.I.Q. comme l'appui au Rassemblement et le Manifeste de Joliette,

---

20. Ce sont les idées développées à l'époque par un représentant des Métallurgistes unis d'Amérique. Voir : Jean Gérin-Lajoie, « La fusion et les possibilités de progrès », *Relations industrielles*, Québec, P.U.L., vol. XII, nos 1-2, janvier-avril 1957 : 86-95.

21. Voir : Michel Grant, *op. cit.*, p. 65.

22. Voir : Gérard Dion, « La C.T.C.C. et l'unité syndicale canadienne », *Relations industrielles*, Québec, P.U.L., vol. XII, nos 1-2, janvier-avril 1957 : 32-52.

23. *Procès-verbaux du comité exécutif*, 30 septembre 1954.

demeureront après la fusion aussi longtemps que le jugeront à propos les affiliés actuels de la F.U.I.Q. [24].

Dans les paragraphes suivants du même document, remis à la presse moins d'un mois avant que l'accord de fusion ne soit ratifié, la F.U.I.Q. réitère ses prises de position quant à l'action politique et quant au Rassemblement et réexprime les objectifs du manifeste. Il apparaît donc, qu'elle n'a aucunement l'intention d'édulcorer son contenu doctrinal à l'occasion de la fusion, ce qui laisse planer de sombres augures sur la nouvelle fédération naissante.

IV
L'idéologie
de la F.T.Q.

La situation existentielle de la F.T.Q. est sensiblement la même que celle que nous avons décrite dans le cas de la F.P.T.Q., aux points de vue pouvoirs formels et ressources. Mais, celle-ci s'apparente davantage à celle de la F.U.I.Q. quant au pouvoir moral.

La F.T.Q. existe en vertu d'une charte qui lui est octroyée par le Congrès du travail du Canada (C.T.C.). Tout comme la F.P.T.Q. et la F.U.I.Q., elle est une sous-centrale au niveau provincial [25]. Selon l'article II de sa constitution, elle a pour fonctions de regrouper sur une base volontaire les unités provinciales des unions nationales et internationales affiliées au C.T.C., ainsi que ses organismes horizontaux inférieurs (conseils du travail), de les assister dans leur action, de représenter leurs intérêts auprès du gouvernement provincial et d'agir comme porte-parole pour refléter les aspirations des travailleurs québécois dans les cadres des principes et des politiques du C.T.C. [26].

---

24.   Extrait d'un texte remis à l'occasion d'une conférence politique organisée par le Comité d'action politique de la F.U.I.Q., portant le titre « Aperçu de l'histoire politique de la F.U.I.Q. », 20 janvier 1957, p. 4. C'est nous qui soulignons. Voir aussi : « Accord de fusion entre la Fédération du travail du Québec et la Fédération des unions industrielles du Québec », *op. cit.* (note 22), p. 155-168.
25.   Pour une étude détaillée, voir : Paul Bernard, *Structure et pouvoirs de la Fédération des travailleurs du Québec*, étude no 13, Équipe spécialisée en relations de travail, Ottawa, Bureau du Conseil privé, 1969, 367 p.
26.   La constitution de 1957 a été modifiée en 1965. Mais ces modifications sont plutôt symboliques, dans ce sens que les textes précisent davantage le caractère québécois de la F.T.Q., sans lui accorder pour autant plus de pouvoir formel réel.

Cette définition restrictive du rôle se double de limitations sur le plan des ressources humaines et financières dont dispose la F.T.Q. La cotisation n'étant que de 0.04 par membre en 1957, la F.T.Q. ne pouvait s'offrir les services que de trois permanents. Avec l'augmentation du nombre de membres et des taux de cotisation (qui est maintenant de 0.15, sauf pour les *teamsters* lequel est de 0.25), elle a pu étoffer quelque peu son personnel qui compte maintenant huit (8) personnes. Mais, les ressources demeurent en deçà des besoins d'une organisation qui se veut dynamique. Rappelons que le secrétaire général est un salarié de la fédération depuis 1965 et que le président ne l'est que depuis 1969.

Pour ces raisons, la F.T.Q. est dans une position de faiblesse vis-à-vis de ses commettants. Elle ne peut affirmer son pouvoir sur les unions faibles, faute de ressources suffisantes pour fournir des services qui créeraient des liens de dépendance. Elle est, par contre, dans une relation de dépendance vis-à-vis des unions puissantes, capables d'assurer leurs propres services, tels que les métallos, le S.C.F.P. et les unions du bâtiment. La structure interne du pouvoir doit nécessairement refléter cette situation, car la F.T.Q. n'a pas le pouvoir formel d'imposer à ses affiliés de suivre ses politiques ou d'endosser ses prises de position [27].

Il serait, cependant, erroné de conclure de ce qui précède que la F.T.Q. n'exerce aucun ascendant sur ses commettants et sur la société québécoise. Celui-ci résulte du pouvoir charismatique des leaders, de la conjoncture globale du milieu et des problèmes particuliers que les unions rencontrent. Dans ce sens, la F.T.Q. a graduellement acquis depuis sa création, mais surtout depuis 1965, de plus en plus de prestige et d'importance, tant à l'intérieur qu'à l'extérieur du syndicalisme. Des indices de ce phénomène sont observables, d'une part dans l'attitude de l'État provincial qui transige avec la F.T.Q. comme si elle possédait le statut d'une centrale syndicale [28] et d'autre part, dans la croissance des affiliations à la F.T.Q. des effectifs du C.T.C. Le pourcentage est passé de 35% environ en 1957, à 40% environ en 1960 à

27. Ainsi, on pouvait constater, en 1965-1966-1967 que les déclarations du directeur des métallos contredisaient souvent celles du président de la fédération. Il est intéressant de noter, aussi, que le poste de secrétaire a été presque monopolisé par des ressortissants du S.C.F.P., sauf Rancourt.
28. À titre d'exemples, c'est la F.T.Q. et non pas les unions du bâtiment qui est désignée comme agent négociateur dans le bill 290, portant sur les relations de travail dans l'industrie de la construction ; les dispositions de la loi du Conseil consultatif du travail et de la main-d'œuvre sont dans le même esprit.

plus de 60% en 1970 [29]. Pendant cette même période, les effectifs de la
F.T.Q. sont passés de 91 900 en 1957 à près de 100 000 en 1960 et 150 000
en 1965 pour franchir le cap des 200 000 en 1967 et se situer aux environs de 230 000 en 1970.

A. DÉFINITION DE SOI

Le mariage de raison F.U.I.Q.-F.T.Q. promettait d'être orageux.
Bien que les représentants de l'ancienne F.P.T.Q. détenaient la majorité des postes de commande, soit 9 sur 15, dont celui du président,
l'aile progressiste de la F.U.I.Q., animée par Mathieu, ne serait pas
facile à contenir, car elle était décidée à modeler la nouvelle centrale
à ses objectifs de 1954-1955. Mais, quelques mois après la formation
de la F.T.Q., la grève de Murdochville aurait pour effet de consolider
les liens du mariage et d'amorcer un mouvement de définition idéologique qui éliminait les risques immédiats d'un éclatement interne.

Le conflit de Murdochville impliquait l'un des plus importants
affiliés de la F.T.Q., les Métallurgistes unis d'Amérique et mettait en
cause l'exercice du droit d'association, soit le droit le plus sacré pour
des syndicalistes. Le scénario d'Asbestos et de Louiseville s'y répète,
collusion patronale-gouvernementale et intervention violente de la police provinciale dans le but de briser la résistance syndicale. Face à
cette situation, la F.T.Q. ne peut pas ne pas intervenir. Recourant à
l'arme utilisée par la F.U.I.Q. en 1954, elle organise une marche sur
Murdochville à laquelle la C.T.C.C. et le C.T.C. participent [30].

Lors de ce conflit, la F.T.Q. acquiert une conscience de son identité syndicale. Elle constate avec fierté et grandit à ses propres yeux,
qu'elle pouvait se tenir debout dans l'adversité sans aliéner sa liberté
d'action aux pouvoirs politiques et économiques et qu'elle pouvait rallier
les forces ouvrières en vue d'une action commune. « Nul ne peut maintenant mettre en doute le militantisme de notre centrale provinciale.
Murdochville est le point culminant qui a donné naissance à une démonstration dont nous avons été les auteurs et acteurs [31]. »

29. Les principales unités du C.T.C., non affiliées à la F.T.Q., sont constituées par
     des unions dont la vocation professionnelle est pancanadienne, telles que les
     unions des employés de chemin de fer qui comptent plus de 30 mille membres.
30. Sur la grève de Murdochville, voir : Roger Chartier, « Murdochville : les
     faits », *Relations industrielles*, vol. XII, n⁰ 4, octobre 1957 : 374-381. Émile Boudreau, « Murdochville : douze ans d'organisation », *Socialisme 64*, Montréal,
     Éditions socialistes, n⁰ˢ 2, 3 et 4, hiver 1964 : 3-30.
31. Roger Provost, « La F.T.Q. et l'action politique à l'échelle provinciale », *Relations industrielles*, vol. XIII, n⁰ 1, janvier 1958, p. 54.

Dans l'affaire Murdochville, l'esprit de la F.U.I.Q. anime celui de la F.P.T.Q. C'est le point de départ du développement d'une identité proprement F.T.Q. L'année suivante, le président Provost définit le gouvernement provincial comme un adversaire, en le qualifiant d'antisyndical et lui reprochant d'être contre la liberté académique [32].

Un second *input* est inséré dans la F.T.Q. peu de temps après les événements de Murdochville. En 1958, au congrès de Winnipeg, le C.T.C. décide de participer à la création d'un nouveau parti politique en collaboration avec le C.C.F. La F.T.Q. se doit alors de rectifier son tir pour l'ajuster à celui du C.T.C. C'est pourquoi, le président Provost déclare en 1958, que le temps est venu de rechercher des solutions plus complètes et de s'engager dans l'action politique sans craindre une éventuelle désintégration syndicale, alors qu'il prônait auparavant une action strictement économique face à l'aventure de l'action politique [33].

Les éléments qui caractérisaient la F.U.I.Q. se trouvent maintenant réunis : volonté de militantisme syndical, le gouvernement provincial comme adversaire et engagement politique. Il apparaît alors tout naturel et logique que Provost tente d'orienter la F.T.Q., au cours des années suivantes, dans le sens social-démocratique préconisé par le manifeste de 1955.

Cet effort se produit au moment d'un virage fondamental de la société québécoise. Dans l'euphorie de la révolution tranquille, l'image d'une F.T.Q. responsable devient celle d'un syndicalisme débordé et archaïsant. Son timide avant-gardiste depuis 1958 la laisse néanmoins à la remorque de l'idéologie de la révolution tranquille, dont les objectifs et les moyens sont formulés par la nouvelle technocratie montante. Son passé sous le gouvernement Duplessis l'écarte du pouvoir politique. Son nationalisme pancanadien et son internationalisme semblent démodés face au néo-nationalisme québécois. Enfin, elle paraît terne et faible face à une C.S.N. triomphante et progressiste.

La C.S.N. symbolise la révolution tranquille dans le milieu ouvrier. La transformation qu'elle a effectuée en 1960 s'est produite juste à

32. Discours du président, troisième conférence de la F.T.Q., Québec, 20-22 novembre 1958, p. 4. On se rappellera qu'à l'époque, les relations universités-gouvernement provincial étaient des plus difficiles, d'une part à cause de la politique de ce dernier quant aux subventions fédérales aux universités et d'autre part, parce que le premier ministre Duplessis, profitant de la dépendance financière des universités, ne se gênait pas pour intervenir dans leurs affaires internes. Au-delà de la défense du principe de la liberté académique, nous voyons dans l'attitude de Provost, une perche tendue aux intellectuels afin d'obtenir pour la F.T.Q. un patronage semblable à celui qu'ils accordaient à la F.U.I.Q. et à la C.T.C.C.

33. *Ibid.*, p. 5.

temps pour lui permettre de présenter une image adéquate dans la société québécoise en mal de renouveau. Elle a l'écoute des pouvoirs politiques. Elle a cessé d'être un syndicalisme inférieur, car elle rivalise fort bien avec les unions nationales et internationales par son efficacité professionnelle et par la somme et la qualité des services qu'elle peut fournir à ses membres. Comme centrale, elle a un avantage considérable sur sa rivale, qui dispose de peu de ressources financières, de peu de personnel et de peu de pouvoir réel à cause du système d'affiliation volontaire et du lien de dépendance envers le C.T.C. La C.S.N. profite de la situation, d'une part en s'efforçant de valoriser une image de seul véritable syndicalisme québécois face à une structure horizontale du syndicalisme international et d'autre part, en pratiquant une politique d'expansion des effectifs par une pénétration rapide, parfois avec la connivence gouvernementale, du secteur des néo-syndiqués et par un maraudage quasi systématique des affiliés de la F.T.Q.

Dans ces conditions, la F.T.Q. réalise rapidement qu'il lui faut acquérir une nouvelle identité et présenter une meilleure image, tant pour assurer sa survie institutionnelle que pour exercer une influence réelle dans la société québécoise et qu'elle doit, en conséquence, fournir des lettres de créance qui l'identifient au milieu, tout en la différenciant de la C.S.N. et du C.T.C. et qui la resituent face au néo-nationalisme véhiculé par la révolution tranquille. Le processus de redéfinition est alors doublement polarisé, négativement, par la C.S.N. qui constitue, en quelque sorte, un prisme de la révolution tranquille et positivement, par les valeurs sociales-démocratiques contenues dans l'engagement politique envers le N.P.D.

Amorcée au début des années 60, cette redéfinition s'effectue effectivement à partir de 1965, car les points tournants sont, selon nous, la lutte contre le bill 54 et la nomination de Louis Laberge à la présidence de la fédération en 1964, ainsi que la création d'un poste de secrétaire général permanent en 1965.

En s'opposant au bill 54 par une vaste campagne d'information à travers la province, la tenue d'un congrès spécial à Québec et la menace d'une grève générale, la F.T.Q. démontre une vitalité insoupçonnée, à ses propres yeux, aussi bien qu'à ceux de ses adversaires et de la population, car elle réussit à mobiliser complètement des effectifs, que l'on pouvait croire démoralisés, en son nom propre et de sa propre initiative, dans un mouvement de contestation ouverte et directe d'un gouvernement, considéré comme progressiste, d'une façon qui nous paraît supérieure à celle qu'avaient réalisée conjointement la F.U.I.Q. et la C.S.N. en 1954, contre un gouvernement fortement impopulaire dans les milieux ouvriers. Devant l'opinion publique, la F.T.Q. fait, de plus par cette opération d'envergure, la preuve d'un dynamisme et d'une indépendance que la C.S.N. ne pouvait se permettre, car sa proximité du pouvoir politique l'obligeait à procéder par les canaux plus normaux du lobbying.

Quelques mois plus tard, Louis Laberge est élu par le Conseil de la F.T.Q., par un vote de 10 contre 9, comme successeur à Roger Provost, décédé subitement. Avec une confiance audacieuse, il s'attaque à redorer l'image de la F.T.Q. Il est aidé en cela par une personnalité qui se projette facilement à travers les modes de communication électronique et plus avantageusement que celle d'un Roger Provost aux allures par trop bureaucratiques ou technocratiques et que celle d'un Marcel Pepin, successeur de Jean Marchand en 1965, qui paraît trop idéaliste et trop mélodramatique. Par une joyeuse faconde, une verve populaire, dont on pardonne facilement les écarts, l'exploitation de ses racines ouvrières et des attitudes pragmatiques faisant appel au sens commun, Laberge réussit, malgré un mauvais départ, à présenter une image rassurante, dans un contexte d'interrogations et de bouleversements parfois un peu trop rapides, qui déteint sur celle de la F.T.Q. [34].

Avec la création d'un poste de secrétaire général libéré, la F.T.Q. se donne une sorte d'équivalence avec la C.S.N., qui lui assure un porte-parole plein-temps et est le prélude de l'amélioration de ses services. Ceci constitue, à notre point de vue, un point tournant pour la F.T.Q., d'autant plus que l'intellectualisme de Rancourt et plus tard celui de Daoust, se marient fort bien avec la bonhomie pragmatique de Laberge.

Au néo-nationalisme, dont le séparatisme représente l'option extrémiste, la F.T.Q. oppose une idéologie de double allégeance, canadienne et québécoise et d'internationalisme ouvrier.

> Nous avons, sur le plan de la société civile et politique, une conscience nationale de Québécois et de Canadiens ; nous avons sur le plan socio-économique, une conscience de classe internationale. Nous croyons que cette double allégeance, bien loin de nous exclure de la société québécoise, nous permet de lui apporter une contribution originale faisant contrepoids à la philosophie qui accompagne ici la technologie et les capitaux étrangers [35].

34. Ce mauvais départ fut pris à l'occasion d'un débat télévisé entre Marchand et Laberge alors que ce dernier laissa entendre que le sang coulerait si la C.S.N. ne cessait pas son maraudage systématique dans l'industrie de la construction. Laberge revenait par la suite à de meilleurs sentiments.
35. Louis Laberge, *Discours inaugural au IXᵉ congrès de la F.T.Q.*, Montréal, 8 décembre 1965, p. 11.

Pour celle-ci, le problème social du Québec est lié au problème économique et le règlement de ce dernier doit s'effectuer par l'entremise du politique. À cette fin, le nationalisme prôné par les tenants de la révolution tranquille, la C.S.N. et certains intellectuels, est une formule archaïque et réactionnaire dans un monde moderne, dont la tendance est à l'élargissement des frontières nationales et des échanges multinationaux. Il faut, en conséquence, être en mesure de faire contrepoids au capitalisme international, en particulier, au gigantisme économique américain qui constitue le véritable adversaire. C'est pourquoi, il apparaît, d'une part, que la confédération est encore le cadre le plus propice à l'épanouissement de la nation canadienne-française et à la prévention d'une baisse du niveau de vie, subséquente à une séparation qui compromettrait dangereusement l'essor culturel et d'autre part, qu'un syndicalisme aux ramifications pancanadiennes et internationales est le seul modèle capable d'opérer dans le monde moderne et de contrer les entreprises multinationales [36].

De l'option de double allégeance découle, comme un corollaire, une adhésion à l'idéologie d'un pacte entre deux nations. Pour la F.T.Q., le Québec n'est définitivement pas une province comme les autres. Si le cadre confédératif lui est prérequis dans une optique internationaliste, celui-ci ne doit pas être transformé en un carcan qui empêche l'affirmation de la personnalité et des caractères particuliers du Québec. « Le Canada est composé de deux nations possédant toutes deux le droit à l'autodétermination qui peut s'exercer dans une confédération réaménagée dans sa constitution et son fonctionnement [37]. » Dans cette perspective, la F.T.Q. rejette, comme solutions aux problèmes constitutionnels, le séparatisme, les états-associés, le statu quo et la centralisation fédérale. Elle préconise, plutôt une réforme constitutionnelle qui valorise l'État provincial, en lui fournissant les moyens de donner sa pleine mesure dans les domaines qui sont de sa juridiction et en le renforçant comme instrument de promotion collective, par le rapatriement de certains pouvoirs. D'autre part, le Canada doit refléter le caractère binational du pacte entre deux nations. Ainsi, la F.T.Q. se réjouit du rapport préliminaire de la commission Laurendeau-Dunton, sur le bilinguisme et le biculturalisme, en le qualifiant de traitement à l'électrochoc, de nature à éveiller l'élément anglophone au

36. Ces idées sont développées timidement au congrès de 1961, puis avec plus de conviction au congrès de 1963. Par la suite, dans la conjoncture créée par le ralentissement de la révolution tranquille et de l'effritement du « maître chez nous », la F.T.Q. les exprime avec assurance et sans inquiétude quant à un possible *back lash.*
37. *Politique de la F.T.Q. 1960-1967*, Montréal, Les Éditions F.T.Q., 1967, p. 56-57.

problème central du Canada, mais en ajoutant que les Canadiens français doivent demeurer des interlocuteurs modérés et réalistes, car le dialogue suppose que l'on abandonne de chaque côté les attitudes extrémistes [38].

Pour compléter le tableau, la F.T.Q. s'efforce de démontrer un engagement concret sur le plan du nationalisme culturel. Le « français, langue du travail » en devient le symbole et le principal cheval de bataille. L'image est projetée, en 1965, lorsque la F.T.Q. s'associe, pour la première fois de son histoire, aux célébrations de la fête de la Saint-Jean-Baptiste. Le président déclare, à cette occasion :

> Je désire profiter de la fête nationale des miens, les Canadiens français, pour rappeler aux autres groupes sociaux que l'aspect du problème national qui préoccupe le plus les travailleurs du Québec et le syndicalisme québécois, c'est celui de la langue parlée et écrite au travail. Nous croyons à la F.T.Q. que les travailleurs canadiens-français ne devraient pas être requis de maîtriser la langue anglaise pour accéder à l'embauchage ou par voie de promotion, à des postes pour lesquels le bilinguisme ne peut être considéré comme condition de travail [39].

Ceci constitue les éléments essentiels de l'effort de révision idéologique accompli par la F.T.Q., à la fois pour neutraliser les effets disfonctionnels du néo-nationalisme et pour réinterpréter la situation à son avantage. Par rapport à sa prise de position personnelle, qu'elle considère sans ambiguïté, elle peut alors accuser la C.S.N. de pratiquer l'équivoque et de se tenir sur la corde raide en jouant fédéraliste à Ottawa, en misant sur les valeurs nationalistes, sinon séparatistes, au Québec, et en pratiquant le séparatisme au niveau du recrutement syndical [40].

Une opération du même genre est réalisée par rapport au nouveau rôle de l'État. En 1962, le congrès de la F.T.Q. avait fait une mise en garde quant au rôle moteur du gouvernement québécois dans la révolution tranquille, en soulignant que la nationalisation de l'électricité ne serait qu'une panacée si l'État ne s'engageait pas dans la planification économique. On n'avait cependant pas osé aller davantage à contre-courant de l'opinion populaire. En 1965, au moment où Laberge devient président, l'essoufflement de la révolution tranquille est évident et la signification réelle des initiatives gouvernementales n'est plus

---

38. *Information*, communiqué de presse, 26 février 1965.
39. *Information*, communiqué de presse, 17 juin 1965.
40. Voir à cet effet : « Éditorial », *le Monde ouvrier*, vol. 51, nos 6-7, septembre-octobre 1966 : 2.

protégée par le halo de l'euphorie des premières années : l'entreprise de décolonisation économique tourne en rond ; les réformes dans l'éducation et la sécurité sociale piétinent loin derrière les espoirs créés au début des années 60 ; l'État, comme instrument privilégié de transformation, s'avère une déception. De plus, le gouvernement comme employeur, tant dans le secteur parapublic que dans le secteur public, est un employeur comme les autres, ce qui sera confirmé davantage par les problèmes de relations industrielles des années suivantes. Dans ces circonstances, il est facile pour les porte-parole de la F.T.Q. de présenter l'État québécois, comme un instrument au service de la petite bourgeoisie du Québec, en y associant la C.S.N., au lieu d'être le pivot de l'affranchissement de la classe ouvrière dans une perspective sociale-démocratique et de conclure que sa position de 1958, à l'effet de la prise du pouvoir par une formation politique ouvrière-démocratique constitue encore la meilleure solution, aussi bien à la question nationale qu'au problème socio-économique.

Par cela, la F.T.Q. veut représenter une image qui neutralise les conséquences de son éloignement du pouvoir politique et qui retourne la situation à son avantage, car elle ne porte pas, comme la C.S.N., les stigmates d'une association avec ce pouvoir au cours de la pseudo-révolution socio-économique.

Le même scénario est observable sur le plan syndical. On s'efforce de présenter une image, suivant laquelle il n'y a pas de différence fondamentale entre la C.S.N. et la F.T.Q. quant aux objectifs et quant au militantisme syndical ; la F.T.Q., en dépit de sa structure horizontale, peut être un centre syndical québécois aussi représentatif et aussi dynamique que la C.S.N. ; la F.T.Q. offre une meilleure garantie d'efficacité dans le monde moderne que la C.S.N., à cause de ses relations pancanadiennes et internationales.

Cette opération comporte dans un premier temps, une affirmation de soi comme mouvement responsable et indépendant, préoccupé fondamentalement par la défense et la promotion à la fois des intérêts de la classe ouvrière et des valeurs démocratiques, qui est en même temps un agent de transformation sociale. Il y a, en premier lieu, une défense de la fonction revendicative.

On nous a accusé de faire du *bread and butter unionism*, c'est-à-dire, de faire converger nos efforts sur la revendication d'augmentations de salaires. Eh bien ! Non seulement, nous n'avons pas honte de cette forme d'action syndicale, mais nous affirmons que, dans le Québec, il y a encore tellement à faire dans ce domaine qu'il est prématuré d'y parler de collaboration syndicale-patronale ou de trève dans les revendications [41].

Suit une tentative de démystification du syndicalisme idéologique. On affirme alors, d'une part que « dans l'action syndicale l'intérêt des travailleurs doit toujours primer les idéologies, quelles qu'elles soient [42] » et d'autre part, que la C.S.N., bien qu'elle soigne davantage son image révolutionnaire, pratique également un syndicalisme de revendication [43]. Puis le caractère fonctionnel est réaffirmé.

> Il n'est pas superflu de rappeler à certaines personnes dont j'espère qu'il ne s'en trouve pas trop à ce congrès, que nous constituons avant tout un mouvement syndical, que nous ne sommes pas ni ne pouvons être, sans trahir notre vocation propre, une société nationale ou patriotique, ni un parti politique. Nos membres peuvent individuellement ou collectivement, militer librement dans des formations politiques ou patriotiques, mais ce serait pervertir le syndicalisme et en provoquer la destruction que d'en faire autre chose que l'expression de la solidarité des travailleurs en vue de la défense de leurs intérêts communs et de leur promotion collective [44].

En second lieu, la F.T.Q. s'efforce de démontrer que, si elle se préoccupe avant tout des intérêts économico-professionnels de ses membres, cela ne constitue pas un handicap quant à sa capacité de s'avérer un défenseur des institutions démocratiques et de s'engager dans la transformation sociale, aussi bien, sinon mieux que la C.S.N.

> Notre syndicalisme s'est toujours opposé à tous les totalitarismes, qu'ils soient de gauche ou de droite, qu'ils aient été le fait de la Russie communiste ou de l'Espagne franquiste. À toutes les époques où il y a eu un programme politique et exercé une action politique, c'est toujours dans le sens du socialisme démocratique et réformiste plutôt que révolutionnaire. Et une grande partie de son inefficacité s'explique par le respect de la liberté individuelle de ses membres... Enfin, notre syndicalisme a toujours été profondément attaché au régime de la démocratie parlementaire, tant pour son gouvernement interne que pour celui de la société

41. *Information,* communiqué de presse, 19 octobre 1964.
42. « Un syndicaliste indépendantiste déclare : L'action syndicale prime l'idéologie », *le Monde ouvrier,* vol. 51, n⁰ 2, mars-avril 1966 : 9.
43. *Le Monde ouvrier,* vol. 52, n⁰ 3, mars 1967 : 3.
44. Extrait du discours du président Laberge à la convention de la F.T.Q., Montréal, 1969, p. 11.

politique. Il a toujours préféré la démarche réformiste du progrès social continu aux raccourcis de la violence ou du coup d'État [45].

À certains moments de notre histoire, nous [unions « nationales » et internationales] avons fourni au peuple du Québec une ouverture, une fenêtre sur le monde extérieur. C'est ce qui explique sans doute que nous ayons toujours été, et que nous soyons demeurés, ici, à l'avant-garde dans le domaine des droits de l'homme, les initiateurs de notions telles que la laïcité, le pluralisme religieux, le socialisme démocratique, la sécurité sociale, l'engagement politique des syndicats, etc. Nous avons longtemps été le seul mouvement populaire à préconiser des idées alors absolument irrecevables dans le milieu, telles la création d'un ministère de l'éducation, la fréquentation scolaire obligatoire, la gratuité de l'enseignement, la coéducation. Il suffit de lire ou de relire *le Monde ouvrier*, organe officiel de la F.T.Q., qui va célébrer l'an prochain son cinquantième anniversaire de fondation, pour se rendre compte que notre syndicalisme formulait déjà il y a 40 ou 50 ans, les grands thèmes de ce qu'on appelle maintenant la révolution tranquille [46].

L'affirmation de la finalité syndicale est accompagnée d'une autocritique qui se veut valable aussi bien pour la C.S.N. que pour la F.T.Q. une preuve du dynamisme et de la sincérité de cette dernière, ainsi qu'une ouverture sur des horizons nouveaux. Le secrétaire, Rancourt, lance cette autocritique en déclarant : « Le syndicalisme tel qu'il se pratique au Québec risque de créer une aristocratie du travail, une nouvelle classe de travailleurs en passe de devenir aussi égoïstes et indifférents à la misère humaine que les employeurs dont ils contestent le pouvoir [47]. »

Dans son discours au congrès de 1967, le président Laberge élabore sur les raisons de l'embourgeoisement syndical :

À mon avis, notre syndicalisme est en train de devenir, si ce n'est déjà fait, l'expression d'un égoisme institutionnel et le point de convergence de l'égoisme individuel d'un trop grand nombre de travailleurs syndiqués...

Aujourd'hui, surtout ici au Québec, on fait du syndicalisme avec une mentalité de consommateur. On se procure des services syndicaux avec sa cotisation, et on veut en avoir pour son argent. Et quand on n'est pas tout à fait satisfait des services assurés

45. « Notre syndicalisme : un essai de définition », éditorial, *le Monde ouvrier*, vol. 54, nos 10-11, octobre-novembre 1969 : 2.
46. Louis Laberge, *Discours inaugural au IXe congrès de la F.T.Q.*, p. 18.
47. Rapporté par : *le Monde ouvrier*, vol. 51, no 4, juillet 1966 : 2.

par son syndicat, on se met en chasse d'aubaines, on « magasine » pour voir si un syndicat rival ne pourrait pas donner plus de services pour une cotisation semblable...

Nous avons fait nôtres, jusqu'à un certain point, les valeurs qu'au départ, nous nous proposions de remplacer par une nouvelle échelle au sommet de laquelle nous placions la solidarité humaine [48].

Les leaders de la F.T.Q. ne se montrent pas surpris de constater que le syndicalisme a cessé d'apparaître comme le protecteur des faibles et des opprimés aux yeux des petites gens, des pauvres et des non-syndiqués. Ils réalisent en même temps que le syndicalisme, s'il veut apporter un démenti au « le syndicalisme est mort » de Galbraith, doit « cesser de passer le plus clair de son temps à éteindre des incendies qu'il allume souvent lui-même, telles les querelles intersyndicales [49] », pour se mettre à l'heure de la société postindustrielle en remettant en question ses objectifs traditionnels de façon à conserver sa raison d'être qui est de répondre aux besoins et aux aspirations populaires et de faire de nouvelles conquêtes sociales, sinon :

Il ne faudrait tout de même pas, que, dans une société d'abondance et, éventuellement de surabondance des biens de consommation, le syndicalisme soit, avec les possédants et leurs technocrates, l'un des derniers bastions d'un régime de privilèges ne répondant plus à aucun besoin social [50].

Sur un troisième plan, la F.T.Q. cherche à se présenter comme une centrale québécoise avantagée par ses liens pancanadiens et internationaux dans le contexte de la société postindustrielle. C'est alors qu'apparaît l'idée d'un statut particulier, sur le plan syndical, analogue à celui qui est proposé sur le plan constitutionnel, ce que nous examinerons plus loin dans la définition des rapports avec le C.T.C. et avec les unions internationales.

B. DÉFINITION DES RAPPORTS AVEC LE PATRONAT

Pour la F.T.Q., le patronat constitue un adversaire et non pas un ennemi qu'il faut absolument terrasser [51]. Celle-ci, tout comme ses

48. Louis Laberge, *Discours inaugural au IXe congrès de la F.T.Q.*, p. 3 et 4.
49. Noël Pérusse, « Le syndicalisme a perdu la cote d'amour : son impopularité atteint la cote d'alerte », *le Monde ouvrier*, vol. 54, nos 1-2, janvier-février 1969 : 3.
50. Propos du président Laberge, au 23e congrès des relations industrielles, rapportés par : *le Monde ouvrier*, vol. 53, nos 5-6, mai-juin 1968 : 4.
51. La documentation sur ce point est très rare. On semble en effet vivre sous la poussée de la tradition. C'est pourquoi la définition du patronat ressort davan-

prédécesseurs, la F.U.I.Q. et la F.P.T.Q., représente un syndicalisme qui, animé par la tradition gompérienne, accepte les notions de profit, de productivité, de technologie et de progrès économique, pourvu qu'elles se traduisent par des avantages tangibles pour les membres, et qui veut négocier avec l'entreprise le partage des bénéfices de la production selon une approche d'accommodation. Ce syndicalisme préconise alors une action atomisée au niveau de l'entreprise individuelle visant à maximiser le retour pour les membres, selon la situation existentielle de cette entreprise, sans se préoccuper vraiment de ses effets sur les disparités sectorielles ou régionales. Pour les unions, le problème des disparités relève davantage de la politique économique que des entreprises individuelles.

La F.T.Q. n'a jamais prôné une approche de conflit avec le patronat. Elle a toujours rejeté l'intolérance aussi bien chez les employés que chez les employeurs, la considérant comme un facteur de destruction des groupes et des classes. Elle a toujours affirmé qu'elle était aussi intéressée au bien-être des entreprises que le sont les propriétaires, en proclamant que les dirigeants syndicaux savent apprécier à leur juste valeur les problèmes et les difficultés des employeurs et qu'ils sont disposés à en discuter. La F.T.Q. a, en conséquence, mis l'accent sur le dialogue et la bonne entente dans les relations patronales-ouvrières, en faisant valoir, d'une part que les employeurs ont intérêt à coopérer avec des syndicats qui constituent un barrage contre la compétition injuste et réduisent les risques de luttes industrielles et d'autre part, que l'acceptation par les travailleurs de la motivation du chef d'entreprise constitue le moyen de participer aux bénéfices qui découlent du progrès de l'entreprise et d'améliorer ainsi leurs conditions de travail.

L'aspect fondamentalement conflictuel des relations patronales-ouvrières semble perçu, jusqu'à un certain point, comme temporaire. En effet, les deux parties ont un intérêt commun quant à l'efficacité et au rendement de l'entreprise. Elles doivent donc apprendre à se connaître, à se consulter, à discuter et à échanger librement leurs opinions. « Les unions ouvrières et les monopoles doivent se craindre mutuellement, jusqu'au jour où ces deux groupes auront formé des esprits conciliants qui comprendront que la survivance de l'un, du

tage des comportements que des déclarations officielles. Nous ne retenons pas comme significatives les déclarations négatives, telles que patron exploiteur ou non responsable qu'il faut mettre à la raison, faites à l'occasion d'une grève difficile ou de longue durée, car elles font partie d'une stratégie du moment et sont vite oubliées lorsque le conflit est résorbé.

moins en régime actuel, dépend absolument de la coopération de l'autre [52].

L'équilibre des forces, s'il favorise la compréhension et la collaboration mutuelle, ne doit cependant pas conduire à la négation de l'identité syndicale. La F.T.Q. demeure donc consciente qu'il subsistera toujours une différence fondamentale entre les intérêts des travailleurs et ceux des employeurs et qu'en conséquence, le syndicalisme ne doit pas abandonner son attitude revendicatrice. C'est dans ce sens que s'interprète la déclaration du président Laberge que nous avons citée précédemment [53]. Une attitude de revendication continue se justifie par l'ignorance syndicale quant au rendement marginal de l'entreprise et par la certitude que le pouvoir de résistance patronal est fort et qu'il s'affirmera si les revendications ouvrières mettent l'entreprise en danger.

Cette définition des rapports avec le patronat est inhérente à l'idéologie d'un syndicalisme qui ne conteste pas fondamentalement le capitalisme comme mode de production de biens économiques et qui vise plutôt à corriger les vices de ce système quant à la redistribution des bénéfices de la production. Cette question sera étudiée dans le chapitre portant sur les politiques économiques.

La F.T.Q. utilise souvent le concept de classe ouvrière à l'occasion de ses déclarations à l'égard du patronat. Mais, celui-ci n'a alors aucune acception marxiste. Son sens est si dilué qu'il se réfère, en général, au groupe des cols bleus.

C. DÉFINITION DES RAPPORTS INTERSYNDICAUX

La définition des rapports intersyndicaux est placée sous le signe de la solidarité ouvrière et de l'efficacité syndicale. Elle s'exprime, d'une part dans une politique d'unité syndicale qui vise à éliminer la concurrence syndicale tant au niveau des centrales qu'au niveau des entreprises et à supprimer les syndicats de boutique et d'autre part, dans une politique de valorisation des liens intersyndicaux internationaux et pancanadiens.

1. LES SYNDICATS DE BOUTIQUE

Le syndicalisme de métier a traditionnellement défini les unions de compagnie comme des adversaires, car il considère qu'elles sont la

52. Extrait d'un article intitulé : « La crainte et la prudence », *le Monde ouvrier*, vol. 33, nº 5, février 1948 : 1.
53. Voir p. 149.

négation même du droit d'association. Le congrès de 1943, s'inspirant du rapport McTague, réclame une législation comportant « la condamnation et la mise hors la loi des unions de compagnie [54] ». Le congrès de 1946 demande au gouvernement provincial de modifier le règlement de la Commission des relations ouvrières de façon à ce qu'aucune certification ne puisse être accordée aux unions de compagnie en aucune circonstance et que tous les certificats émis précédemment à de telles unions soient annulés et révoqués immédiatement [55]. Constatant la difficulté d'identifier une union de boutique aux fins de poursuites légales, le congrès de 1948 décide d'exercer des pressions sur le gouvernement provincial en vue d'obtenir une définition claire et précise de l'union de boutique.

La F.U.I.Q. n'a pas eu l'occasion, au cours de sa brève existence, d'exprimer son opposition aux unions de boutique autant que la F.P.T.Q. Il ne demeure pas moins qu'elle en partageait la répulsion au nom de la liberté d'association, de la solidarité ouvrière et de l'efficacité syndicale.

Cette communion de pensée s'est transmise à la F.T.Q. Celle-ci a soutenu des campagnes vigoureuses et coûteuses dans le but de déloger des unions indépendantes, notamment aux compagnies Noranda et Northern Electric. Elle nourrit une aversion des plus profondes envers la F.C.A.I. Elle déplore, en particulier, que la concurrence C.S.N.-F.T.Q. se traduise par le maraudage d'unions légitimes alors que les attaques devraient être dirigées contre les unions dominées par les employeurs. Enfin, il lui paraît intolérable que la législation ouvrière continue de tolérer l'existence de telles unions.

Une certaine imprécision existe quant à la ligne de démarcation existant entre une association indépendante et une association dominée par l'employeur. Au lieu de formuler des critères précis en cette matière, la F.T.Q. a plutôt tendance à assimiler à priori l'association indépendante et l'union de boutique et à considérer, comme seul critère de légitimité, l'appartenance à une centrale reconnue.

2. LA CONCURRENCE ET L'UNITÉ SYNDICALE

Les questions de l'unité et de la concurrence syndicale ont un caractère paradoxal chez la F.T.Q. D'une part, elle a toujours été enga-

---

54. *Rapport des délibérations de la sixième conférence annuelle de la F.P.T.Q.*, Trois-Rivières, 23-25 juillet 1943, résolution n° 11, p. 8.
55. *Rapport des délibérations de la neuvième conférence annuelle de la F.P.T.Q.*, Québec, 10-12 juin 1946, résolution n° 35, p. 33.

gée dans des luttes intersyndicales. La fusion C.M.T.C.-C.C.T. en 1956 mettait un terme, sur le plan canadien, à une concurrence datant de l'expulsion des Chevaliers du travail en 1902. Mais la fusion F.U.I.Q.-F.P.T.Q. en 1957, ne constituait pas une unité organique complète du syndicalisme québécois. La trève qui s'ensuivit, à cause de l'attitude de la F.U.I.Q. envers la C.T.C.C. et des séquelles positives des pourparlers d'unité entre les trois centres syndicaux québécois, fut très tôt rompue par la C.S.N. qui, profitant de son élan du début de la révolution tranquille, adoptait une politique expansionniste de ses effectifs. Dans la seule année 1964, elle enlevait 10 000 membres aux affiliés de la F.T.Q. La F.T.Q. a alors été forcée de définir la C.S.N. comme un adversaire. D'autre part, le syndicalisme nord-américain, aussi bien industriel que de métier, a traditionnellement cherché à prévenir la concurrence syndicale dans le but d'éliminer les luttes fratricides et de maximiser la force de frappe des organisations syndicales en préconisant un système de juridiction exclusive, les clauses de sécurité syndicale et le monopole de représentation syndicale.

Ceci explique que la F.T.Q. joue sur deux plans depuis 1960, en valorisant l'unité syndicale et en rejetant sur la C.S.N. le fardeau de la concurrence syndicale.

C'est en vue de l'action économico-professionnelle que la F.T.Q. idéalise l'unité syndicale plutôt que dans la perspective de l'action politique, à cause de son engagement envers le N.P.D. face à l'apolitisme officiel de la C.S.N., mais surtout à cause de l'engagement idéologique de cette dernière. Sa pensée peut être résumée de la façon suivante. L'unité syndicale est un facteur de progrès économique, une force collective indispensable pour les luttes sociales et un élément de paix et de bonne entente dans les relations patronales-ouvrières. La division syndicale est un quasi-suicide économique, car elle affaiblit les possibilités de régénération sociale et de sécurité économique des travailleurs. La défense et la promotion de la condition ouvrière se feront d'autant mieux que l'intégration des forces ouvrières se réalisera dans des organismes puissants. Les rivalités syndicales constituent en plus un gaspillage énorme de ressources humaines et financières au détriment des travailleurs et à l'avantage des employeurs, car des milliers d'ouvriers ne jouissent pas de la protection syndicale pendant que des unions se font la lutte pour s'emparer de travailleurs déjà syndiqués. La liberté syndicale ne consiste pas à pouvoir changer d'allégeance syndicale quand on le désire, souvent pour des motifs futiles, mais réside dans des structures syndicales démocratiques qui permettent aux membres de modifier leurs constitutions et de changer leurs dirigeants [56].

On définit, d'autre part, le maraudage de la C.S.N. comme le fruit d'un expansionnisme impérialiste plutôt qu'une entreprise de décolonisation, où le syndicalisme devient un commerce pour une clientèle de travailleurs en quête d'aubaines. Les déclarations suivantes du secrétaire Rancourt nous apparaissent très significatives pour un mouvement qui se sent forcé de relever le défi posé par un adversaire que l'on avait sous-estimé. Que le maraudage de la C.S.N. remonte à 1961, démontre :

> une entreprise concertée et systématique dont l'objet n'était pas de libérer les travailleurs québécois de syndicats internationaux ou pancanadiens, comme on l'a prétendu, mais bien d'assurer l'hégémonie d'une centrale sur la classe ouvrière du Québec [57].

> ériger le maraudage en système, ou tout simplement faciliter le changement d'allégeance syndicale, c'est encourager le travailleur à changer de syndicat comme on change d'automobile, c'est lui enlever la responsabilité de faire vivre son syndicat, de participer à son orientation, de le régénérer au besoin ; c'est-à-dire faire un consommateur de syndicalisme plutôt qu'un participant responsable à l'action syndicale [58].

> pendant que nous nous disputons l'allégeance de quelques milliers de travailleurs, c'est le leadership de toute la société qui nous échappe [59].

L'attitude défensive de la F.T.Q., face à la concurrence de la C.S.N., est illustrée par la tournure du débat sur cette question au congrès de 1967. *Le Monde ouvrier* rapporte qu'il s'est dégagé un réel déchirement parmi les délégués, entre leur volonté de réaliser l'unité syndicale dans les plus brefs délais possibles et les mesures de protection qu'ils doivent prendre pour contrecarrer les tentatives de maraudage de la C.S.N.

> Les discussions autour du thème de l'unité syndicale furent sans doute les plus émouvantes de tout le congrès. On ne parlait pas qu'avec sa raison mais aussi avec son cœur. Il ne fait pas de

56. Ces idées étaient exprimées dès 1961 dans : *Information*, communiqué de presse, 6 septembre 1961.
57. *Information*, communiqué de presse, 7 juillet 1966.
58. Déclaration du secrétaire, Gérard Rancourt, au 23e congrès des relations industrielles de Laval, rapportée par *le Monde ouvrier*, vol. 53, nos 5-6, mai-juin 1968 : 4.
59. *Ibid.*, p. 4.

doute qu'une intense préoccupation des syndiqués de la base est bien la lutte que se livrent au Québec les deux centrales, C.S.N. et F.T.Q. Les délégués ont donné le mandat à leurs dirigeants d'amorcer avec l'autre centrale syndicale un véritable travail d'unification des forces syndicales au Québec [60].

Rappelons qu'au cours des années précédentes les dirigeants de la F.T.Q. déclaraient que leur fédération désirait amorcer des négociations avec la C.S.N., mais que les tactiques malhonnêtes, le maraudage systématique et les déclarations belliqueuses de cette dernière rendaient tout dialogue impossible.

À défaut d'unité organique et en dépit de la concurrence au niveau de l'organisation syndicale, la F.T.Q. n'hésite pas à coopérer avec sa rivale face à leurs adversaires communs, comme le démontrent les nombreux mémoires conjoints depuis 1958, leur front commun en 1961 contre le décret des détaillants en alimentation de la métropole, leur alliance pour dénoncer le Crédit social aux élections de 1962, leur opposition conjointe au bill 54 en 1964, le cartel U.C.C.-C.S.N.-F.T.Q. en faveur d'un régime d'assurance-maladie universel, obligatoire, public et complet, leur front commun pour la négociation collective dans la construction à Montréal en 1967 et leur front commun pour la négociation dans la fonction publique en 1970. Beaucoup d'autres exemples pourraient être cités. La F.T.Q. maintient alors une tradition d'action conjointe, lorsqu'il y a lieu, qui existait bien avant 1957. L'attitude de la F.U.I.Q. sur ce point a été assez longuement exposée précédemment. Une attitude similaire existait au sein de la F.P.T.Q., même s'il lui arrivait parfois de tirer au flanc. À titre d'exemple, notons que la résolution numéro 69 du congrès de 1954 appuie : « le principe du cartel ouvrier avec la C.T.C.C. et... autorise l'exécutif à décider en toute occasion s'il doit y avoir participation à toute action conjointe d'ici la prochaine assemblée ».

3. LES UNIONS AMÉRICAINES

La F.P.T.Q. ne s'est pas interrogée de façon critique, ni n'a mis sérieusement en doute le bien-fondé de l'affiliation de ses membres aux unions internationales. Elle ne s'est pas préoccupée des effets du caractère neutre, matérialiste et étranger des unions américaines, dont ses

60. « Synthèse du 10e congrès », *le Monde ouvrier*, vol. 52, no 11, novembre 1967 : 8. À l'ouverture du congrès, le président Laberge avait fait suivre son plaidoyer pour la lutte contre la pauvreté, par un vibrant appel à la solidarité et à l'unité syndicales.

adversaires, la C.T.C.C. et certains intellectuels, faisaient grand état. Elle y a vu, au contraire, une relation fonctionnelle permettant au syndicalisme canadien de bénéficier des ressources du syndicalisme américain dans ses luttes revendicatives. Chez la F.U.I.Q., la même vision des liens internationaux existait avec d'autant plus de conviction que les unions industrielles jouissaient de plus d'autonomie que les unions de métier tant en matière de négociation collective qu'en matière d'orientations socio-politiques.

Face au néo-nationalisme de la révolution tranquille et à l'exploitation de celui-ci sur le plan syndical par la C.S.N., la F.T.Q. est obligée de procéder à une réflexion critique qu'elle avait évitée jusque-là, afin de prévenir l'ostracisme social qui la menace et de regagner la faveur populaire. Dans cette opération, on peut observer le même processus que celui qui a été suivi par rapport à la révolution tranquille et au rôle de l'État. La F.T.Q. s'efforce alors de démontrer que ses liens avec les syndicats internationaux sont rationnels, avantageux et n'entachent pas fondamentalement son indépendance.

On insiste, d'une part, sur le caractère positif de la contribution passée et future des unions internationales tant au niveau de l'efficacité syndicale qu'au niveau de l'évolution du milieu québécois. Rancourt affirme que les unions internationales ont longtemps constitué le principal canal de l'introduction de valeurs modernes pour l'évolution du milieu québécois lors de son passage du stade agricole au stade industriel [61]. Laberge, tout en reconnaissant le phénomène de « canadianisation » et de « québéquisation » des syndicats, soutient qu'il s'agit d'un processus normal qui n'implique pas nécessairement une rupture des liens avec les unions américaines.

> Mon hypothèse de travail, c'est que nous allons avoir un marché commun nord-américain ou nord-atlantique avant même que nos membres désirent en grand nombre se détacher de leurs fédérations professionnelles dites internationales. Et alors, cette forme de syndicalisme, unique au monde, qui a répondu et répond encore à des besoins précis et concrets des syndiqués canadiens, deviendra la préfiguration du syndicalisme que pratiquent les travailleurs de pays de plus en plus intégrés à de grands ensembles économiques [62].

En plus de ce caractère fonctionnel, les liens avec les unions internationales constituent, selon la F.T.Q., une saine manifestation de

---

61. *Information*, communiqué de presse, 13 avril 1967.
62. Extrait d'un discours de Louis Laberge devant la Montreal Personnal Association, rapporté dans : *Information*, communiqué de presse, 17 octobre 1966.

solidarité ouvrière. Accusant ses adversaires de chercher à créer des conflits de loyauté dans le but de diviser les travailleurs, Laberge déclare que le syndicalisme se prostitue en assumant de telles querelles et conclut en disant :

> On pourra penser ce qu'on voudra de notre association fraternelle avec les travailleurs du reste du Canada et des États-Unis. On peut en critiquer les modalités d'application, comme nous le faisons nous-mêmes à l'occasion. Cependant, jamais on ne nous fera admettre qu'elle est en principe contraire à la nature même du syndicalisme, qui est l'expression pratique de la solidarité des travailleurs [63].

Il ajoute :

> En somme, les travailleurs n'ont d'autres choix qu'entre le paternalisme du patronat et des élites du milieu, d'une part, et ce que j'appellerais, d'autre part, le fraternalisme, c'est-à-dire leur solidarité avec les travailleurs du monde entier. Pour notre part, notre choix est fait et puisque nous vivons à l'ère de l'interdépendance, à la dépendance à l'endroit des classes dirigeantes du milieu, nous préférons la dépendance vis-à-vis de nos frères les travailleurs, fussent-ils citoyens d'autres provinces canadiennes ou d'autres pays [64].

Sur un troisième plan, la F.T.Q. veut démontrer que l'acceptation des liens avec les syndicats internationaux n'est pas inconditionnelle ni n'implique l'asservissement ou la servilité du syndicalisme québécois. Le conflit entre l'Union des artistes et Actor's Equity, en 1964, constitue pour elle une excellente occasion de faire une mise au point.

> Nous croyons fermement que le syndicalisme international continue à rendre d'immenses services aux travailleurs du Québec quand il tient compte de leurs exigences particulières, mais nous n'avons que faire d'une organisation qui ne satisfait même pas à une exigence allant de soi, l'affiliation aux centrales syndicales du milieu, et qui ne fait aucun cas des décisions et des positions adoptées par la F.T.Q. [65].

Une déclaration subséquente du secrétaire Rancourt définit encore plus clairement la position de la F.T.Q. Ce dernier, reconnaissant qu'il existe des cas extrêmes ou exceptionnels de syndicats américains qui

---

63. Extrait du discours de Louis Laberge à l'occasion de la fête du travail, rapporté par *le Monde ouvrier*, vol. 52, no 9, septembre 1967 : 3.
64. *Ibid.*, p. 3.
65. *Information*, communiqué de presse, 15 décembre 1964.

se conduisent au Canada ou au Québec comme en pays conquis, affirme qu'il ne les considère pas comme de véritables syndicats internationaux et qu'ils n'ont pas de place en son pays, en terminant ses propos dans les termes suivants :

> Les travailleurs du Québec, dans leur grande majorité, ont démontré et continuent de démontrer à l'évidence leur attachement au syndicalisme international et pancanadien. Il appartient maintenant au syndicalisme international et pancanadien de nous dire s'il est toujours prêt à nous représenter et à nous permettre de faire face de façon efficace à la fois au capitalisme international et à la technologie internationale, d'une part, à une bourgeoisie locale qui n'a pas renoncé à son rêve d'une classe ouvrière bien domestiquée et livrée à ses ambitions comme à ses appétits [66].

On peut conclure de ces propos que la F.T.Q. maintient, en principe, sa foi dans la solidarité internationale des travailleurs quant à l'action économico-professionnelle, mais accorde la priorité à la solidarité nationale en matières sociales et de législations ouvrières. Le syndicalisme québécois reconnaîtrait de moins en moins le leadership américain ou pancanadien sur les questions qui n'ont pas une conséquence directe sur la négociation collective et définirait ses rapports avec ces derniers sur une base d'affaire.

4. LE CONGRÈS DU TRAVAIL DU CANADA

La F.T.Q. manifeste envers le C.T.C. une tendance autonomiste qui est même plus forte que celle que nous avons notée vis-à-vis des unions internationales. Les années 60 ont constitué, pour elle, une lente marche vers un statut particulier au sein du syndicalisme canadien, qui lui conférerait une identité québécoise face à la C.S.N. et aux particularismes du milieu. Cette démarche dénote un désir de cesser d'être un centre strictement législatif ou une simple succursale du C.T.C. pour devenir un centre typiquement syndical. Elle implique un processus de redistribution du pouvoir et de redéfinition des relations entre la F.T.Q. et le C.T.C. où ce dernier apparaît parfois comme un étranger sinon un adversaire.

Dans sa quête d'un statut nouveau, la F.T.Q. agit sur trois plans : en faisant preuve d'initiative au niveau de l'action par des gestes qui outrepassent ses fonctions ; en réclamant plus de pouvoir auprès du

---

66. Extrait d'une allocution prononcée par le secrétaire Rancourt dans les cadres d'un stage d'éducation syndicale, rapportée dans : *Information*, communiqué de presse, 10 juin 1967.

C.T.C. ; en suivant une politique de présence dans le milieu propre à une centrale syndicale plutôt qu'à une fédération régionale.

Rappelons quelques faits qui illustrent le premier point. En 1965, la F.T.Q. appuie les postiers de Montréal dans leur rébellion contre leur organisation nationale supportée par le C.T.C. En 1966, elle intervient à Radio-Canada pour supporter le S.C.F.P. dans son maraudage contre I.A.T.S.E. en dépit de la condamnation de cette intervention par le C.T.C., forcé d'appuyer I.A.T.S.E. de par sa constitution. Elle joue un rôle des plus actifs à l'occasion de la campagne d'organisation à l'Hydro-Québec, opposant le S.C.F.P. à la C.S.N. en 1966, ainsi que dans la grève de l'année suivante. Elle intervient de façon décisive dans la négociation collective du bâtiment à Montréal en 1965. Elle appuie ouvertement les métallos dans leur maraudage de l'Union internationale des mouleurs, en Mauricie en 1965, opération qui est en contracdiction flagrante avec la constitution du C.T.C. [67]. Elle décide en 1967, comme si elle avait le statut d'une centrale syndicale, de s'engager dans des pourparlers en vue d'un pacte de non-maraudage avec la C.S.N. et la C.E.Q. [68]. Elle prend l'initiative en 1969 d'accepter l'affiliation provisoire des unions des *teamsters*, bien que ces derniers soient encore exclus du C.T.C.

Le mouvement de conquête de nouveaux pouvoirs s'est effectué en deux étapes. Entre 1960-1965, la F.T.Q. négocie laborieusement un nouveau partage des pouvoirs en matière d'organisation et d'éducation, en misant sur la concurrence de la C.S.N. Alors que la F.T.Q. réclamait une juridiction complète sur ces deux fonctions, un compromis les définit comme une responsabilité conjointe C.T.C.-F.T.Q. [69]. La

---

67. Faisons remarquer que la C.S.N. est impliquée dans chacun des cas d'organisation syndicale où la F.T.Q. intervient. C'est d'ailleurs en invoquant la perte imminente de membres aux mains de la C.S.N. que la F.T.Q. justifie ses interventions. Mais, celles-ci lui permettent en même temps de s'affirmer comme centre syndical québécois tant vis-à-vis du C.T.C. que vis-à-vis de la C.S.N.

68. Ce dernier geste a soulevé un conflit C.T.C.-F.T.Q. qui menaçait d'éclater au congrès du C.T.C. de 1968. Le C.T.C. prétendait que la F.T.Q. était allée au-delà de ses attributions en s'arrogeant une prérogative qui lui appartenait exclusivement. Le conseil exécutif convoquait une réunion sur cette question les 9 et 10 avril, geste que dénonçait Laberge en présentant sa démission comme vice-président du C.T.C. En retour, la F.T.Q. proposait une résolution demandant au congrès d'entériner son geste. Le conflit fut réglé par une négociation entre les deux parties, dans les coulisses du congrès. L'entente finale prévoyait que la F.T.Q. et le C.T.C. conduiraient conjointement les pourparlers avec la C.S.N. et la C.E.Q., ce que les deux parties ont interprété comme une victoire.

69. Ces compromis ne satisfont pas tout le monde au sein de la F..T.Q., en particulier celui sur l'éducation syndicale. Ainsi, Jean Gérin-Lajoie, reprochant à Provost d'avoir manqué de fermeté, déclarait : « Comme nous considérons de

seconde étape se situe en 1967-1968, au moment où le C.T.C. réétudie sa constitution et ses structures. La F.T.Q. y soumet un mémoire qui contient un projet de redéfinition d'elle-même, comme fédération provinciale dans le contexte des particularismes québécois.

Dans ce mémoire, la F.T.Q. définit sa situation en deux points. D'une part, elle fait grand état de sa position de faiblesse relativement à la C.S.N. :

> Quant à la situation de notre fédération : elle est particulièrement difficile. Nous devons faire la lutte à une centrale syndicale qui dispose de revenus douze fois plus élevés que les nôtres ; qui jouit de l'appui des médiums d'information ; qui est supportée par les intellectuels ; qui est secondée par les nationalistes et dont la grande autorité sur ses affiliés accroît l'efficacité [70].

D'autre part, elle insiste fortement sur les caractères particuliers du Québec en faisant siens les propos de John Crispo dans *International Unionism*, à l'effet que la F.T.Q. devrait bénéficier d'un statut particulier sur le plan syndical analogue à celui du Québec vis-à-vis de la Confédération canadienne. En fonction de ce contexte, la F.T.Q. présente trois demandes précises. Elle réclame, en premier lieu, une meilleure assiette fiscale, alléguant que des revenus plus considérables lui permettraient d'améliorer ses services dans un contexte de concurrence.

La C.T.C. devrait :

1. Exiger que toutes les unions locales soient tenues de s'affilier à leur fédération et à leur conseil du travail respectifs ;

2. Hausser sa taxe per capita de 10¢ par mois et redistribuer cette somme aux fédérations selon un système de péréquation qui tiendrait compte des facteurs suivants : A) l'étendue du territoire ; B) la dispersion des membres ; C) le pluralisme syndical ; D) le bilinguisme [71].

En deuxième lieu, elle réclame plus de pouvoir afin d'éliminer le parallélisme structurel entre le C.T.C. et les fédérations provinciales et

toute première importance qu'un programme d'éducation syndicale destiné aux travailleurs du Québec soit dirigé sur place afin d'être adapté aux besoins des travailleurs du Québec, et étant donné le rôle que nous avons joué lors du congrès de la F.T.Q. au mois de novembre, nous nous voyons forcés d'établir clairement notre position devant nos 15 000 membres » (voir : *Communiqué des Métallurgistes unis d'Amérique*, p. 1).

70. *Mémoire de la F.T.Q. à la Commission sur la constitution et les structures du C.T.C.*, Montréal, 25 janvier 1967, p. 14.
71. *Ibid.*, p. 16.

afin que celles-ci ne soient plus réduites au rôle de porte-parole, plus ou moins autorisé, auprès des gouvernements provinciaux :

1) Les fédérations devraient pouvoir chartrer : a) les conseils du travail ; b) les conseils de métiers ou industriels ; c) des groupes régionaux de travailleurs syndiqués ;

2) Elles devraient assumer les fonctions des bureaux régionaux (qui devraient être abolis) y compris les services aux locaux chartrés ;

3) Pour remplir les tâches mentionnées au paragraphe précédent, le C.T.C. devrait leur remettre la portion de son budget couvrant le coût de ces services [72].

La troisième demande, portant sur l'accélération des procédures en cas de conflit de juridiction, semble de caractère strictement technique, mais est néanmoins d'une grande importance pour la F.T.Q. si l'on considère qu'elle a supporté au cours des années précédentes, à l'encontre du C.T.C., des maraudages visant à prévenir que des membres ne passent à la C.S.N.

Les représentants de la F.T.Q., en particulier Rancourt et Laberge, ont vigoureusement défendu ces demandes lors du congrès du C.T.C. en mai 1968, mais ont obtenu peu de satisfaction. En effet, le C.T.C. a décidé de recommander fortement l'affiliation des organisations locales aux fédérations provinciales au lieu de les y obliger, ce qui ne changeait pas la situation que la F.T.Q. voulait modifier ; la demande pour accroître les pouvoirs des fédérations a été rejetée ; le problème du droit d'appel a été réglé en coulisse de façon à prévenir un éclatement au sein du congrès, mais sans donner entièrement satisfaction à la F.T.Q.

Les relations F.T.Q.-C.T.C. traversent une période difficile. Si la première semble vouloir acquérir le statut d'une centrale syndicale provinciale sans rompre ses attaches pancanadiennes, la seconde, bien qu'affichant une certaine réceptivité au problème posé par la concurrence de la C.S.N., demeure néanmoins peu sensible à la question des particularismes québécois. Il ne serait pas surprenant, dans ces conditions, que se dessine chez la F.T.Q. une politique d'initiatives mettant le C.T.C. devant des faits accomplis. Celle-ci cadrerait fort bien avec la politique de présence que la F.T.Q. pratique depuis quelques années en prenant position sur toutes les questions d'intérêt public, telles que la constitution, l'administration de la justice, les droits de l'homme,

72. *Mémoire de la F.T.Q.*, 25 janvier 1967, *op. cit.*, p. 18.

les mesures de guerre, etc., comme si elle avait le statut d'une centrale syndicale. Celle-ci cadrerait aussi avec la politique de rapprochement avec la C.S.N., observable dans les mémoires conjoints, dans l'action conjointe contre le bill 54, le bill 25 et la loi des mesures de guerre, ainsi que dans les cartels de négociation. Ce rapprochement peut être interprété comme constituant pour la F.T.Q. un symbole de son enracinement dans le milieu québécois, un facteur de neutralisation de l'image nationaliste de la C.S.N. et une affirmation d'une certaine indépendance à l'égard du C.T.C.

D. DÉFINITION DES RAPPORTS AVEC L'ÉTAT : L'ACTION POLITIQUE

La fusion de 1957 réunissait deux mouvements aux traditions politiques très différentes. Alors que la F.U.I.Q. était fortement politisée, la F.P.T.Q. entretenait une peur quasi maladive envers l'engagement politique. Les attitudes de la F.U.I.Q. sur ce plan ayant été décrites précédemment, nous allons examiner dans les pages suivantes, l'apolitisme de la F.P.T.Q. puis la politisation de la F.T.Q.

1. L'APOLITISME DE LA F.P.T.Q.

Dès sa création, la F.P.T.Q. se définit comme apolitique, au point d'interdire à ses dirigeants de se mêler de politique. L'article 15 de la constitution est révélateur.

> Tout dirigeant de la Fédération désirant se porter candidat à une élection fédérale, provinciale ou municipale devra au préalable donner sa résignation comme dirigeant de la Fédération ; il n'est pas permis non plus à un dirigeant quelconque d'adresser la parole à une assemblée politique ou d'autoriser tout candidat de se servir de son nom ou de son titre.

Pendant toute l'existence de la F.P.T.Q., les éléments apolitiques sont majoritaires et s'opposent systématiquement à toute action politique engagée. Les efforts des éléments minoritaires sont annihilés dès les premières années d'existence de la F.P.T.Q., comme en font foi les faits suivants. Au congrès de 1943, l'assemblée générale, par un vote écrasant rejette l'idée de la formation d'un parti politique ouvrier, bien que l'exécutif, sur la base d'un vote antérieur, ait préparé un programme. Au congrès de 1944, une résolution demandant que la convention donne au comité exécutif le mandat de créer un comité d'action politique non partisane est rejetée. La déclaration suivante d'un délégué, à cette occasion, nous semble bien définir le sentiment général qui a prévalu pendant l'existence de la F.P.T.Q. « Le mouvement ouvrier devrait s'en tenir aux questions économiques et laisser la politique tranquille [73]. »

Au cours des années 50, la F.P.T.Q. s'éveille à l'information politique. Au cours d'une conférence d'étude, tenue en 1954, le comité consultatif de la F.P.T.Q. conclut que celle-ci ne doit pas faire d'action politique partisane en formant ou en endossant un parti politique, ni en participant aux campagnes électorales, mais qu'elle peut entreprendre un programme d'éducation ouvrière afin d'éclairer les membres et le public en général dans l'exercice de leur droit de vote aux élections. On s'oriente vers une action politique éducative parce que l'on croit qu'il faut que les officiers et les membres, avant de s'engager dans une action politique partisane, connaissent à fond les buts et les aspirations du mouvement ouvrier, qu'ils soient convaincus de leur devoir de voter à toutes les élections et qu'ils soient en mesure de juger les hommes politiques et les événements. C'était, en quelque sorte, l'application, avec près de 10 ans de retard, de la décision du C.M.T.C. recommandant la formation de comités d'action politique suivant la formule de Sidney Hillman du C.I.O.

En rejetant toute forme d'action politique partisane, la F.P.T.Q. opte pour la méthode bureaucratique et celle de l'antichambre. D'une part, un lobbying, pratiqué de façon continue, sert à la fois de canal de protestation et de revendication ouvrières. D'autre part, la F.P.T.Q. s'efforce constamment d'obtenir une représentation sur les organismes gouvernementaux, consultatifs ou administratifs, qui concernent les travailleurs. Cette forme de pénétration du pouvoir politique apparaît, dans les années 50, comme le meilleur moyen d'obtenir des concessions et de parer certains coups de la part d'un gouvernement antisyndical.

Pendant les pourparlers de fusion, la F.P.T.Q. tente de redorer quelque peu son blason, fortement terni par son comportement à l'occasion des bills 19 et 20 en 1954. Ainsi, faisant montre d'une certaine exaspération à l'égard du gouvernement Duplessis, l'assemblée générale sanctionne en 1957, trois résolutions, numéros 48, 49 et 54, préconisant l'arrêt de travail généralisé et l'utilisation au maximum des média d'information de masse afin de défendre les points de vue des travailleurs organisés en exerçant des pressions sur le gouvernement.

---

73. *Rapport des délibérations de la septième conférence annuelle de la F.P.T.Q.*, Shawinigan, 8-10 septembre 1944, p. 13.

2. LA POLITISATION DE LA F.T.Q.

La fusion entraîne un élargissement des horizons idéologiques de l'ancienne F.P.T.Q. à l'égard des objectifs socio-économiques. On retrouve, en effet, l'esprit du manifeste de Joliette, dans la déclaration de principes, adoptée en 1957, suivant laquelle la F.T.Q. s'affiche partisane de l'éducation gratuite à tous les niveaux, d'un système complet de sécurité sociale, de l'étatisation des ressources naturelles, de la socialisation de l'éducation et d'une action politique énergique. Un mois plus tard, le Conseil exécutif adopte un texte réaffirmant la nécessité de l'éducation et de l'action politique pour atteindre des objectifs sociaux que les forces politiques en place n'assumeront jamais d'elles-mêmes et préconisant une action politique directe en attendant de pouvoir appuyer un parti qui offrirait des garanties quant aux intérêts de la classe ouvrière.

Si l'idéologie de l'ancienne F.U.I.Q., en matière politique, paraît imprégner l'idéologie officielle de la F.T.Q. dès sa création, le projet d'engagement politique partisan n'est pas le fruit d'une évolution intrinsèque, mais celui d'un processus d'imitation de l'orientation de la centrale canadienne. En effet, en approuvant le projet de formation d'un nouveau parti en 1960 et en invitant les travailleurs québécois à participer à l'avènement d'une véritable démocratie économique, politique, sociale et nationale à l'intérieur du N.P.D. en 1961, la F.T.Q. épouse tout simplement au niveau provincial la démarche du C.T.C. au niveau fédéral. C'est peut-être, ce qui constitue, à la fois une force et une faiblesse.

D'une part, la F.T.Q. doit périodiquement justifier son alliance avec le N.P.D., ce qui l'amène à sublimer en quelque sorte les valeurs sociales-démocratiques que représente ce parti. Celles-ci constituent un centre de référence et un élément moteur dans la définition de soi, à la fois quant à la détermination des objectifs socio-politiques et quant à la définition du rôle de l'État. L'idéologie de la F.U.I.Q. représentait une infusion des mêmes valeurs, mais nous ne croyons pas qu'elles auraient marqué autant l'idéologie de la F.T.Q. en l'absence du facteur catalyseur de l'engagement politique partisan. C'est à notre point de vue, la principale rentabilité de l'endossement du N.P.D. par la F.T.Q.

Au niveau plus concret de l'action électorale, le bilan de la relation F.T.Q.-N.P.D. n'est pas plus positif que celui de la relation F.U.I.Q.-C.C.F. Notre hypothèse explicative est à l'effet que les mêmes causes sont à l'origine de ce double échec : manque de conviction des élites syndicales, apathie des membres et éloignement du N.P.D. de la réalité québécoise. Le passage suivant indique que l'on est conscient de ce problème dans les cercles de la F.T.Q.

La F.T.Q. a mis la charrue devant les bœufs en décidant d'appuyer officiellement le N.P.D. fédéral, en 1961, sans d'abord s'assurer de l'existence d'un mouvement favorable à la base et sans avoir fait l'éducation politique qui aurait peut-être permis la formation d'un tel mouvement [74].

C'est pourquoi, bien que l'on demeure convaincu de la nécessité d'une action politique directe, la forme de l'engagement politique subit une remise en question. La recherche de nouvelles avenues s'est exprimée au congrès de 1967 dans la résolution suivante.

Que le prochain Comité d'action politique soit chargé par le Conseil général de la F.T.Q. d'organiser avec les autres mouvements progressistes du Québec une conférence exploratoire devant mener éventuellement au regroupement des forces politiques de gauche dans la province au sein d'un parti provincial [75] !

Dans la conjoncture socio-politique actuelle du Québec, on peut douter de la rentabilité réelle de cette nouvelle option, ce dont les dirigeants de la F.T.Q., à notre avis, sont conscients. C'est pourquoi, nous prévoyons à plus ou moins brève échéance, à défaut d'une remise fondamentale en question de la relation F.T.Q.-N.P.D., une bifurcation vers d'autres formes de manifestations politiques, où l'adhésion N.P.D.iste serait en veilleuse et servirait d'appui idéologique.

En dépit de son engagement politique partisan, la F.T.Q. n'a pas pour autant relégué à l'arrière-plan les méthodes traditionnelles du syndicalisme. Elle a, au contraire, accentué son action par la présentation de nombreux mémoires, des prises de position publique fréquentes, par une volonté de participation dans les organismes gouvernementaux à caractère économique ou social et occasionnellement par la pression publique, telle sa campagne contre le projet de Code du travail en 1964. On demeure, en effet, convaincu que ces modes d'action politique s'avèrent nécessaires jusqu'à l'avènement d'un parti politique représentant vraiment les intérêts des travailleurs.

* * *

Le développement idéologique d'une fédération provinciale est fortement conditionné par sa situation existentielle au sein d'un mouvement syndical, dans la mesure où elle accepte de se définir comme

74. « Action politique : rendez-vous en 1971 », *le Monde ouvrier*, vol. 54, nos 10-11, octobre-novembre 1969 : 5.
75. On fait grand état de cette résolution dans *le Monde ouvrier*, vol. 52, no 11, novembre 1967 : 7-8.

une structure horizontale. La F.P.T.Q., qui n'avait pas l'intention ni le pouvoir de mettre son statut en question, constituait un reflet pur et simple de l'idéologie du syndicalisme de métier américain et pancanadien. La F.U.I.Q. reflétait aussi l'idéologie du syndicalisme industriel américain et pancanadien, mais, parce que ses affiliés jouissaient de plus d'autonomie que les syndicats de métier et parce qu'une partie importante de ses dirigeants étaient socialement engagés, elle a pu, principalement par opposition au catalyseur représenté par un gouvernement réactionnaire, s'adapter à l'idéologie du syndicalisme industriel et y ajouter une dimension originale, ce qui lui permettait de proposer une réponse globale aux problèmes du milieu ambiant. Dans le contexte de la révolution tranquille, la F.T.Q., pour survivre, a dû adopter une idéologie de rattrapage sur la C.S.N., ce qui l'a entraînée dans une démarche de redéfinition de soi visant à transformer son statut d'organisation horizontale en celui de centrale syndicale.

Les trois organisations que nous avons étudiées dans ce chapitre définissent le syndicalisme comme un mouvement de revendication socio-économique dont la fonction primordiale est la promotion et la défense des intérêts économico-profesionnels de ses membres. Cette orientation fonctionnelle implique que le syndicalisme accepte le système capitaliste comme mode de production de biens économiques et qu'il s'attribue la responsabilité de veiller au partage équitable des fruits de la production. Tout en demeurant conscient d'une communauté d'intérêt avec le patronat, le monde syndical considère que l'équité dans la distribution du profit est la condition fondamentale d'une approche de coopération plutôt que d'une approche de conflit. Le pouvoir et l'efficacité constituent alors un prérequis fonctionnel qui conditionne la définition, dans leur ensemble, des rapports avec les autres. C'est pourquoi, chez la F.T.Q., les concessions aux pressions culturelles du milieu ainsi que la montée du nationalisme n'éliminent pas, au nom de l'efficacité syndicale, les liens avec les syndicats internationaux et pancanadiens.

Si la définition de soi de la F.P.T.Q. s'inscrit dans cette perspective stricte, celles de la F.U.I.Q. et de la F.T.Q. contiennent une deuxième dimension qui traduit la bipolarité du mouvement ouvrier. Indépendamment du mode d'action politique choisi, l'engagement sociopolitique dénote une volonté de poursuivre des objectifs qui dépassent les assises ouvrières et de participer à la transformation de la société au lieu de se limiter à une adaptation à son évolution. L'action syndicale tout en étant démocratiquement révolutionnaire possède aussi un caractère de réducteur de tension.

Chapitre 6

La pensée économique

Ce chapitre a pour but de présenter les grandes lignes de pensée de la F.P.T.Q., de la F.U.I.Q. et de la F.T.Q., principalement par un examen de leurs définitions du système économique et des rôles des agents économiques qui se dégagent des jugements qu'elles portent et des objectifs qu'elles proposent. Suivant le modèle du chapitre précédent, chaque fédération sera étudiée séparément. Nous accorderons une attention spéciale à la façon dont les politiques de la F.P.T.Q. et de la F.U.I.Q. se sont mariées au cours des premières années d'existence de la F.T.Q. et à la façon dont la redéfinition de soi de cette dernière s'est traduite dans son idéologie économique.

I
La Fédération provinciale du travail du Québec

En matière économique, la F.P.T.Q. a une idéologie de consommation, centrée sur l'objectif de la protection et de l'accroissement du pouvoir d'achat du travailleur. À cet effet, elle accepte les fondements du système économique libéral, en reconnaissant un rôle moteur de l'économie à l'entreprise privée et en conférant un rôle purement supplétif à l'État et attribue au syndicalisme une fonction revendicative portant sur le couple pouvoir d'achat-chômage. La structure et le contenu de cette idéologie économique ressortent de l'étude des demandes de la fédération gravitant autour de la préoccupation fondamentale que constituent l'augmentation du pouvoir d'achat et la résorption du chômage.

A. LE POUVOIR D'ACHAT

L'inflation apparaît, au début de la Seconde Guerre mondiale, comme le principal obstacle à l'élévation du pouvoir d'achat qui devrait découler du fonctionnement normal du système économique. La F.P.T.Q. en attribue la cause à la politique patronale de gestion de l'économie : intermédiaires trop nombreux entre le producteur et le consommateur, salaires exagérés des administrateurs, publicité trop coûteuse, surcapitalisation des entreprises, intérêts obligataires trop élevés, etc. [1]. Aussi fait-elle sienne la politique du C.M.T.C. visant à améliorer le pouvoir de consommation par un contrôle gouvernemental des prix et par l'augmentation des salaires [2]. Elle le fait cependant avec une certaine réticence car, pour certains, il importe davantage d'exercer un contrôle sur les prix que de promouvoir les salaires, parce que leur croissance a un effet direct sur l'élévation de l'indice du coût de la vie.

> Il est encore plus important de réduire la moyenne du coût de la vie que d'augmenter la moyenne des salaires, celle-ci n'étant qu'une conséquence de celle-là. L'augmentation de salaires ne rime à rien si elle n'est que la résultante d'une récente augmentation du coût de la vie et le prétexte à une prochaine. Qu'on réduise le coût moyen de l'existence à un niveau minimum, puis qu'on le stabilise à ce niveau pour stabiliser en même temps le pouvoir d'achat moyen de chaque consommateur [3].

Au mois de novembre 1941, le gouvernement fédéral décide de pratiquer un contrôle des prix et des salaires en vue d'enrayer l'inflation, tout en imposant aux employeurs l'obligation d'accorder une indemnité de vie chère à leurs employés. La réticence précédente est mise au rancart, car la F.P.T.Q., suivant la politique du C.M.T.C., s'oppose au gel des salaires en invoquant que les véritables causes de l'inflation sont ailleurs :

> Nous demeurons convaincus que la stabilisation du coût de la vie et des salaires, de même que l'obligation à l'indemnité de vie chère ne suffiront pas pour ordonner suffisamment notre économie

1. « Notre économie de guerre », *le Monde ouvrier*, vol. 27, septembre 1941 : 4 ; « Un danger social : la croissance du coût de la vie », *le Monde ouvrier*, vol. 27, septembre 1941 : 5 ; « L'application de notre économie de guerre », *le Monde ouvrier*, vol. 28, août 1942 : 3.
2. « Il faut stabiliser le pouvoir d'achat », *le Monde ouvrier*, vol. 27, avril 1941 : 1 ; « Aux employeurs de main-d'œuvre », *le Monde ouvrier*, vol. 27, mai 1941 : 5 ; « En marge de l'effort de guerre », *le Monde ouvrier*, vol. 27, juillet 1941 : 4.
3. « En marge de l'effort de guerre », *le Monde ouvrier*, vol. 27, août 1941 : 1.

nationale. Il faudra tôt ou tard réduire le salaire du capital à sa plus simple expression... [4].

Par la suite, la F.P.T.Q. endosse le programme en sept points du C.M.T.C. préconisant, entre autres mesures pour assainir l'économie de guerre, que le gouvernement fédéral taxe l'excédent des profits raisonnables et limite les revenus personnels à $20 000 annuellement [5].

Cette attitude constitue un rejet implicite de la théorie que les salaires ont un caractère inflationniste. Cette idée deviendra explicite et ferme par la suite. Il y a là un élément de base dans la structure de l'idéologie économique de la F.P.T.Q., soit : que l'amélioration rapide du pouvoir de consommation et du niveau de vie des travailleurs résultera à la fois du contrôle des prix et des augmentations des salaires, ce qui assurera une redistribution plus équitable des revenus. C'est ce que nous retrouvons dans les revendications des années suivantes.

Avec la fin des hostilités, le gouvernement fédéral supprime le contrôle des salaires (en novembre 1946) et abolit progressivement la réglementation des prix (fin de 1946 et début de 1947). Suite à l'inflation consécutive à la disparition des mesures restrictives sur les prix, la F.P.T.Q. accuse le gouvernement fédéral de céder aux pressions de la haute finance et réclame le maintien de la politique du temps de guerre sur le contrôle des prix. Elle exprime sa protestation dans une résolution, adoptée à son congrès de juin 1946, qu'elle présente au congrès du C.M.T.C. en septembre suivant, en y incluant ses propositions pour régler le problème :

1) La présente situation provient des pratiques mesquines des grands employeurs et de la politique du gouvernement sur les salaires et les impôts ;

2) la hausse rapide des prix n'est pas due aux demandes de salaires plus élevés par les ouvriers mais parce que le gouvernement a relaché le contrôle des prix, qu'il a cessé ses subsides sur les nécessités essentielles et établi sa politique de prix sur le maintien de gros profits... ;

3) le rétablissement des prix au niveau de janvier 1946 et la mise en vigueur du contrôle des prix ;

4) l'élimination des contrôles sur les salaires, à l'exception des salaires minima, et l'institution d'un contrôle sur les profits per-

4. « Vers l'économie dirigée », *le Monde ouvrier*, vol. 27, novembre 1941 : 3.
5. « Nos sept points », *le Monde ouvrier*, vol. 28, mai 1942 : 1.

mettant des hausses seulement après qu'une marge de profit raisonnable a été établie ;

5) que le gouvernement fasse cesser la grève de production par l'industrie, qui fait effort pour faire monter les prix [6].

Comme les gouvernements ne démontrent pas d'intention de combattre l'inflation par un contrôle des prix, le syndicalisme doit se concentrer sur la négociation d'augmentations des salaires en vue de maintenir ou d'améliorer le pouvoir d'achat de ses membres. C'est là, l'attitude adoptée par le C.M.T.C. en 1947, laquelle sert de point de référence pour les fédérations provinciales [7]. L'attitude de la F.P.T.Q. est bien illustrée par la citation suivante :

> Devant le gouvernement qui refuse sans cesse d'appliquer la régie des prix, réclamée par tous les mouvements ouvriers du pays, les ouvriers ne peuvent guère faire autrement, s'ils veulent subvenir aux besoins de leurs familles, que de réclamer de nouvelles hausses de salaires... Tant que le gouvernement n'imposera pas une régie des prix, les travailleurs seront ainsi forcés de tâcher de réclamer une plus grande part des profits des compagnies. C'est leur DROIT : les profits des compagnies viennent de la poche des travailleurs [8].

La lutte contre l'inflation constitue le cœur des revendications dans le combat en vue de protéger et d'améliorer le pouvoir d'achat. Mais, une série de demandes périphériques poursuivent le même objectif. Ainsi, à divers moments, la F.P.T.Q. revendique diverses mesures, telles que : une diminution ou une exemption d'impôts pour les familles à faible revenu, une indemnité de vie chère, l'élimination du zonage des salaires à l'intérieur d'une province, l'augmentation du salaire minimum, des allocations familiales ou des pensions de vieillesse, l'établissement d'une semaine régulière de travail afin de stabiliser les salaires, la déductibilité aux fins fiscales des frais médicaux et des médicaments ainsi que l'augmentation des impôts sur les profits excédentaires des sociétés.

---

6. *Rapport de l'exécutif pour l'exercice 1946-1947*, résolutions soumises au congrès de Windsor, 1947, p. 3.
7. Le C.M.T.C. avait adopté en 1947 la résolution suivante : « Qu'il soit donc résolu que cette conférence du C.M.T.C. s'enregistre comme favorisant le principe d'obtenir par négociations l'amélioration des conditions de travail et des salaires... Celle-ci est rapportée par la fédération. Voir : *Rapport de l'exécutif pour l'exercice 1947-1948*, la conférence du congrès de Hamilton, p. 3.
8. « Nouvelle ronde d'augmentations », *le Monde ouvrier*, vol. 35, n° 10, octobre 1950 : 4.

B. LE CHÔMAGE

Face au problème du chômage, la F.P.T.Q. réagit selon la conjoncture économique à court terme.

Le plein-emploi de la période de la Seconde Guerre mondiale contraste violemment avec le chômage généralisé de la grande dépression des années 30. La F.P.T.Q., tout comme le syndicalisme nord-américain, constate que le plein-emploi est réalisable et s'interroge, avec angoisse, sur ce que l'avenir d'après-guerre réserve. C'est pourquoi, de même que l'on vise à conserver le statu quo du temps de guerre quant au contrôle des prix, on se donne comme objectif de maintenir pendant la période de conversion industrielle le niveau d'emploi du temps de guerre.

> Mais une amélioration dans la situation au front a naturellement conduit ces mêmes travailleurs à se demander ce qui leur est réservé à l'avènement de la paix... Depuis que la victoire s'est avérée une certitude sur les champs de bataille, sa pensée a suivi un simple processus de raisonnement qui lui a fait clairement voir les injustices du passé et ses exigences pour l'avenir. Il s'est convaincu que les conditions qui gouvernaient — ou ne gouvernaient pas — sa vie en 1939 doivent disparaître avec la guerre [9].

Avec le transfert de l'économie de guerre en une économie de paix et le retour au pays des combattants, le chômage s'accroît. La F.P.T.Q. propose alors, au gouvernement provincial de constituer, à l'instar du gouvernement fédéral, un comité tripartite (État-Capital-Travail) de reconstruction et de reconversion de l'économie. Ce comité devrait coopérer avec le gouvernement fédéral et mettre en œuvre un programme d'action en six points comprenant l'établissement de la semaine de travail de 40 heures sans réduction de salaires, des prestations d'assurance-chômage plus élevées et la création d'un organisme qui verrait à l'usage intégral des usines industrielles [10].

De 1948 à 1950, le taux de chômage national passe de 2,6% à 4,4%. La fédération en impute la responsabilité aux industriels dont les profits sont trop élevés ou qui cessent leur production et à l'État dont la politique de travaux publics laisse à désirer. Elle affirme, en même temps, qu'il revient, en premier lieu, à l'entreprise privée d'assurer le plein-emploi, mais qu'il est du devoir de l'État, si celle-ci ne peut y parvenir, de la suppléer en créant des emplois par des travaux publics. « Si l'entreprise privée ne peut fournir l'embauchage intégral

---

9. *Mémoire législatif au gouvernement provincial*, présenté le 25 novembre 1943.
10. *Mémoire législatif au gouvernement provincial*, présenté le 17 janvier 1945.

alors nos gouvernements devraient tenter tous les efforts possibles afin de créer de l'emploi par le truchement de travaux publics [11].

Pendant la guerre de Corée, le taux de chômage baisse, mais remonte à la fin des hostilités. Le taux de chômage, de l'ordre de 6% en 1954, apparaît alarmant, car les attitudes sont fortement influencées par les expériences vécues pendant les années 30 et la période suivant la Seconde Guerre mondiale, ce qui amorce une recherche de solutions plus générales. La F.P.T.Q., en reprochant au gouvernement provincial ses déclarations optimistes et sa faiblesse face au capital étranger, propose que l'autorisation d'exploiter des richesses naturelles soit reliée au raffinage de la matière première dans la province [12]. Elle demande, d'autre part, au gouvernement fédéral de convoquer une conférence nationale où seraient représentés le Capital, l'État et le Travail et de confier au ministère du Travail le contrôle de l'immigration.

Comme le taux de chômage continue à s'élever, la F.P.T.Q. commence à s'interroger sur les conditions du fonctionnement de l'économie libre : « L'entreprise libre, qu'on nous a si souvent vantée comme source de prospérité et gage de progrès, est-elle capable d'assurer le plein-emploi ? Peut-elle accorder la sécurité à l'ouvrier ? Sinon, il nous faudra chercher une autre formule économique [13]. » Elle adoptera progressivement la conviction que le chômage est un élément chronique et non pas saisonnier de l'économie, contrairement à la prétention gouvernementale.

C. LA PERCEPTION DU SYSTÈME ÉCONOMIQUE

Le marasme de la grande dépression, la prospérité de la période de guerre et l'instabilité économique subséquente auraient constitué, pour un syndicalisme idéologique, une démonstration suffisante de la faiblesse de l'idéologie et des structures du capitalisme libéral et de l'impuissance du syndicalisme vis-à-vis de l'objectif d'une promotion généralisée du pouvoir de consommation et du niveau de vie. Mais tel n'est pas le cas chez la F.P.T.Q. Incapable de s'interroger sur le système, de façon autonome, elle réagit selon la conjoncture dans une perspective à court terme. Devant l'ineptie des employeurs et de l'État, eu égard au contrôle de l'inflation et du chômage, elle imite, à la fin

11. *Mémoire législatif au gouvernement provincial*, présenté le 1er mars 1950, p. 3.
12. *Rapport des délibérations de la dix-septième conférence annuelle de la Fédération du travail du Québec*, Granby, 11-13 juin 1954, résolution n° 94, p. 11.
13. *Rapport de l'exécutif pour l'exercice 1954-1955*, p. 4.

de la période, le repliement sur soi des unions internationales et du C.M.T.C., qui se traduit prioritairement dans une action, basée sur le pouvoir de marchandage syndical, au niveau de la négociation collective.

Cette orientation se comprend, si l'on considère que la F.P.T.Q., en vertu de sa position structurelle, n'est que le porte-parole d'un syndicalisme qui non seulement accepte le capitalisme libéral, mais qui s'en fait, à l'occasion, le défenseur. Sur ce plan, la F.P.T.Q. s'est, pendant son existence, bien acquittée de sa tâche. Elle reconnaît que le capitalisme, fondé sur l'entreprise privée, constitue le seul système capable d'entraîner une forte productivité et par conséquent d'assurer un niveau de vie élevé, ce dont fait foi un article du *Monde ouvrier* traitant en 1946, de la grande prospérité que ce système a produit pendant la guerre [14].

On accepte la conception du profit, propre au système, parce qu'elle constitue la meilleure source de motivation tant pour les employés que pour les employeurs. Ce que l'on veut, c'est qu'une partie des profits serve à améliorer la situation économique des travailleurs et que l'État exerce un contrôle sur les abus, parce qu'ils ont un effet régressif sur le pouvoir de consommation.

L'approche pragmatique, axée sur l'amélioration du revenu et du niveau de vie, conduit à l'endossement inconditionnel du système en période de prospérité. Cet endossement est à peine nuancé ou remis en question, sauf à la fin de la période, lorsque le chômage soulève des inquiétudes. Ainsi, à la fin des années de guerre, la F.P.T.Q. accorde une entière confiance aux dirigeants d'entreprises pour résoudre les problèmes éventuels de sous-emploi, parce qu'ils sont plus aptes à planifier que les politiciens et parce que la construction d'usines et d'entreprises productives relève de l'initiative privée [15]. Cette profession de foi en l'entreprise privée demeure même lorsque l'on fait appel à la suppléance de l'État. Ainsi, en 1944, alors que l'on réclame un programme de travaux publics de la part du gouvernement fédéral, l'affirmation suivante est imprimée dans *le Monde ouvrier* : « *The idea that government spending is the road to national wealth is wrong. That objective can only be attained by active and intelligent private spendings, specially on productive enterprise of all sorts* [16]. » La même

14. « Maintenons le niveau des prix », *le Monde ouvrier*, vol. 31, n⁰ 3, 16 mars 1946 : 4.
15. « The Building of a New Order », *le Monde ouvrier*, vol. 29, n⁰ 1, janvier 1944 : 7 ; « Houses before Post Offices », *le Monde ouvrier*, vol. 29, n⁰ 5, décembre 1944 : 7.
16. « Houses before Post Offices », *le Monde ouvrier*, vol. 29, n⁰ 5, décembre 1944 : 7.

attitude prévaut encore en 1950, comme nous l'avons vu précédemment, alors que l'intervention de l'État pour combattre le chômage semble davantage nécessaire.

II

***La Fédération des unions
industrielles du Québec***

La F.U.I.Q. perçoit le problème économique dans l'optique d'une économie industrielle et urbaine où la famille est isolée dans l'anonymat des villes et où le chef de famille, le principal sinon le seul soutien financier, est sur le marché du travail un vendeur qui n'a pas de contrôle sur l'exercice de sa tâche, sur sa productivité et sur son revenu. Ce mécanisme de perception, découlant d'une volonté de représenter les nouvelles catégories de travailleurs issus de l'industrialisation, lui fait examiner les problèmes du pouvoir de consommation et du chômage dans le cadre plus général du développement économique. Toute sa pensée économique est alors axée sur le sous-développement économique du Québec, ses causes et la façon d'y remédier.

A. LE SOUS-DÉVELOPPEMENT ÉCONOMIQUE DU QUÉBEC

Pour la F.U.I.Q., le faible niveau de vie des travailleurs québécois et le taux du chômage élevé dans la province constituent des indices du sous-développement économique. Une simple comparaison avec l'Ontario suffit pour le démontrer, ce qu'elle fait longuement en 1954, dans un mémoire à la Commission royale d'enquête sur les problèmes constitutionnels de la province de Québec. Elle soutient dans ce mémoire, que dans tous les domaines de son étude (emploi, conditions de travail, salaires, besoins, habitation, enseignement), la situation des travailleurs québécois est inférieure à celle des ouvriers ontariens [17].

En vertu de son engagement socialiste-démocratique, point n'est nécessaire de procéder à une analyse moins sommaire de la situation, en effectuant, par exemple, une étude approfondie des structures industrielles et de marchés de l'économie québécoise, car la cause fondamentale du sous-développement provient, à son point de vue, d'un gouvernement qui est dépassé par le phénomène de l'industrialisation.

17. *Mémoire à la Commission royale d'enquête sur les problèmes constitutionnels de la province de Québec,* présenté le 10 mars 1954, voir p. 4, 9 et 16.

Le gouvernement actuel, même s'il se dit enchanté de la prospérité du Québec et de son industrialisation et qu'il se vante d'en être l'auteur, n'évolue pas assez vite pour faire face au problème compliqué de cette industrialisation et de ses influences sur le peuple du Québec. Le gouvernement doit cesser d'envisager le problème sous un seul angle, l'agriculture et de donner une importance secondaire au problème ouvrier. Si on considère la politique du gouvernement actuel, nous trouvons que c'est une politique opportuniste pour conserver l'appui de la classe détenant le plus de comtés électoraux [18].

La même idée est exprimée plus tard par rapport à l'exploitation des ressources naturelles. « Nous trouvons qu'il existe un dangereux parallèle entre la négligence du gouvernement à exiger une exploitation ordonnée de nos ressources et la facilité avec laquelle il accepte l'exploitation systématique de notre population [19]. »

La définition idéale, par la F.U.I.Q., du rôle de l'État dans une optique socialiste-démocratique ne concorde pas avec la conception de son rôle par le gouvernement Duplessis, tel que l'illustrent ses attitudes et ses politiques économiques. Si cette non-concordance ne constitue pas un obstacle au développement de la pensée économique de la F.U.I.Q., elle représente néanmoins une barrière infranchissable pour l'application des mesures que cette dernière propose. C'est pourquoi, considérant le gouvernement provincial comme asservi aux intérêts égoïstes du capitalisme domestique aussi bien qu'étranger, elle le définit comme un adversaire, au même titre que les employeurs, dans la poursuite de l'objectif de la promotion économique des travailleurs. C'est là, la source d'une hostilité réciproque, manifeste dès la naissance de la F.U.I.Q., qui ira croissante jusqu'à la publication du manifeste politique [20].

B. LES SOLUTIONS

En résumé, les solutions aux problèmes du faible niveau de vie et du chômage, dans la pensée de la F.U.I.Q., résident d'une part, dans

18. « Incompatibilité », *les Nouvelles ouvrières*, décembre 1952 : 2.
19. *Mémoire à l'exécutif du gouvernement provincial*, présenté le 13 janvier 1955, p. 11.
20. La F.U.I.Q. ne fait pas davantage confiance à l'opposition libérale. Elle est persuadée que les deux partis provinciaux, s'alimentant aux mêmes sources idéologiques et financières, et pratiquant un même type d'administration, ne constituent, ni l'un ni l'autre, un instrument fiable de transformation économique.

l'accroissement à la fois de la masse salariale des travailleurs et de la demande globale pour les biens de consommation et d'autre part, dans une politique de développement économique axée sur des ressources naturelles socialisées.

La politique du *New Deal* favorisait, jusqu'à un certain point, la syndicalisation des travailleurs industriels, parce que la vision keynésienne de l'économie autorisait à conclure que l'action syndicale comportait une contribution positive sur le pouvoir d'achat. Adoptant cette vue, la F.U.I.Q. réclame des législations industrielles qui facilitent l'extension du syndicalisme, dans le double but d'augmenter les salaires à la base et d'éliminer les disparités régionales, en arguant que toute la communauté en bénéficiera, en définitive [21]. Dans le même but, elle préconise une certaine forme de négociation sectorielle de type intra-employeur et interprovincial. En effet, elle demande en 1955 que des législations intergouvernementales autorisent la négociation simultanée chez tous les établissements d'un même employeur situés dans des provinces différentes, en ajoutant :

> Nous croyons qu'il est inadmissible qu'une compagnie qui opère une usine dans le Québec et dans l'Ontario paie un salaire inférieur aux ouvriers de la province de Québec pour un travail égal exécuté par des ouvriers de l'Ontario à un salaire supérieur, alors que cette même compagnie vend ses produits au même prix dans le Québec et l'Ontario [22].

Dans le même esprit, il lui apparaît nécessaire que l'action syndicale au niveau de la détermination des salaires soit complétée par une action gouvernementale fixant des standards quant à l'âge, aux taux minima des salaires et au nombre maximum d'heures de travail [23].

Comme l'indique le paragraphe précédent, l'une des idées de base de la F.U.I.Q. consiste à augmenter la masse salariale des travailleurs afin d'améliorer leur niveau de vie. Ce même objectif peut être atteint par une action au niveau du pouvoir de consommation. C'est pourquoi la F.U.I.Q. propose diverses mesures particulières, telles que le maintien du contrôle des loyers, la taxation des profits exagérés comme mesure anti-inflationniste et la révision des échelles d'imposition au bénéfice du contribuable moyen. Mais, comme l'inflation n'est pas un problème

21. Ces idées sont développées dans *Mémoire à la Commission royale d'enquête sur les problèmes constitutionnels de la province de Québec, op. cit.* (note 17), p. 23 ; et *Mémoire à l'exécutif du gouvernement provincial*, présenté le 13 janvier 1955, p. 24.

22. *Mémoire à l'exécutif du gouvernement provincial*, présenté le 13 janvier 1955, p. 10.

23. *Ibid.*, p. 24.

aussi aigu que dans l'après-guerre immédiat et comme le chômage apparaît prioritaire, la F.U.I.Q. se préoccupe davantage de ce dernier que d'une politique gouvernementale de contrôle des prix à la consommation.

C'est dans son mémoire sur les problèmes constitutionnels que la F.U.I.Q. développe, de façon précise, sa pensée au sujet du chômage. Utilisant un cadre d'analyse macro-économique, elle attribue le phénomène du chômage à une faiblesse de la demande pour les biens de consommation.

> Si le revenu national paraît chanceler et le chômage s'accroître, cela est dû à ce que la société dans son ensemble n'achète pas effectivement ce qu'elle a le pouvoir de faire (e. g. si les épargnes ne sont pas contrebalancées par les investissements) alors les producteurs ne pourront pas écouler leur marchandise ; ils réduiront leur production et mettront des hommes à pied [24].

Il appartient, en conséquence, à l'État d'enrayer la récession par une action sur la demande des biens de consommation, afin de compenser le ralentissement du secteur privé. À cette fin, la F.U.I.Q. préconise une triple action gouvernementale. Tout d'abord, que la Banque du Canada rachète les obligations gouvernementales détenues en grande quantité par le public. Cette infusion monétaire, en augmentant les réserves bancaires, entraînerait une baisse du taux d'intérêt, ce qui favoriserait les investissements et la création de nouveaux emplois. Les effets de cette mesure n'étant pas instantanés, le gouvernement devrait en même temps augmenter ses dépenses, soit dans les entreprises d'État, soit dans les travaux publics. Enfin, le gouvernement pourrait aider encore plus directement le consommateur par des prestations d'assurance-chômage, le secours direct et des allocations diverses.

Au niveau de l'action à la consommation, la F.U.I.Q. attribue au gouvernement fédéral, en vertu de ses pouvoirs fiscaux et monétaires, un rôle déterminant dans la lutte contre le chômage. Il lui apparaît d'autre part, que le gouvernement provincial peut aussi jouer un rôle important au niveau de la demande de travail, en adoptant une politique rationnelle d'exploitation des ressources naturelles.

Les délégués au congrès de 1953, alléguant que le niveau de vie des Québécois ne correspond pas à l'étendue des richesses naturelles de la province, adoptent une résolution qui exhorte le gouvernement provincial à procéder à un inventaire scientifique complet des richesses du sol et du sous-sol de la province et à élaborer une politique qui

---

24. Mémoire du 10 mars 1954, *op. cit.*, p. 27.

favorise l'exploitation de ces ressources au profit de la communauté, en exigeant de meilleures redevances sur les concessions d'exploitation et en prenant des mesures pour que les ressources naturelles soient transformées sinon dans la province, du moins au Canada [25]. En 1955, faisant état des grandes possibilités de revenus dans l'exploitation du sous-sol québécois et de sa faible rentabilité présente, la F.U.I.Q. exige que le développement des richesses naturelles se fasse dans le respect des exigences sociales et économiques des travailleurs du Québec [26]. Enfin, face à l'inertie gouvernementale, elle conclut, dans le manifeste, que le respect de ces exigences ne peut être assuré que par la socialisation des richesses naturelles et par la prise du pouvoir par un parti qui fasse passer le bien commun avant les intérêts privés :

> Vu que la province de Québec, de province agricole qu'elle était, s'est transformée en province industrielle, nous sommes maintenant en mesure d'en venir à la conclusion que toutes nos ressources naturelles sont exploitées à peu près exclusivement en vue de faire des profits, au lieu d'être développées et d'être exploitées en vue du bien commun. Aussi n'hésitons-nous pas à affirmer qu'il ne peut y avoir d'autre solution réaliste que la socialisation de toutes nos ressources naturelles... La municipalisation ou la socialisation ne peut s'avérer efficace en vue du bien commun que si les dirigeants d'un gouvernement font passer (et ont la liberté de faire passer) le bien commun avant les intérêts privés [27].

III
La Fédération
des travailleurs du Québec

La croissance du chômage et du coût de la vie, au cours des premières années d'existence de la F.T.Q., l'amène à remettre en question le système économique libéral eu égard à l'objectif de la promotion du niveau de vie ouvrier. Il apparaît, dès ce moment, que l'idéologie de l'ancienne F.U.I.Q. imprègne celle de la F.T.Q. Nous sommes d'avis, cependant, que le dynamisme des anciens dirigeants de la F.U.I.Q. a accéléré l'évolution des anciens dirigeants de la F.P.T.Q., car l'orien-

---

25. *Rapport des délibérations*, deuxième congrès de la F.U.I.Q., Saint-Jean, 6 et 7 juin 1954, résolution n° 20.
26. Mémoire du 13 janvier 1955, *op. cit.*, p. 12.
27. *Constitution et manifeste politique*, Montréal, 14 mai 1955, p. 14-15.

tation prise par la F.T.Q. était potentiellement présente dans l'idéologie des dernières années de la F.P.T.Q. Elle avait, en effet, commencer à préconiser timidement une intervention étatique, ce qui constituait un abandon de son acceptation antérieure quasi inconditionnelle de l'idéologie de la libre entreprise.

Après un temps d'arrêt, pendant les premières années de la révolution tranquille, l'évolution idéologique de la F.T.Q. se poursuit d'une façon qui indique qu'elle a atteint le stade d'une identité qui lui est propre et qui reflète sa situation existentielle. La contestation globale du système qu'elle effectue démontre, en effet, un élargissement de sa conscience collective, qui est aussi présente dans ses revendications sur le chômage et le coût de la vie.

A. LA CONTESTATION DU SYSTÈME

Le président Provost amorce, en 1958, le processus de redéfinition des rôles des divers agents de l'économie, en laissant entendre que le libéralisme économique est maintenant révolu :

> Les tenants de la libre entreprise devraient réaliser que ce régime économique ne subsistera qu'en autant qu'il puisse assurer à la population ouvrière du travail à l'année longue. S'il s'avère incapable de le faire, il ne faudra pas blâmer les ouvriers qui chercheront dans d'autres systèmes économiques la sécurité que l'entreprise libre sera incapable de leur assurer [28].

Sa critique devient plus ferme à l'occasion du congrès de 1959. Dans son discours d'ouverture, il affirme qu'il est illusoire de penser que la liberté complète de l'entreprise est un système permanent et que l'avenir lui appartient autant que le présent ; que les tenants de la libre entreprise devront comprendre que les réformes qui s'imposent plus que jamais, le plein-emploi et un standard de vie raisonnable, sont deux conditions essentielles à la longévité de l'entreprise libre et à l'exercice du droit de propriété.

Il s'agit d'un avertissement, d'une menace voilée que le mouvement, par la voix de son président, adresse aux deux principaux acteurs dans le système économique, afin que les problèmes, qui sont au cœur des préoccupations syndicales, soient solutionnés par des réformes

---

28. Extrait du discours du président Provost à l'occasion de la fête du travail, septembre 1958.

appropriées dans les mécanismes du système. La F.T.Q. ne rejette pas en cela le principe de la propriété privée et le principe du profit comme stimulants économiques. Mais, afin que le fonctionnement du système, basé sur ces deux valeurs, puisse assurer aux travailleurs un statut économique raisonnable, il lui apparaît alors nécessaire que l'État joue progressivement un rôle planificateur-régulateur auquel l'entreprise privée serait soumise [29].

Avec le début de la révolution tranquille, la F.T.Q., bien qu'émettant certaines critiques, ne poursuit pas vigoureusement sa contestation du système. Mais, le désenchantement quant aux résultats produits par cette révolution, entraîne une résurgence de la critique, de 1965 à 1967, où le président Laberge condamne en bloc, à la fois le régime économique et l'action gouvernementale. De là, le mouvement manifeste une absence quasi totale de confiance dans la société d'abondance, qui conserve en son sein l'inégalité sociale, la disparité des revenus et la pauvreté d'un large secteur de la population. On dira, en 1968, que la pauvreté constitue le scandale numéro un de la société d'abondance, car elle n'est pas seulement inscrite dans les faits mais aussi dans les lois [30].

On propose alors, de réformer le système, en redéfinissant sa finalité et en fondant ses assises sur de nouvelles valeurs.

Le travailleur voudrait que, face au phénomène encore naissant de la production automatisée, la société commence à s'élaborer une nouvelle échelle de valeurs modernes où le travail servile cède le pas aux loisirs créateurs ; où le revenu et le pouvoir d'achat sont détachés de la production individuelle ; où l'on entreprend de réaliser progressivement l'avènement de la société égalitaire ; où l'homme pourra impunément choisir de ne pas travailler et de vivre de l'héritage scientifique de l'humanité entière ; où l'homme moyen n'aura pas à se recycler sa vie entière, mais pourra sortir un jour du cycle économique sans perdre son niveau de vie ni sa dignité ; où la société n'imposera plus au

29. Il est difficile de déterminer si cette attitude se situe, à l'époque, davantage dans l'optique de la F.U.I.Q. que dans celle de la F.P.T.Q. Elle peut être interprétée comme conforme à la conception de la F.P.T.Q. de l'intervention étatique supplétive-régulatrice, pour corriger les abus du système de la libre entreprise. Elle peut aussi être perçue comme le début d'une définition de l'État moteur-initiateur face aux carences du système, selon l'approche de la F.U.I.Q.

30. Voir : *Information*, communiqué de presse, 24 mai 1968. Cette déclaration est faite en référence au taux du salaire minimum qui est à ce moment-là de $1.05.

couple de négliger l'éducation émotive des enfants pour prouver l'émancipation de l'une et la virilité de l'autre [31].

Ce texte laisse entendre que le vieux rêve syndical d'une société égalitaire pourrait devenir une réalité, si l'on prépare l'avènement de la société postindustrielle en l'axant sur l'homme. Pour l'avenir plus immédiat, la F.T.Q. lance un appel, qui est en même temps un avertissement et un ultimatum, tant à l'égard du gouvernement qu'aux dirigeants de l'économie et qui exprime, en même temps, un manque de confiance envers ceux-ci et une volonté syndicale de transformer le système. Ceci est illustré par les deux déclarations suivantes. Dans son message de la fête du travail en 1968, le président Laberge terminait un exposé sur la nécessité d'un consensus de la société autour des objectifs de l'élimination immédiate de la pauvreté, de l'élimination progressive des inégalités économiques et de la participation des travailleurs aux grandes décisions économiques, dans les termes suivants :

> Je sais qu'il ne sera pas facile d'obtenir un consensus social sur ces grands objectifs, car ils signifient de la part des gens en place, l'abandon de privilèges depuis longtemps acquis, et au surplus défendus par la morale traditionnelle. Cependant, il n'est certainement pas moins illusoire d'espérer des travailleurs syndiqués qu'ils consentiront au désarmement unilatéral, qu'ils se montreront « raisonnables », comme on les y invite plus souvent qu'à leur tour, dans une société qui ne l'est pas [32].

Cette déclaration suivait de près une affirmation de la volonté syndicale d'assurer la sécurité économique des travailleurs :

> Le jour où nous aurons acquis la conviction que le progrès technologique repousse hors du cycle économique un nombre de plus en plus nombreux de travailleurs non recyclables ou difficilement recyclables, nous allons réclamer pour ces sans-travail chroniques un statut économique et social qui leur permettra de choisir librement entre le travail et les loisirs, sans perdre leur dignité d'homme ni leur place dans la société. *Pour nous, le choix est simple : c'est le plein-emploi ou le revenu garanti* [33].

En résumé, la F.T.Q. manifeste clairement une volonté de transformer le système économique par la modification de ses valeurs de

---

31. *Information*, communiqué de presse, 1er septembre 1967. On reprend dans ce texte un thème développé par le président Laberge à l'occasion du congrès de 1967 en l'élaborant quelque peu. L'idéalisme de cette déclaration rejoint celui de Marcel Pepin dans « Une société bâtie pour l'homme ».
32. *Information*, communiqué de presse, 29 août 1968.
33. *Information*, communiqué de presse, 12 juin 1968. C'est nous qui soulignons.

base, la redéfinition des rôles des acteurs de façon à réaliser la sécurité économique des travailleurs, ce qui est illustré par les textes cités. Dans cette opération, l'État est appelé à jouer un rôle de planificateur du développement économique et de régulateur de l'activité économique, ce qui apparaît plus clairement, en examinant les prises de position de la F.T.Q. sur les problèmes du chômage et de l'inflation.

B. LE CHÔMAGE

Au moment de la formation de la F.T.Q., le taux de chômage est de 6% au Québec. Il s'accroît au cours des années suivantes pour atteindre le sommet de 9,3% en 1961. Il décroît ensuite graduellement jusqu'en 1966, mais remonte rapidement jusqu'en 1970. La F.T.Q. réagit dès 1958, d'abord à l'occasion de son congrès, puis par la présentation subséquente d'un mémoire particulier qui constitue une tentative d'aborder le problème de façon globale. Un second mémoire, présenté en 1962, complète la pensée de la F.T.Q. et établit les bases idéologiques qui serviront désormais de cadre de référence.

En 1958, la F.T.Q. développe l'idée que la mentalité égoïste des employeurs, motivés uniquement par le profit et démunis de conscience sociale, est la source fondamentale des multiples causes du chômage. Le président Provost illustre cette pensée de la façon suivante :

> Le droit au travail pour ces milliers de bras qui sont obligés de chômer à cause d'une économie libre, réclamée, soutenue, maintenue, encouragée et défendue par ceux-là mêmes qui parlent de droit au travail. Y a-t-il un seul patron qui, au nom du travail pour les chômeurs, ait annoncé qu'il se résignerait à ne pas faire de profit au cours d'une année afin de pouvoir donner du travail à ses ouvriers, afin de pouvoir apporter une contribution au chômage [34].

Il amorce une critique du système, en faisant un vigoureux procès de l'aspect déterministe des postulats à l'effet que le chômage partiel est inévitable et même nécessaire et que les cycles économiques sont inhérents aux systèmes. Il ressort, de son analyse, qu'il importe de réviser les lois économiques au profit des masses si le chômage est la conséquence de ces lois, car elles sont au détriment du bien-être de ces dernières.

---

34. Discours du président, *Rapport des délibérations de la troisième conférence de la Fédération des travailleurs du Québec*, Québec, 20-22 novembre 1958, p. 4.

Afin de résorber le chômage, la F.T.Q. préconise, en principe, la planification économique, ce qui a toujours fait défaut, à son point de vue, à toute politique économique provinciale. « La preuve en est faite depuis longtemps, les choses ne s'arrangent jamais d'elles-mêmes comme le disent les protagonistes du « laisser-faire », elles exigent la planification de l'économie ; planification absente jusqu'à nos jours de toute politique économique dans notre province[35]. » Dans cette perspective, la F.T.Q. propose : la substitution d'une politique de développement des industries de transformation des matières premières tirées des ressources naturelles, à celle du soutien des industries marginales qui ne peuvent même pas faire vivre convenablement leur main-d'œuvre ; l'élaboration d'une politique d'accès à l'instruction ; l'adoption de mesures prévoyant le réentraînement des travailleurs licenciés à la suite des changements technologiques[36].

Ces propositions, relevant d'une conception de l'État planificateur, sont supplémentées par des recommandations propres à une conception de l'État supplétif. On demande, en effet, au gouvernement provincial de favoriser la construction d'habitations, d'augmenter les prestations d'assurance-chômage, de collaborer avec le gouvernement fédéral dans le but de mettre immédiatement sur pied un vaste programme de travaux publics et d'ouvrir des crédits aux municipalités afin de leur permettre d'accélérer l'exécution de leurs propres travaux publics. Pour la F.T.Q., le financement de ces projets pourrait facilement se faire par une augmentation de redevances sur l'exploitation des ressources naturelles :

> Ces données, bien que sommaires, nous permettent d'établir néanmoins que d'une valeur de production dépassant le milliard pour ces trois richesses naturelles (industries forestière, minière et hydro-électrique) la province ne retire que quarante millions... Une enquête publique sur l'exploitation de nos ressources naturelles serait de nature à révéler que la majeure partie des propositions soumises dans le présent mémoire pourrait être réalisée par voie de financement tiré de nos ressources naturelles[37].

Ce mémoire, présenté à peine un an après la fusion, est révélateur de la prédominance de l'idéologie de l'ancienne F.U.I.Q., car plusieurs attitudes sont assez éloignées de la mentalité traditionnelle du syndicalisme de métier. Le diagnostic à l'effet que le chômage résulte d'une

---

35. *Mémoire sur le chômage*, présenté au gouvernement provincial en juin 1958, p. 5.
36. *Ibid.*, p. 8.
37. *Ibid.*, p. 11-12.

foncière inadaptation mentale des classes dirigeantes à de nombreux aspects du monde industriel moderne est sensiblement le même qu'avait posé la F.U.I.Q. à l'égard du gouvernement Duplessis. Contrairement à la F.U.I.Q., la F.P.T.Q. ne s'était jamais prononcée sur le principe de la planification économique. La F.U.I.Q. véhiculait cette conception alors que la F.P.T.Q. commençait à peine à reconnaître le bien-fondé d'une certaine intervention étatique.

Sur d'autres points, la position de la F.T.Q. représente un compromis entre les politiques antérieures respectives de la F.U.I.Q. et de la F.P.T.Q. C'est le cas des revendications relevant de la conception d'un État supplétif. Mais, c'est surtout évident au sujet des richesses naturelles. L'attitude de la F.T.Q. sur ce point est la suivante :

> La Fédération croit que si, en certains cas, l'exploitation de nos ressources nécessite l'apport de capitaux étrangers, une part importante de la gérance de l'entreprise et de ses profits doit rester entre les mains des citoyens de cette province... La F.T.Q. croit que toute concession de nos ressources naturelles à l'entreprise privée doit être conditionnelle et que l'entreprise doit rester sujette à nationalisation si les droits ou les intérêts des citoyens sont lésés ou si ces derniers jugent qu'ils peuvent en tirer un meilleur parti autrement [38].

Avant la fusion, la F.U.I.Q. avait proposé dans son manifeste la socialisation de toutes les richesses naturelles alors que la F.P.T.Q. recommandait au gouvernement provincial de ne pas autoriser l'exploitation de ces ressources par le capital étranger à moins que la transformation ne soit effectuée au Québec.

Au cours des années suivantes, la F.T.Q. réaffirme à plusieurs reprises le principe de l'intervention étatique dans les rouages de l'économie. En 1960, *le Monde ouvrier* consacre une série d'articles à la promotion de l'idée de la planification économique pour combattre le chômage [39]. Le président Provost, tout en assurant le Conseil d'orientation économique de l'appui de la F.T.Q., précise que ce dernier sera de peu de secours aux chômeurs si le gouvernement n'accepte pas le

38. *Déclaration de principe de la F.T.Q.*, novembre 1958, p. 5.
39. « Les hommes passent, les idées restent », *le Monde ouvrier*, vol. 45, nᵒ 1, janvier 1960 : 2 ; « Si Bourassa revenait... il combattrait avec nous », *le Monde ouvrier*, vol. 45, nᵒ 2, février 1960 : 6 ; « Le chômage commande la planification économique », *le Monde ouvrier*, vol. 45, nᵒ 3, mars 1960 : 4 ; « Des décisions historiques au congrès du C.T.C. à Montréal », *le Monde ouvrier*, vol. 45, nᵒ 4, avril 1960 : 1 ; « Le programme électoral de la F..T.Q. », *le Monde ouvrier*. vol. 45, nᵒ 5, mai 1960 : 8 ; « Il faut éliminer le chômage », *le Monde ouvrier*, vol. 45, nᵒ 9, septembre 1960 : 8.

principe du dirigisme économique [40]. Par dirigisme économique, la fédération entend : « L'intervention directe de l'État dans l'orientation et la gestion de l'économie dans toute la mesure commandée par la situation [41]. »

L'année 1962 marque le point culminant du développement de l'idéologie économique de la F.T.Q. de 1957 à 1964, quant à la définition du rôle de l'État dans le système économique. L'accent mis sur les thèmes de nationalisation et de planification dénote que l'orientation socialiste, progressivement développée depuis la fusion, a atteint son point de maturation. La F.T.Q. préconise la nationalisation des principaux services publics, notamment de l'industrie hydro-électrique ainsi que la Corporation du gaz naturel du Québec, en la justifiant de la façon suivante :

> La nationalisation s'impose pour démontrer que l'État peut quand il ne se contente pas d'un rôle supplétif consistant à subventionner l'entreprise privée ou à exploiter à sa place des secteurs non rentables, administrer efficacement et profitablement une grande entreprise pour le plus grand bien commun de tout le peuple [42].

Elle soutient que l'Hydro-Québec doit acheter la Corporation du gaz naturel au prix de faillite en affirmant qu'il serait injuste que les consommateurs paient pour : « L'incompétence des tractations douteuses et la mauvaise administration d'une entreprise qui ne peut plus survivre qu'au moyen des augmentations de ses tarifs [43]. » Le congrès de 1962 va encore plus loin, en recommandant la nationalisation des mines, des pâtes et papiers, de la Trans-Canada Pipeline et du secteur des assurances [44].

C'est, cependant, le mémoire au gouvernement provincial sur le chômage qui nous semble le plus explicite quant au rôle de l'État dans le système économique et le plus significatif quant aux attitudes postérieures de la F.T.Q. Celle-ci attribue le problème du chômage chronique au Québec à l'absence de coordination des moyens économiques, à l'insuffisance de la pensée économique et à l'indifférence gouvernementale. Elle en axe la solution sur la coopération intergou-

---

40. « La F.T.Q. entend collaborer avec le Conseil d'orientation économique », *le Monde ouvrier*, vol. 45, n⁰ 9, septembre 1960 : 7. Voir aussi : Rapport des officiers, congrès de la F.T.Q., Montréal, 1960.
41. Rapport des officiers, congrès de la F.T.Q., Montréal, 1960, p. 1.
42. *Information*, communiqué de presse, 16 février 1962.
43. « La F.T.Q. : L'Hydro-Québec devrait acheter la Corporation du gaz naturel au prix de la faillite », *le Monde ouvrier*, vol. 47, n⁰ 2, février 1962 : 6.
44. « Au congrès de la F.T.Q. : Action politique et socialisation », *le Monde ouvrier*, vol. 47, n⁰ 11, novembre 1962 : 1.

vernementale, la planification économique et l'élargissement du secteur nationalisé.

On y précise d'abord la notion de planification : « Pour nous, la planification signifie l'intervention directe du gouvernement dans les rouages de l'économie et en même temps l'élargissement du secteur nationalisé. La planification aurait pour but le plein-emploi et dans la conjoncture, l'expansion de l'industrie secondaire [45]. » Puis, sur le plan concret de la conjoncture économique québécoise, on avance que celle-ci implique une action au niveau de l'industrie sidérurgique, de la spéculation immobilière, de l'exploitation des richesses naturelles et de la Société générale de financement.

Résumons brièvement la pensée de la F.T.Q. sur chacun de ces points. Pour la F.T.Q., une industrie sidérurgique constituerait le pôle de développement d'une industrie secondaire lourde. L'essor industriel qui résulterait de l'implantation des industries satellites contribuerait à éliminer le chômage. Étant donné l'importance d'une telle industrie pour le développement économique de la province, l'État ne devrait pas hésiter à agir seul, s'il s'avère que les conditions financières paraissent inacceptables aux capitaux invités à participer à la mise sur pied d'un tel complexe industriel.

La F.T.Q. est d'avis que la spéculation immobilière constitue une entrave à la localisation rationnelle de l'industrie, ce qui est l'un des objectifs de la planification. C'est pourquoi, si le développement de la sidérurgie représente un élément moteur de l'économie, le contrôle de la spéculation immobilière apparaît comme un élément régulateur. En conséquence, l'État devrait augmenter les taxes foncières sur les placements spéculatifs sur les terrains, taxer leurs gains de capitaux et établir un plan d'urbanisme prévoyant un usage plus rationnel de la terre.

Comme le chômage est dû en majeure partie au sous-développement de l'économie, il importe de tirer le meilleur parti possible de l'exploitation des richesses naturelles, en établissant un lien économique entre l'activité primaire et l'activité secondaire. C'est pourquoi, la F.T.Q. recommande au gouvernement de ne pas hésiter à imposer des conditions sévères aux capitaux désireux de mettre en valeur ces richesses, en s'assurant que leur exploitation entraîne la création d'une industrie de transformation complémentaire. Dans le même but, la F.T.Q. propose une politique économique et commerciale à saveur nationaliste en invoquant que toute tentative de planification serait vouée à

45.   Voir : *Mémoire sur le chômage*, présenté au gouvernement provincial le 26 février 1962, p. 2.

l'échec si certains secteurs stratégiques échappent au contrôle direct de l'État.

Enfin, la F.T.Q. s'oppose au projet de création de la S.G.F. ébauché par le gouvernement Lesage, en le décrivant comme un instrument de dépannage d'entreprises périclitantes et de catapultage de nouvelles institutions, dont la capitalisation est nettement insuffisante pour régler le problème du chômage ou assurer l'émancipation économique du peuple québécois. Elle propose que la S.G.F. devienne une société de financement capable de prendre des mesures efficaces pour canaliser l'épargne populaire et faire de l'État l'un des grands détenteurs de capitaux de la province. Elle ajoute que cette réunion de capitaux permettrait de procéder aux nationalisations nécessaires, dont celle de l'industrie hydro-électrique, de créer des entreprises mixtes et de doter la province d'une industrie de transformation basée sur l'exploitation des ressources naturelles.

Ce mémoire constitue une synthèse de la pensée de la F.T.Q. sur le chômage et sur le développement économique. Ses prises de position subséquentes s'inspirent du même esprit et des mêmes principes. En particulier, le mémoire sur le chômage au gouvernement provincial, en 1968, développe les mêmes thèmes qu'en 1962, quant aux causes fondamentales du chômage et quant aux grandes lignes de solution. Avec les années, la F.T.Q. apparaît de plus en plus convaincue qu'il appartient à l'État de s'inscrire dans le processus du développement économique, car il est le seul pouvoir capable d'assurer l'équilibre et l'harmonie dans le développement. C'est devenu une priorité. Ainsi, en mai 1970, le président Laberge faisait état de cette priorité à l'intention du nouveau premier ministre de la province, en ajoutant que la faiblesse des ressources gouvernementales, humaines et financières, consacrées à l'expansion économique, constituent un scandale dans la situation économique actuelle.

C. LE NIVEAU DE VIE

Il n'existait pas de différence significative entre les attitudes de la F.U.I.Q. et de la F.P.T.Q. au sujet du problème de l'inflation. C'est pourquoi, la pensée de la F.T.Q. se situe, dès le départ, dans le prolongement de celles des deux organismes qui lui ont donné naissance. Le président Laberge en élargira la portée avec son discours sur la pauvreté au congrès de 1967.

L'indice du coût de la vie connaît une hausse rapide et considérable au cours de la période. En plus de son effet régressif habituel sur le niveau de vie, ce phénomène comporte un aspect nouveau pour le syndicalisme, car il coïncide avec une augmentation du chômage. On croyait en effet qu'il était une loi économique à l'effet qu'en période de chômage élevé les prix connaissent une certaine stabilité. Dans cette situation, la stratégie de la F.T.Q. est d'en attribuer l'entière responsabilité au système lui-même, de soutenir que les correctifs à l'inflation doivent porter sur ce système et de maintenir, en conséquence, sa pression sur la progression des salaires nominaux.

Aux employeurs et au gouvernement qui tentent d'imputer l'inflation aux augmentations salariales, la F.T.Q. répond que les politiques de salaires sont les instruments et non les causes de l'inflation et que les hausses de salaires ne sauraient conduire à l'inflation s'il n'y avait un gonflement de la monnaie et du crédit et si l'augmentation des profits tenait compte de la responsabilité sociale des entreprises. En d'autres termes, pour la F.T.Q., l'inflation est fondamentalement un phénomène bancaire, monétaire et financier qui est à la source des fluctuations de l'économie.

La F.T.Q. adopte cette attitude dès la fin des années 50, alors que le coût de la vie s'accroît de 9% de 1957 à 1961. Elle ne la modifie pas par la suite. C'est dans la même ligne de pensée qu'elle réagit, à la fin de la décennie, à la politique du gouvernement fédéral visant à subjuguer l'inflation en mettant l'accent sur le contrôle volontaire des prix et des salaires. Comme l'on refuse d'admettre que la progression des salaires puisse avoir un effet inflationniste, on rejette toute forme de contrôle direct ou indirect sur les salaires. C'est dans le même esprit qu'elle soutient depuis 1968, que la politique salariale du gouvernement provincial doit être négociable et qu'elle ne doit pas être imposée aux agents économiques du secteur privé.

L'objectif de la F.T.Q. est d'améliorer le pouvoir d'achat et le niveau de vie des travailleurs. À cette fin, elle propose deux mécanismes d'action. D'une part, au niveau de la négociation collective, elle incite ses affiliés à continuer de réclamer des augmentations de salaire en relation avec les richesses de la province et la productivité des travailleurs. D'autre part, elle exige l'adoption par le gouvernement de mesures propres à protéger le niveau de vie.

Par les mesures qu'elle propose, la F.T.Q. redéfinit l'État comme un régulateur de l'économie. C'est ce qui ressort des fonctions qu'elle veut lui voir assumer : contrôle sur les investissements de l'entreprise privée ; régularisation des taux de dépréciation des multiples revenus imposables ; amélioration de l'efficacité sociale du système bancaire central ; coordination des politiques de la Banque du Canada avec les politiques fiscales du gouvernement ; contrôle plus direct sur les compagnies de finance ; contrôle des ventes sur le marché des actions et des obligations. De plus, dans le but de réduire le coût des produits et des services, elle demande la création d'un ministère de la consommation ainsi que l'étatisation des entreprises à caractère public, telles que la Compagnie de téléphone Bell, les compagnies hydro-électriques et pharmaceutiques.

La stratégie de la F.T.Q. vise, en définitive, à procurer aux classes laborieuses une garantie de revenu raisonnable. C'était implicitement le but poursuivi pour les travailleurs syndiqués avec l'objectif de l'amélioration de leur niveau de vie. Depuis l'ouverture du front syndical contre la pauvreté en 1967, ce but est plus explicite et concerne l'ensemble de la classe ouvrière. Le passage suivant nous semble traduire cette idéologie :

> L'élimination progressive des inégalités économiques et sociales, la disparition non seulement de la pauvreté, mais aussi de la privation, de la précarité et de la gêne, voilà ce qui nous intéresse dans une politique des revenus. Nous n'avons que faire d'une politique salariale qui, en plus de consacrer officiellement l'inégalité, vise essentiellement à freiner le relèvement des salaires et la promotion des travailleurs en mesure de négocier [46].

* * *

Les idées économiques de la F.U.I.Q. et de la F.P.T.Q. reposent au départ sur une approche de consommation axée sur l'accroissement du niveau de vie des travailleurs. Mais, le développement de la pensée économique de la F.U.I.Q. se produit à l'intérieur d'un cadre idéologique qui fait défaut à la F.P.T.Q. et dans des conditions existentielles différentes, ce qui a été longuement décrit au chapitre précédent. Pour ces raisons, la F.U.I.Q., en dépit de la brièveté de son existence, a été capable d'élaborer une politique économique articulée alors que la F.P.T.Q. est demeurée au stade de la revendication pure et simple, conditionnée par l'évolution de la conjoncture économique.

La F.U.I.Q. a une approche macro-économique alors que celle de la F.P.T.Q. est micro-économique. C'est pourquoi, elle a beaucoup plus tendance que la F.P.T.Q. à préconiser des solutions étatiques aux problèmes économiques. Pour elle, la volonté collective se transmet dans

---

46. *Information*, communiqué de presse, 6 avril 1968. On rapporte les propos tenus par le président Laberge au congrès des conseillers en relations industrielles.

l'État. Ce dernier est le représenant de la conscience collective : il est l'acteur détenant le pouvoir d'assurer le bien-être de la collectivité. En cette qualité, il doit être au-dessus des acteurs particuliers. Si la F.U.I.Q. s'oppose radicalement au gouvernement Duplessis, c'est parce qu'il n'assume pas la conscience collective et parce que son comportement renforce le pouvoir de l'acteur patronal. La F.P.T.Q., craignant l'État, parce que le syndicalisme international de métier l'a traditionnellement associé au capital, tente, d'une part de le confiner à un rôle strictement supplétif et d'autre part, de s'en faire en quelque sorte un allié contre l'adversaire patronal, en s'efforçant d'entrenir avec lui des relations de bonne entente.

Il apparaît que l'idéologie économique de la F.T.Q. est davantage dans le prolongement de celle de la F.U.I.Q. On y retrouve la même hiérarchie des acteurs, la même tendance à privilégier la fonction de l'État et la même propension à préconiser des solutions au niveau macro-économique.

En résumé, le contenu de l'idéologie économique de la F.T.Q. est le suivant. Dans une perspective de consommation, elle conteste le postulat de base du libéralisme économique à l'effet que la libre entreprise assure la prospérité de l'ensemble de la communauté. Laissées à elles-mêmes, les forces dynamiques du système conduisent à un développement économique anarchique, aux inégalités de revenus et à la pauvreté généralisée dans l'abondance. C'est pourquoi, elle propose une transformation radicale du système. Elle est alors révolutionnaire dans son objectif, car elle veut que l'opération du système entraîne la sécurité économique et le progrès du niveau de vie pour tous. Elle demeure cependant réformiste quant à la méthode, car elle préconise une évolution progressive dans laquelle l'État joue un rôle planificateur-régulateur et le syndicalisme conserve sa fonction revendicative. En fait, c'est une nouvelle hiérarchie des valeurs du système et une nouvelle hiérarchie des agents de l'économie qu'elle propose. Ses sautes d'humeur proviennent de l'absence d'un consensus social sur ces nouvelles hiérarchies et de l'ineptie de l'État à vouloir assumer le rôle prépondérant qu'elle lui assigne.

Chapitre 7

La pensée sociale

Ce chapitre ne couvre pas de façon exhaustive toutes les prises de position de la F.P.T.Q., de la F.U.I.Q. ou de la F.T.Q. dans le domaine social. L'attention est, en effet, centrée sur les questions où une continuité des préoccupations syndicales se manifeste. Dans cette optique, l'importance est accordée aux thèmes qui paraissent les plus significatifs dans le développement de l'idéologie globale. L'évolution de l'idéologie ressort alors de l'analyse chronologique du contenu essentiel des politiques.

I
La Fédération provinciale
du travail du Québec

Les politiques sociales de la F.P.T.Q. constituent un prolongement de ses politiques économiques. Nous retrouvons dans ses attitudes et ses revendications sur l'éducation et la sécurité sociale le même désir de protéger la cellule familiale comme unité de consommation.

A. L'ÉDUCATION

Il semble, à première vue, que l'éducation ne constituait pas un sujet prioritaire pour la F.P.T.Q. si l'on considère qu'elle n'a jamais élaboré longuement sur cette question. Néanmoins, ses prises de position et ses revendications révèlent une pensée précise et stable. L'instruction y est perçue comme un moyen de promotion individuelle plutôt que collective. À cette fin, les moyens privilégiés sont le prolongement graduel de la fréquentation scolaire obligatoire et la gratuité progressive de l'enseignement. Ceci requiert en conséquence une intervention importante de l'État. Ce mode de pensée s'inscrit dans l'objectif de la protection et de l'amélioration du statut économique de la famille, car il repose fondamentalement sur une conscience réelle que le faible niveau de scolarité des travailleurs constitue un handicap sur le marché du travail que la faiblesse économique des familles ne permet pas de surmonter pour leurs enfants, à moins d'une assistance extérieure.

Les deux passages suivants, extraits des toutes premières déclarations de la F.P.T.Q., illustrent bien cette pensée :

> Il est reconnu que le présent système scolaire est généralement beaucoup trop dispendieux pour l'ouvrier, étant donné que celui-ci est d'ordinaire pourvu d'une famille nombreuse. Dans ces conditions, il peut difficilement faire donner à ses enfants une instruction convenable et suffisante... Nous croyons de notre devoir d'insister de nouveau pour que le gouvernement prenne toutes dispositions utiles en vue de la fréquentation scolaire obligatoire et de l'instruction gratuite en cette province [1].

> Le résultat le plus regrettable est que l'écolier abandonne ses cours vers la septième année en général, et parfois en sixième année, alors qu'il n'est pas suffisamment armé pour la lutte pour l'existence et que toute sa vie il se voit condamné à des besognes subalternes [2].

Dans cette optique, la F.P.T.Q. se réjouit de l'acceptation du principe de l'instruction gratuite et obligatoire jusqu'à l'âge de 14 ans, par le gouvernement Godbout en 1943. Mais, elle n'est pas entièrement satisfaite, car elle demande par la suite, d'une part la suppression de la disposition de la Loi de l'instruction publique permettant à un enfant de s'absenter de l'école s'il doit pourvoir à ses besoins ou à ceux de ses parents et d'autre part, la prolongation de l'instruction obligatoire jusqu'à l'âge de 16 ans [3]. Cette attitude est inspirée par la croyance que l'élévation du niveau de scolarité permettra à l'individu d'améliorer son sort économique. Nous retrouvons le même esprit dans une demande

1. *Mémoire législatif au gouvernement provincial*, présenté le 23 janvier 1940, p. 12.
2. *Mémoire législatif au gouvernement provincial*, présenté le 11 février 1941, p. 11.
3. *Mémoire législatif au gouvernement provincial*, présenté le 17 janvier 1945, p. 6. La même demande quant à l'instruction obligatoire est aussi faite dans les mémoires législatifs des années suivantes.

portant sur la nécessité de l'enseignement d'une langue seconde : « Nous réalisons pleinement aujourd'hui la nécessité de la connaissance de la langue française et de la langue anglaise pour obtenir avantageusement de l'ouvrage et des positions lucratives [4] », et dans une suggestion d'augmenter le nombre ainsi que les montants des bourses d'étude au niveau de l'enseignement supérieur, car les chefs de familles ouvrières ne peuvent supporter les frais élevés de scolarité de sorte que leurs enfants ne peuvent espérer se diriger vers des positions lucratives [5].

Il est intéressant de noter qu'au chapitre de l'éducation, la F.P.T.Q. ne semble pas avoir la même attitude qu'en matière économique eu égard au rôle de l'État. Elle préconise, en effet, une intervention coercitive afin d'assurer un minimum d'instruction aux enfants des travailleurs et une politique d'appui aux familles ouvrières afin de leur permettre de supporter les charges financières de l'éducation obligatoire. À notre avis, cette attitude est conforme à la définition de l'État supplétif que nous avons observée par rapport au système économique. Si la F.P.T.Q. croit que l'État doit faciliter l'accès à l'éducation parce qu'il en a le pouvoir, ce que les familles ouvrières ne possèdent pas, elle n'en entretient pas moins la crainte qu'il exerce un contrôle sur le contenu de l'éducation. Elle manifeste, en effet, une volonté de prévenir que l'éducation ne tombe pas sous le joug de l'État en insistant constamment sur la primauté du droit des parents en cette matière. Ainsi, la résolution numéro 102 du congrès de 1954 propose une représentation institutionnalisée des parents qui ont « la première responsabilité des enfants », au niveau des commissions scolaires afin que leur participation y devienne plus significative. En 1955, la résolution numéro 70 fait valoir de nouveau le droit fondamental de regard des parents en rappelant qu'ils ne font que « déléguer leurs droits aux éducateurs ».

Il nous apparaît que la F.P.T.Q. attribue au système d'éducation une responsabilité quant au retard social et économique du Québec. Mais, préoccupée primordialement par l'intégrité de la cellule familiale, elle n'est pas prête à proposer ni même à accepter des réformes globales ni importantes à ce système, où l'État pourrait se substituer à l'unité familiale comme principal artisan de l'éducation. Le caractère parcellaire et limité de ses revendications s'explique alors par un désir d'améliorer le statu quo sans le modifier en profondeur. Elle s'inspire d'une idéologie de rattrapage plutôt que d'une idéologie de développement.

4. Mémoire du 11 février 1941, *op. cit.*, p. 11.
5. *Mémoires législatifs au gouvernement provincial*, présentés le 7 janvier 1948, p. 9, le 12 décembre 1951, p. 13 et le 2 février 1954, p. 10.

B. LA SÉCURITÉ SOCIALE

La santé, la vieillesse, l'assurance-chômage, la sécurité au travail, les allocations familiales et le logement sont les principaux sujets de préoccupation de la F.P.T.Q. en matière de sécurité sociale. Les revendications dénotent une approche de consommation strictement, où, sans s'interroger sur les principes de base qui pourraient être en cause, l'on vise à améliorer la protection de la sécurité économique de la famille ouvrière. Les mêmes valeurs idéologiques qu'en matière d'éducation animent la F.P.T.Q.

1. LA SANTÉ

Le problème de la santé a un caractère prioritaire pour la F.P.T.Q., car il est l'objet de ses revendications les plus importantes dans le domaine de la sécurité sociale.

Elle le perçoit, dès le début des années 40, dans une perspective de socialisation, comme une responsabilité de la collectivité. Un article du *Monde ouvrier* en 1943 est révélateur de l'attitude de la F.P.T.Q. sur ce point. On y justifie la nécessité de l'assurance-maladie en invoquant les motifs suivants : l'élimination des pertes économiques entraînées par une santé précaire est une responsabilité commune et collective ; la répartition du fardeau financier occasionné par la maladie s'impose en équité ; il est juste que la communauté contribue au redressement des déficiences individuelles qui l'affaiblissent [6].

Au début des années 40, c'est auprès du gouvernement provincial que l'on réclame un programme d'assurance-maladie à l'occasion des mémoires législatifs. Faisant état du coût élevé des frais médicaux et hospitaliers, la F.P.T.Q. lui demande d'étudier la situation en vue d'établir le meilleur contrôle étatique possible des services hospitaliers [7]. Puis, devant l'inertie de ce dernier, on se tourne éventuellement vers le gouvernement fédéral. À l'occasion de la présentation d'un projet d'assurance-santé par le gouvernement fédéral en 1944, la F.P.T.Q. d'une part demande au gouvernement provincial de suivre les traces de ce dernier en amorçant immédiatement des études en vue d'un régime provincial, et d'autre part recommande au C.M.T.C. de faire en temps et lieu les représentations nécessaires auprès du gou-

---

6. « L'assurance-maladie : ce qu'elle doit rapporter », *le Monde ouvrier*, vol. 28, n° 20, mai 1943 : 1.
7. *Mémoires législatifs au gouvernement provincial*, présentés le 23 janvier 1940, p. 12, le 11 février 1941, p. 9 et le 4 décembre 1946, p. 10.

vernement central [8]. Les délégués au congrès de 1946 demandent à la fédération et au C.M.T.C. de faire des pressions à la fois auprès des gouvernements fédéral et provincial en vue de l'adoption d'une législation établissant une assurance-sociale comprenant les services de médecins de l'État [9]. En 1949, la F.P.T.Q. réclame un plan pancanadien de sécurité sociale comportant des indemnités en cas d'hospitalisation, de maladie ou d'accident, des pensions de vieillesse et une assistance financière aux municipalités pour la construction d'hôpitaux [10]. Enfin, en 1954, on préconise de nouveau un plan national couvrant les besoins médicaux, chirurgicaux, dentaires et ophtalmiques, les frais d'hospitalisation et les frais de pension dans les institutions pour malades mentaux [11].

2. LES ACCIDENTS DU TRAVAIL

Les préoccupations initiales de la F.P.T.Q. portent sur la compensation et la réparation plutôt que la prévention. Partant du postulat que le travailleur victime d'un accident au travail ou d'une maladie industrielle ne devrait pas subir en plus une perte de revenu qui affecte le statut économique de sa famille, elle s'efforce d'en faire élargir la couverture et augmenter les compensations monétaires. Puis, suivant la politique du C.M.T.C. vers la fin des années 40, elle s'intéresse de très près à l'aspect préventif. Examinons brièvement comment cette pensée s'est transcrite dans ses principales prises de position.

La F.P.T.Q. se prononce en faveur du principe de la Loi des accidents du travail adoptée en 1940 par le gouvernement provincial. Mais, formulant l'objectif de la garantie du revenu de la victime, elle préconise plusieurs modifications : que tous les employeurs, sans exception, soient assujettis à la loi, quel que soit le nombre de leurs employés ; qu'un système de points de mérite ou de démérite constitue un stimulant pour les employeurs à la prévention des accidents ; que le calcul des indemnités soit basé sur le salaire gagné au moment de l'accident ; que le rapport entre la Commission des accidents du travail et le Service des inspections des établissements industriels soit plus étroit ; que

8.   *Rapport des délibérations de la septième conférence annuelle de la F.P.T.Q.*, Shawinigan, 8-10 septembre 1944, résolution n° 15, p. 9.
9.   *Rapport des délibérations de la neuvième conférence annuelle de la F.P.T.Q.*, Québec, 28-30 juin 1946, résolution n° 31, p. 25.
10.   *Rapport des délibérations de la douzième conférence annuelle de la F.P.T.Q.*, Granby, 10-12 juin 1949, résolutions, substitut aux résolutions n°s 29, 30, 31, 32, 33 et 34.
11.   *Rapport des délibérations de la dix-septième conférence annuelle de la F.P.T.Q.*, Granby, 11-13 juin 1954, résolution n° 101, p. 12.

l'indemnité corresponde à 100% du salaire ; que la liste des maladies industrielles soit révisée et complétée [12]. En 1943, tout en se réjouissant de la reconnaissance de la silicose et de l'amiantose comme maladies industrielles, la F.P.T.Q. réitère ses propositions de 1940 et demande en plus que le Conseil supérieur du travail assiste la C.A.T. en matière de compensation des travailleurs invalides et que des centres de thérapie occupationnelle soient établis afin de réadapter les travailleurs handicapés [13].

Une nouvelle orientation s'ajoute en 1948. Dans son mémoire au gouvernement provincial la F.T.P.Q., se faisant expressément et officiellement le porte-parole du C.M.T.C. qui entend mettre l'accent sur la prévention et uniformiser la législation sociale des provinces, propose que la prévention soit confiée à la C.A.T. et que le gouvernement s'assure de son bon fonctionnement de façon que celle-ci agisse avant les accidents plutôt qu'après [14]. Le mémoire suivant met l'emphase sur la prévention des accidents. Faisant état du grand nombre d'accidents industriels en 1947, la F.P.T.Q. demande qu'un programme de prévention de ces accidents soit établi par voie législative :

> Au cours de l'année 1947, près de 100 000 personnes ont été blessées au cours d'accidents industriels dans notre province. Il est grandement temps que quelque chose soit fait en vue de prévenir les accidents si nous voulons sauvegarder la plus grande richesse de la province, soit notre capital humain. Nous croyons que votre gouvernement devrait par législation établir un programme de prévention des accidents du travail [15].

À partir de 1948, les revendications portent autant sur la prévention que sur la réparation. Quant à ce dernier point, la F.P.T.Q. réexprime à divers moments les idées ou les propositions du début des années 40, quant à l'augmentation de la compensation, de la couverture et de la pénalisation financière des employeurs. En plus, elle exige un bureau d'appel qui permette aux travailleurs de contester, s'il y a lieu, les décisions des médecins de la C.A.T. dont le pouvoir paraît arbitraire.

Notons que la fédération est portée à faire assumer la responsabilité de la prévention par le gouvernement, sans s'interroger vraiment sur l'action que les deux autres acteurs du système, les syndicats et les employeurs, pourraient entreprendre dans cette direction.

---

12. *Mémoires au gouvernement provincial*, présentés le 23 janvier 1940, p. 7 et le 11 février 1941, p. 8.
13. *Mémoire au gouvernement provincial*, présenté le 25 novembre 1943, p. 5 et ss.
14. *Mémoire au gouvernement provincial*, présenté le 7 janvier 1948, p. 7.
15. *Mémoire au gouvernement provincial*, présenté le 15 décembre 1948, p. 5.

3. L'ASSURANCE-CHÔMAGE

En matière d'assurance-chômage, la politique de la F.P.T.Q. consiste à réclamer sans cesse des améliorations au système par l'extension de la couverture, la prolongation de la période d'admissibilité et l'augmentation des montants des prestations. L'attitude revendicative apparaît dès le début de la période et se manifeste de façon continue. Ainsi, on estime en 1946 que les bénéfices sont insuffisants et qu'ils doivent être accrus, parce que depuis l'adoption de la Loi sur l'assurance-chômage en août 1940, les salaires et le coût de la vie ont beaucoup augmenté [16]. En 1954, on réclame les modifications suivantes : 1) augmentation des prestations aux deux tiers du salaire hebdomadaire normal ; 2) diminution de la période de chômage requise avant d'avoir droit aux prestations ; 3) bénéfices supplémentaires durant les mois d'hiver ; 4) extension de la juridiction de la loi aux personnes sans travail pour cause de maladie [17].

Ces revendications parcellaires sont conformes à l'idéologie de la protection du statut économique de la cellule familiale où l'intervention supplétive de l'État apparaît nécessaire sans que les structures de l'économie soient mises en cause. Nous avons vu précédemment que la F.P.T.Q. a toujours soutenu que la création d'emplois revenait à l'entreprise privée et qu'elle incitait l'État à suppléer aux carences de cette dernière par des mesures telles que les travaux publics. Devant l'insuffisance de l'action combinée de ces deux agents, la F.P.T.Q. s'efforce d'assurer un revenu raisonnable aux travailleurs en misant sur l'assurance-chômage. Ce faisant, elle suit les politiques des unions internationales et du C.M.T.C.

4. LES PENSIONS DE VIEILLESSE

La F.P.T.Q. n'a pas de politique gérontologique, mais elle s'intéresse néanmoins au problème des personnes âgées. Tout comme pour l'assurance-chômage, sa politique est strictement revendicative. À travers ses demandes à caractère parcellaire et pragmatique nous retrouvons de nouveau, au centre de sa pensée, l'objectif de la constance du revenu et du niveau de vie pour le plus grand nombre possible de personnes. Elle s'efforce, en effet, d'une part d'abaisser l'âge d'éligibilité aux pensions de vieillesse et d'autre part, d'augmenter les montants versés aux

---

16. « Le rapport annuel du Comité consultatif de l'assurance-chômage », *le Monde ouvrier*, vol. 31, n° 3, mars 1946 : 3.
17. « Programme du C.M.T.C. pour parer au chômage », *le Monde ouvrier*, vol. 39, n°s 11-12, novembre-décembre 1954 : 10.

bénéficiaires. Donnons quelques exemples. On demande en 1943 que l'éligibilité soit fixée à 60 ans parce que l'« ère de la mécanisation rend les ouvriers inaptes au service beaucoup plus tôt qu'autrefois [18] ». On recommande en 1948 que les pensions soient accordées à 60 ans pour les hommes ainsi que leurs épouses et à 55 ans pour les autres femmes. Quant au montant des pensions, on propose qu'il soit fixé à $60 par mois plus un boni de vie chère en 1948 et à $75 par mois en 1954.

S'inspirant du principe prévalent à l'égard du vieil âge, la F.P.T.Q. s'efforce d'en élargir la portée à d'autres groupes défavorisés en proposant, entre autres, qu'une pension soit accordée aux aveugles à compter de 18 ans et à toute personne souffrant d'incapacité physique en 1948 et que la même politique soit adoptée à l'égard des veuves et des mères nécessiteuses en 1950.

5. LES ALLOCATIONS FAMILIALES

Pour la F.P.T.Q., les allocations familiales constituent une mesure de sécurité sociale axée sur la cellule familiale. C'est pourquoi, lorsqu'elle se prononce en 1943 en faveur du principe d'une législation dans ce sens, elle s'oppose en même temps à tout système qui assimilerait les allocations à une forme d'assurance ou les rendrait dépendantes de contributions basées sur le salaire [19]. Après l'adoption de la loi, la F.P.T.Q., selon sa façon habituelle en matière de sécurité sociale, a revendiqué des améliorations aux bénéfices, notamment en proposant que les allocations ne soient pas imposables et que les taux soient constamment réajustés en fonction des hausses du coût de la vie. Elle justifie ses positions par la nécessité d'améliorer et de protéger le revenu de la cellule familiale et par l'obligation morale de la communauté envers la famille nombreuse et chrétienne. Ce mode de pensée, très vivant au cours des années 40, perd de l'importance au cours des années 50.

6. LE LOGEMENT

Parmi les autres questions sociales qui attirent l'attention de la F.P.T.Q., telles que l'administration de la justice, la protection politique et les droits de l'homme, l'habitation est le seul problème qui soit l'objet d'un intérêt soutenu.

18. « La pension de vieillesse à 65 ans », *le Monde ouvrier*, vol. 28, n⁰ 5, **mai** 1943 : 2.
19. *Mémoire au gouvernement provincial*, présenté le 25 novembre 1943, p. 7.

Le coût des loyers est le principal sujet de préoccupation. Pour la F.P.T.Q., la solution à ce problème réside dans une forme de contrôle gouvernemental. On réclame d'abord son intervention. Ainsi, on lui demande en 1945 de prendre des mesures afin que le coût des loyers soit plus conforme aux salaires des travailleurs [20]. Puis, on insiste davantage sur le contrôle des loyers. La F.P.T.Q. réclame une régie des loyers en 1950, en avançant les arguments suivants : le contrôle gouvernemental aura pour effet, d'une part de favoriser la paix industrielle, car les pressions ouvrières sur les salaires deviendront moins fortes si le coût du logement cesse de monter et d'autre part, de sauvegarder le statut économique des familles ouvrières des grandes villes [21]. C'est dans le même esprit qu'elle incite plus tard le gouvernement à maintenir en vigueur la loi de 1951. « La demande demeure encore supérieure à l'offre et tout relâchement dans les contrôles donnerait immédiatement naissance à une fièvre de spéculation dont la victime sera la famille ouvrière des grandes villes [22]. »

La F.P.T.Q. s'intéresse aussi au problème du logement comme tel. En effet, elle réclame à plusieurs reprises la démolition des taudis et leur remplacement par des habitations salubres à la portée des moyens financiers de la classe ouvrière [23]. De plus, dans le but de faciliter l'accès à la propriété pour les travailleurs, elle suggère en 1948 la création d'un crédit ouvrier [24].

II
La Fédération des unions industrielles du Québec

Nous retrouvons chez la F.U.I.Q. le même mécanisme de perception en matière sociale qu'en matière économique. Elle définit l'industrialisation et l'urbanisation comme des phénomènes sociaux qui ébranlent l'équilibre du système traditionnel de type rural et qui sont porteurs d'éléments désintégrateurs face auxquels le travailleur urbain ne peut se réadapter sans l'intervention étatique. Comparant le Québec à l'Ontario, elle constate des disparités sociales inacceptables qu'elle attri-

---

20. *Mémoire au gouvernement provincial*, présenté le 17 janvier 1945, p. 10.
21. *Mémoire au gouvernement provincial*, présenté le 1er mars 1950, p. 4.
22. *Mémoire au gouvernement provincial*, présenté le 23 novembre 1955, p. 3.
23. *Mémoires au gouvernement provincial*, présentés le 17 janvier 1945, p. 10, le 18 décembre 1945, p. 9, le 4 décembre 1946, p. 9 et le 7 janvier 1948, p. 10.
24. *Mémoire au gouvernement provincial*, présenté le 7 janvier 1948, p. 10.

bue à l'indifférence et à l'insouciance de l'État. Elle fait alors face au même problème qu'en matière économique, soit de tenter de convaincre un gouvernement, qu'elle perçoit comme un adversaire, d'évoluer rapidement en fonction de la société nouvelle créée par l'industrialisation.

Comme la F.U.I.Q. n'a duré que quelques années, la documentation sur les questions sociales n'est pas abondante. Elle est néanmoins suffisamment substantielle en matière d'éducation, d'habitation et de sécurité sociale, pour nous permettre de dégager les éléments fondamentaux de sa pensée.

A. L'ÉDUCATION

La F.U.I.Q., tout comme les autres centres syndicaux, est en faveur de la gratuité des livres scolaires, de l'augmentation du nombre des bourses d'étude pour les enfants de familles ouvrières, de la gratuité de l'enseignement à tous les niveaux et de l'instruction obligatoire jusqu'à l'âge de 16 ans. Elle va cependant au-delà de ces revendications, car elle perçoit l'éducation comme une condition essentielle au développement de la collectivité aussi bien qu'un moyen de promotion individuelle. Cette pensée est exprimée dans un mémoire à la commission et dans le manifeste politique.

Résumons les principales idées de ces deux documents. La F.U.I.Q. souligne dans le mémoire que l'insuffisance générale du système d'éducation est particulièrement illustrée par la misère croissante des universités dont l'État est responsable, ce qui est démontré par une comparaison avec l'Ontario dont le gouvernement versait plus de $5 500 000 en subventions à ses universités pendant que le gouvernement québécois accordait à peine $1 500 000 aux siennes. Elle conclut que la classe ouvrière est la plus lésée par cet état de choses, car l'accès aux études supérieures devient réservé aux classes fortunées. Il lui apparaît alors indispensable, comme objectif, que la communauté assure à tous ses membres le même accès à l'instruction, car une société qui ne se renouvelle pas intellectuellement par un échange constant de ses composantes entre elles, selon les talents et les vocations, est vouée à la stagnation [25]. Le manifeste réitère les prises de position sur l'instauration obligatoire et la gratuité de l'enseignement en insistant sur la nécessité, à ces fins, de construire des écoles en nombre suffisant et de former

25. *Mémoire à la Commission royale d'enquête sur les problèmes constitutionnels de la province de Québec*, présenté le 10 mars 1954, p. 21 et 22.

un corps professoral compétent et indépendant. Un tel développement ne saurait cependant se faire sans la dépolitisation du financement de l'éducation.

Nous croyons que la question des octrois, tant provinciaux que fédéraux, a toujours eu l'allure de patronage électoral. Nous reconnaissons les droits fondamentaux de la province en matière d'éducation. Mais, nous sommes d'avis que plutôt que de débattre la question des octrois en en faisant des questions électorales, il serait beaucoup plus sage et beaucoup plus simple de répartir en conséquence les revenus des impôts [26].

B. LE LOGEMENT

C'est aussi dans le mémoire à la commission Tremblay que se trouve ce qui constitue l'essentiel de la pensée de la F.U.I.Q. sur l'habitation. Elle y adopte le même processus de raisonnement qu'en matière d'éducation. Après avoir démontré statistiquement la grande faiblesse du Québec par rapport à l'Ontario, la F.U.I.Q. tire une conclusion sous forme d'interrogation : « La disparité entre le pourcentage de propriétaires d'habitation au Québec et en Ontario est si frappante que le peuple québécois en vient à se demander si ses pétendues valeurs sociales ont d'autre but que de protéger la grande propriété [27]. » Pour la F.U.I.Q., les conséquences de l'absence d'une politique de l'habitation sont économiques aussi bien qu'humaines, comme l'indique le passage suivant :

La F.U.I.Q. se contente de rappeler ici une des plus graves conséquences économiques de l'insuffisance de l'habitation : cela impose une compartimentation rigide à nos structures économiques, et empêche cette mobilité de la main-d'œuvre qui est indispensable pour lutter contre le chômage technologique. Ainsi, les travailleurs ne se trouvent pas assez éprouvés par l'insuffisance de l'habitation : ils doivent en plus subir le chômage qui en résulte [28].

C'est pourquoi, il lui apparaît urgent que le gouvernement adopte une politique de l'habitation qui permette au Québec de rattraper son retard sur le reste du Canada et plus particulièrement sur l'Ontario, tant sur le plan de la construction domiciliaire que sur le plan de l'élimination des taudis.

26. *Constitution et manifeste politique*, Montréal, 1955, p. 17.
27. Mémoire du 10 mars 1954, *op. cit.*, p. 19.
28. *Ibid.*, p. 20.

C. LA SÉCURITÉ SOCIALE

À partir de propositions précises, dans une optique revendicative similaire à celle de la F.P.T.Q., la F.U.I.Q. débouche sur une approche globale de la sécurité sociale. Dans des résolutions lors des congrès ou des recommandations dans les mémoires au cours des années 1952 et 1953, on demande des augmentations des prestations d'assurance-chômage, des allocations familiales, des pensions de vieillesse et des versements aux mères nécessiteuses ainsi qu'aux aveugles ; on propose un plan obligatoire de pension industrielle afin de pallier à l'incapacité des travailleurs d'épargner ; on réclame un plan général d'assurance-santé. Le congrès de Champigny en 1954 fait ressortir la nécessité économique de la sécurité sociale pour la famille québécoise dont le revenu est inférieur à la moyenne canadienne alors que ses besoins sont supérieurs à cette moyenne. C'est là le prélude à l'affirmation dans le manifeste politique que la sécurité sociale est un droit avant d'être une forme de secours. Considérant qu'il ne peut y avoir d'excuse pour l'insécurité, la faim et la pauvreté dans le Québec :

> Un programme complet de sécurité sociale doit être mis en œuvre ; le principe de base de ce programme étant la pleine acceptation de la responsabilité de tous les citoyens du soin et de la protection de ceux qui ne peuvent subvenir à leurs propres besoins. Les ressources humaines de la province doivent primer sur les ressources matérielles et la propriété privée. La sécurité sociale doit être considérée comme un droit plutôt que comme une charité [29].

La F.U.I.Q. propose que ce programme comprenne un plan complet d'assurance-santé. Tout en reconnaissant que la santé est une responsabilité directe de la province, elle est d'avis, étant donné l'importance du problème, que le Québec devrait accepter un plan national dans l'éventualité où le gouvernement fédéral en ferait la proposition [30].

III
La Fédération
des travailleurs du Québec

Avec les années 60, la F.T.Q. prend conscience de la permanence de certains problèmes sociaux et de leurs conséquences globales, en

29. *Constitution et manifeste politique*, 1955, *op. cit.*, p. 14.
30. *Ibid.*, p. 14.

même temps qu'elle développe une nouvelle perception des structures économiques et des fluctuations cycliques qu'elles engendrent. Les revendications à caractère quantitatif en fonction du travailleur demeurent, mais elles sont accompagnées d'une analyse en profondeur des objectifs et des structures du système. Celle-ci donne lieu à plusieurs mémoires importants sur : l'administration hospitalière (1960), l'enseignement technique et professionnel (1961), les accidents du travail (1961), l'éducation (1962), le chômage (1962), la caisse de retraite (1964), la sécurité publique et la sécurité des travailleurs (1966), la santé et le bien-être (1966).

A. L'ÉDUCATION

Les premières politiques de la F.T.Q. relatives à l'éducation sont formulées dans un mémoire qu'elle soumet conjointement avec la C.T.C.C. au surintendant de l'Instruction publique en février 1958. Il s'agit d'une étape importante, car ce mémoire amorce une réorientation de sa pensée dans ce domaine.

L'idée directrice de ce mémoire est que l'éducation, étant étroitement reliée à des phénomènes qui affectent les intérêts vitaux des travailleurs, constitue un besoin social aussi bien qu'individuel. Il existe, en effet, une étroite relation entre le degré d'instruction, le chômage et les possibilités de mobilité sociale. Les deux centrales s'appuient en cela, d'une part sur un rapport du Service national de placement démontrant que les travailleurs moins instruits sont les plus affectés par le chômage et qu'ils ont tendance à se retrouver dans les industries à faibles salaires et à taux de chômage élevés et d'autre part, sur le fait que le progrès technologique nécessite une mobilité géographique et professionnelle alors qu'il s'avère que les travailleurs moins instruits s'adaptent difficilement et lentement à ces nouvelles conditions de travail. Comme le Québec se classait au dernier rang des provinces canadiennes au chapitre de la fréquentation scolaire des jeunes de 14 à 20 ans en 1951, il semble urgent que le gouvernement provincial adopte des mesures pour prolonger la fréquentation scolaire obligatoire jusqu'à l'âge de 16 ans et établir la gratuité scolaire à tous les niveaux de l'enseignement. En guise de contre-argument à la prétention gouvernementale à l'effet que la gratuité scolaire ne peut être établie en vertu du principe de la responsabilité des parents en matière d'éducation, les deux centrales soutiennent qu'il est faux de prétendre que la famille ne remplit pas ses devoirs en demandant une redistribution des charges de l'instruction sur l'ensemble de la société, d'une part parce qu'elle est de moins en moins en mesure d'assumer seule toutes les exigences relatives au minimum vital de l'enfant et d'autre part, parce qu'il est injuste de lui imposer le poids de tout le fardeau, car ce sont les besoins de la société moderne qui requièrent une meilleure formation des citoyens, ce dont elle sera en définitive le principal bénéficiaire.

À moins de nier que l'instruction ne soit un facteur de progrès pour toute la société en général, il faut reconnaître que la responsabilité d'assurer aux nouvelles générations l'accès à une formation conforme à leurs aptitudes est une responsabilité autant de la société que de la famille seule [31].

Ce mémoire reprend aussi un thème antérieur du mouvement syndical en réclamant, au nom du principe du droit des parents sur l'éducation des enfants, la démocratisation des corporations scolaires et du Conseil de l'instruction publique. Elle demande que tous les intéressés, même s'ils ne sont pas propriétaires, aient le droit de participer au choix des administrateurs des corporations scolaires en invoquant que le mode d'élection des commissaires d'école est demeuré celui d'une province rurale alors que l'urbanisation a fait du peuple québécois, un peuple de locataires. Elle suggère que des représentants laïques soient nommés sur le comité catholique du Conseil de l'instruction publique par les parents, le personnel enseignant, les collèges classiques et les universités.

Le caractère conjoint de ce mémoire, comme ceux qui suivront d'ailleurs sur d'autres sujets, pose le problème de la détermination des politiques spécifiques à chacune des deux centrales, d'autant plus que des impératifs étrangers au problème de l'éducation comme tel ont pu jouer. À l'époque, l'éventualité d'une intégration de la C.T.C.C. au sein du C.T.C. était encore fort présente, de sorte que la rédaction de ce mémoire pouvait constituer un test visant à démontrer la capacité des deux organisations d'unifier certains services et à présenter dans les faits une ébauche de fusion organique. Nonobstant ce fait, la présence des anciens membres de la F.U.I.Q. au sein de la F.T.Q. favorisait une telle collaboration avec la C.T.C.C., d'autant plus que leurs politiques respectives en matière d'éducation étaient assez similaires. Pour les anciens membres de la F.P.T.Q., ce mémoire marque le passage d'une conception de l'éducation comme moyen de promotion individuelle en vue d'assurer la sécurité de l'unité familiale à celle de l'éducation comme élément indispensable au progrès de la collectivité. Les anciens éléments de la F.U.I.Q. auraient, en cette occasion, jouer

---

31. *Mémoire au surintendant de l'Instruction publique de la province de Québec*, soumis par la F.T.Q. et la C.T.C.C., le 12 février 1958, p. 16.

un rôle de catalyseur dans l'élargissement de la définition de l'éducation chez les anciens dirigeants de la F.P.T.Q.

Ce mémoire est le point de départ dans le développement, au cours des années suivantes, d'une politique de l'éducation pouvant porter l'étiquette F.T.Q., dont les idées dominantes sont la démocratisation et la coordination étatique. Des diverses prises de position de la F.T.Q. de 1959 à 1965, c'est son mémoire à la commission Parent qui projette le mieux sa conception globale de l'éducation.

La F.T.Q. constate, en premier lieu, que l'esprit du système d'éducation est vieillôt par rapport aux exigences des nouvelles réalités sociales.

> Nulle personne ayant une responsabilité dans le domaine de l'éducation peut dorénavant ignorer le fait que le climat social et le climat culturel de la province de Québec sont tributaires d'une industrialisation et d'une urbanisation dont les conséquences doivent s'estimer en termes de révolution permanente. Si nous sommes engagés dans une civilisation du travail et du loisir, l'éducation traditionnelle ne peut viser ces objectifs sans une prise de conscience lucide, prélude à une adaptation inévitable [32].

Elle constate, en deuxième lieu, que la situation actuelle du Québec offre des possibilités d'action pour que les objectifs de l'enseignement soient en relation avec les impératifs de la vie sociale, qui n'existaient pas dans le passé.

> Il y a des causes de nos lacunes actuelles contre lesquelles nous ne pouvions à peu près rien dans le passé, par exemple, l'absence d'une action efficace de l'État, mais ces causes continuent à agir, et aujourd'hui nous pourrions quelque chose contre elles. Mais nous ne réagissons pas efficacement contre ces causes, parce que nous sommes encore psychologiquement dominés par notre passé. Les facteurs sociologiques longtemps insurmontables continuent d'agir comme s'ils étaient encore insurmontables, alors qu'ils ne le sont plus. Il nous faut convertir nos esprits à l'époque présente... [33].

Il apparaît immédiatement, qu'aux yeux de la F.T.Q. la carence de l'État constitue la principale lacune du système d'éducation. Il lui semble démuni, timide et en butte à une suspicion savamment entretenue alors que son rôle doit être redéfini sans délai dans une pers-

---

32. *Mémoire à la Commission royale d'enquête sur l'enseignement*, présenté le 27 juin 1962, p. 6.
33. *Ibid.*, p. 4.

pective autre que supplétive. Une autre lacune provient du rôle traditionnel joué par le clergé. En agissant selon son propre esprit, ses traditions et ses besoins, ce dernier a créé un modèle qui ne convient plus à un État moderne. La seule façon de combler ces lacunes, selon la F.T.Q., c'est la prise en charge de l'éducation par l'État.

> Et nous posons ici un principe fondametal : dans la société moderne, c'est à l'État surtout qu'il appartient d'assurer le caractère démocratique du système d'enseignement. Nous reconnaissons tous les droits des parents et de l'Église que l'État doit toujours respecter scrupuleusement. Mais ni les parents ni le clergé ne peuvent assumer la responsabilité de l'ensemble du système d'enseignement. Or, il faut qu'une autorité assume cette responsabilité, et ce ne peut être que l'État [34].

La F.T.Q. conçoit maintenant que le droit des parents en matière d'éducation s'exerce par l'entremise de l'État. Les craintes antérieures concernant l'intervention étatique, la déconfessionalisation et la régionalisation scolaire n'existent plus. La démocratisation de l'éducation c'est l'accès à l'enseignement pour tous et la participation des parents aux diverses structures du système sous l'égide de l'État. Sous-jacente à l'idée de démocratisation, se trouve une idée ouvriériste à l'effet qu'en cessant d'être l'apanage des classes sociales plus fortunées le système d'éducation véhiculera des valeurs populaires plutôt que des valeurs bourgeoises.

Dans l'esprit que nous venons de décrire, la F.T.Q. soumet dans ce mémoire une liste de 24 recommandations qui traitent de l'organisation du système scolaire sous tous ses angles : répartition de l'autorité, institutions, gratuité scolaire, population étudiante, programmes et méthodes d'enseignement, corps enseignant, etc. C'est dans le même esprit, qu'elle réclame par la suite l'accélération de la réforme entreprise par le gouvernement provincial et qu'elle en surveille l'exécution. Depuis 1965, aucune des prises de position n'est suffisamment significative pour laisser entrevoir une nouvelle orientation quant à la politique en matière d'éducation formulée par la fédération au début des années 60.

B. LA SÉCURITÉ SOCIALE

Nous avons constaté précédemment que la F.P.T.Q. définissait la sécurité sociale comme une protection individuelle contre les risques

---

34. *Mémoire à la Commission royale d'enquête sur l'enseignement*, présenté le 27 juin 1962, p. 12.

qui menacent les travailleurs comme chef d'une unité de consommation. Ce n'est que dans les toutes dernières années de son existence qu'elle accordait de l'importance aux mesures préventives. La F.U.I.Q., pour sa part, définissait la sécurité sociale comme un droit pour tous ceux qui sont dans une situation de dépendance sociale directe. La fusion de 1957, entraînant la jonction de ces deux orientations, a permis le développement d'une conception axée sur le développement social de la communauté.

C'est dans un mémoire conjoint F.T.Q.-C.T.C.C., en 1958, qu'est formulée la conception de la sécurité sociale qui anime les prises de position ultérieures de la F.T.Q. [35]. Les deux centrales y expriment d'abord leur volonté de cesser de percevoir la sécurité sociale en termes d'indigence : « Tout citoyen, indépendamment de ses moyens de fortune, a un droit à la sécurité sociale du fait même qu'il appartient à la communauté [36]. » Elles ajoutent que le champ de la sécurité sociale s'élargit constamment, non pas en raison de l'indigence croissante des individus, mais dans un rapport proportionnel au développement industriel et à la nécessité sociale de redistribuer plus équitablement le revenu national. C'est pourquoi, l'emphase doit être mise sur l'aspect négatif. Il importe donc davantage de créer le plein-emploi que de pallier au chômage, de construire des logements habitables que d'assister les sans-foyers, de maintenir la population en santé que de soigner les malades.

Dans son mémoire à la commission Castonguay-Nepveu, la F.T.Q. définit la sécurité sociale comme une mesure économique aussi bien qu'une mesure sociale. Partant du postulat que la société d'abondance ne doit pas seulement assurer la subsistance et les soins médicaux des économiquement faibles, la F.T.Q. propose que la sécurité sociale soit perçue dans les cadres d'une politique délibérée d'amélioration constante du niveau de vie et d'égalisation progressive des revenus. Elle recommande à ces fins : que le financement de la sécurité sociale soit intégré et se fasse par la voie de l'impôt direct ; que dans un premier temps, les régimes actuels d'assistance sociale soient réajustés selon les seuils de pauvreté en les indexant en fonction du coût de la vie, des salaires et de la production nationale, de façon à maintenir le niveau

35. Les mêmes remarques que nous avons faites au sujet du mémoire conjoint sur l'éducation en 1958 nous semblent de nouveau valables. Ce qui nous importe le plus, c'est de dégager les principes sur lesquels la F.T.Q. s'appuiera par la suite plutôt que de déterminer l'influence relative des deux centrales dans leur élaboration.
36. *Mémoire sur l'assurance-santé*, présenté au gouvernement provincial, par la C.T.C.C. et la F.T.Q., 1958, p. 5.

La pensée sociale

de vie ; que dans un deuxième temps, toutes ces mesures soient intégrées dans un tout homogène orienté vers l'avènement d'une société égalitaire [37].

Cette définition de la sécurité sociale, aboutissement d'une longue évolution idéologique, fait le pont avec la nouvelle perception syndicale de la fonction économique dans le système social. À partir d'une approche revendicative, à caractère supplétif et parcellaire, visant à protéger l'unité de consommation familiale, le mouvement en est rendu à percevoir la sécurité sociale comme une partie intégrante de la fonction économique, de façon à ce que la sécurité et le progrès du niveau de vie ne soient plus dépendants du marché du travail mais constituent des droits reliés strictement à l'appartenance à la communauté sociale.

Nous retrouvons cette idéologie dans les politiques portant sur la santé, l'assurance-chômage et les pensions de retraite.

1. LA SANTÉ

Dans leur mémoire conjoint de 1958, les centrales syndicales C.T.C.C. et F.T.Q. s'efforcent de démontrer que le problème de la maladie, d'une part ne peut être assumé par les petits salariés dont la capacité d'économiser est insuffisante pour mettre leurs familles à l'abri de la calamité financière causée par la maladie et d'autre part, porte un préjudice grave à la société qui ne peut atteindre ses fins sans le concours individuel de tous ses membres. C'est pour ces raisons qu'un système d'assurance-santé s'impose. Elles proposent un programme basé sur les principes suivants : qu'il soit le fruit d'une législation concurrente fédérale-provinciale, mais que l'administration relève des provinces ; que l'État en assume la coordination ; que le respect des libertés individuelles soit assuré de façon à permettre un choix réciproque entre le médecin et le patient [38].

Deux ans plus tard, un front commun de diverses associations, incluant la F.T.Q., soumet un imposant mémoire sur l'assurance-hospitalisation. Elles insistent au départ sur la situation anarchique du système hospitalier qui se traduit par un encombrement général dans certaines régions alors que les investissements dépassent considérablement les besoins courants dans d'autres et par une mauvaise répartition géographique des hôpitaux dont la localisation dépend souvent du hasard des intérêts électoraux. Elles déplorent également le désinté-

---

37. *Mémoire à la Commission d'enquête sur la santé et le bien-être social*, Montréal, 18 juin 1968.
38. *Mémoire sur l'assurance-santé*, p. 9.

ressement de l'État alors que ce dernier devrait réglementer, coordonner et orienter les initiatives privées et même les supplanter et s'y substituer au besoin. Dans le but de mettre un terme au désordre actuel et d'assurer un développement harmonieux du système, elles proposent la création au sein du ministère de la Santé, d'un bureau provincial des hôpitaux qui aurait le pouvoir de réglementer le fonctionnement des hôpitaux en édictant des normes, d'orienter et de coordonner les investissements privés afin d'éviter qu'ils ne déséquilibrent le système en se développant à leur guise et de recommander au gouvernement la construction d'hôpitaux dans les régions négligées par les initiatives privées. Elles recommandent en plus, la formation d'une commission indépendante, composée de représentants du ministère de la Santé, des organisations signataires du mémoire et des associations médicales et hospitalières dont le rôle serait d'administrer le régime d'assurance-hospitalisation et d'établir des contacts réguliers avec l'administration fédérale en vue du partage du financement. Elles ajoutent enfin qu'elles considèrent l'assurance-hospitalisation comme un premier pas seulement vers l'assurance-santé [39].

À cette époque, l'assurance-santé apparaît vraiment comme l'objectif principal de la F.T.Q. En 1961, tout en se réjouissant de l'adoption par le gouvernement provincial d'un régime d'assurance-hospitalisation, elle déplore qu'aucune mesure n'ait été prise quant à l'assurance-santé. Reprenant certaines propositions du mémoire conjoint de 1960, à l'occasion de son mémoire législatif, en février 1962, elle rappelle que l'assurance-hospitalisation ne constitue qu'une demi-mesure sociale et que la seule mesure adéquate serait l'instauration d'un régime complet d'assurance-santé. Elle reproche, en même temps, au gouvernement provincial de ne pas avoir pris l'initiative dans un domaine qui relève de sa compétence, en instituant une enquête provinciale sur la santé au moment de son refus de participer à l'enquête fédérale dans ce domaine. Elle exprime cependant l'avis que chaque province devrait de plein droit recevoir toute contribution du gouvernement fédéral tout en conservant l'entière liberté de décision quant à la répartition de ces sommes d'argent, dans l'éventualité où la conclusion de l'enquête fédérale serait l'établissement d'un plan conjoint fédéral-provincial. Quelques années plus tard, la F.T.Q. manifeste clairement, à l'occasion du débat public qui a précédé l'adoption du régime provincial d'assurance-maladie, sa volonté que celui-ci soit étatique, universel, obligatoire, public et com-

---

39. *Mémoire sur l'assurance-hospitalisation*, présenté conjointement par la F.T.Q., la C.S.N., l'U.C.C., le Conseil de la coopération du Québec, la Fédération des unions de familles et le Chapitre français de Montréal de l'Association canadienne des travailleurs sociaux, en novembre 1960.

La pensée sociale

plet en excluant toute notion d'indigence. Son état d'esprit d'alors nous semble bien illustré par la déclaration suivante du secrétaire général de la fédération :

> À moins que la Chambre de commerce entreprenne de démolir scientifiquement les données de base et les thèses du rapport Hall, ce qu'elle n'a pas encore réussi à faire, on ne peut qu'attribuer à des raisons idéologiques, plutôt que pratiques, son opposition à un régime universel et public d'assurance-maladie. Et alors, nous tenons à faire savoir à tous les intéressés, dont les autorités gouvernementales, que pour des motifs également idéologiques de justice sociale et d'égalitarisme, notre mouvement est farouchement opposé à tout régime qui ne satisferait pas à des exigences fondamentales [40].

Des politiques de la F.T.Q. en matière de santé, deux conclusions se dégagent eu égard à l'État. D'une part, celle-ci lui confère un rôle de coordination en 1958, supplétif et d'initiateur en 1962 et de planificateur-régulateur depuis 1966. Ainsi, les définitions du rôle de l'État dans les domaines de l'économique et de la santé se rejoignent. De cette façon, la F.T.Q. traduit au niveau des moyens son idéologie de la garantie du niveau de vie suivant laquelle les aspects économiques et ceux de la sécurité sociale sont fusionnés dans une perspective de développement. D'autre part, il apparaît clairement que la F.T.Q. considère qu'une politique de la santé constitue une responsabilité de la juridiction provinciale. Si elle accepte une participation fédérale, c'est au niveau du financement et non pas aux niveaux de l'élaboration des programmes et de leur administration. On se rappellera que la F.P.T.Q. acceptait les deux juridictions alors que la F.U.I.Q. affirmait la primauté provinciale. Il semble donc que l'influence combinée de la F.U.I.Q. et de la C.T.C.C. ait été le facteur déterminant de l'orientation adoptée en 1958 par la F.T.Q., tout comme nous l'avons remarqué en matière d'éducation.

2. L'ASSURANCE-CHÔMAGE

Le chômage est perçu comme étant davantage un problème de structures économiques qu'un problème social. On définit en effet, dès le début, l'assurance-chômage comme un palliatif et une mesure de soutien. C'est donc par la solution au problème économique que l'on réglera le problème du chômage. C'est pourquoi ce dernier problème relève des politiques économiques plutôt que des politiques sociales de

40. *Information*, communiqué de presse, 20 juillet 1966.

la fédération. « La F.T.Q. se refuse à envisager exclusivement la solution au problème du chômage en termes d'assistance-chômage ou d'assurance-chômage... Le document que nous vous soumettons de nouveau aujourd'hui préconise la planification économique [41]. » La F.T.Q. continue de réclamer, dans l'optique traditionnelle de la protection du niveau de vie, des améliorations à la Loi de l'assurance-chômage, quant à la couverture, aux bénéfices et aux périodes de prestation. Mais, ses principaux efforts portent sur la création d'emploi et sur une politique de main-d'œuvre. L'assurance-chômage est alors considérée comme un pis-aller que l'on tolère de moins en moins, car l'on accepte de moins en moins que les travailleurs supportent le fardeau des changements apportés par le développement.

Le passage suivant, cité antérieurement, résume, on ne peut mieux, l'attitude actuelle de la F.T.Q. :

> Nous allons réclamer pour ces sans-travail chroniques un statut économique et social qui leur permettra de choisir librement entre le travail et les loisirs, sans perdre leur dignité d'hommes ni leur place dans la société. *Pour nous, le choix est simple : c'est le plein-emploi ou le revenu garanti* [42].

3. CAISSE DE RETRAITE ET PENSIONS DE VIEILLESSE

La vieillesse est un domaine où l'approche de la F.T.Q. diffère de l'orientation qui prévalait avant la fusion. L'attitude strictement revendicative et pragmatique y cède la place à une préoccupation qui se veut globalisante. Nous en retrouvons les principaux éléments dans un mémoire sur les caisses de retraite présenté en 1965 au gouvernement provincial.

Selon la F.T.Q., le régime de sécurité de la vieillesse du gouvernement fédéral puise ses racines dans la charité traditionnelle. C'est pourquoi, elle ne constitue qu'un palliatif (même si celui-ci est essentiel) et un mécanisme subsidiaire pour remédier à la protection insuffisante des personnes âgées. Mais, celles-ci ont un droit strict à une vieillesse décente parce qu'elles ont pendant leur vie active contribué à conserver et à améliorer les instruments de production de la communauté et à subvenir aux besoins de ceux qui étaient dans l'incapacité de travailler. L'application de ce droit doit assurer la protection de leur niveau de vie. Cette protection aurait en plus comme avantage social, d'une part

---

41. *Mémoire législatif*, présenté au gouvernement provincial, le 11 novembre 1958, p. 18.
42. *Information*, communiqué de presse, le 12 juin 1968. C'est nous qui soulignons.

de maintenir relativement constant le pouvoir d'achat d'une catégorie d'économiquement faibles particulièrement nombreux et d'autre part, d'accélérer le retrait des personnes âgées du marché du travail en contribuant d'autant à la solution du problème du chômage.

Dans cette perspective, la F.T.Q. propose la création d'une caisse générale de retraite ayant les caractéristiques suivantes :

— Un régime universel de base dont l'objectif est d'assurer à toutes les personnes âgées résidant dans la province le minimum requis pour subsister et satisfaire à leurs besoins les plus fondamentaux.

— Un régime d'assurance-vieillesse obligatoire dont l'objectif est d'assurer au plus grand nombre possible de personnes, au coût le plus bas et de façon obligatoire, une pension de retraite proportionnelle aux contributions qu'elles auront versées pendant la durée de leur vie active.

— Un régime complémentaire d'assurance englobant tous les plans facultatifs dont l'objectif est d'assurer une protection supplémentaire à celle que peut offrir un régime public obligatoire.

— Un régime d'assistance dont l'objectif est de garantir le maintien des moyens d'existence aux personnes qui, pour une raison ou une autre, ne peuvent bénéficier des prestations octroyées par les trois autres régimes, publics et privés, ou pour lesquels ces prestations ne suffisent pas.

— La création d'une caisse de retraite (régime d'assurance-vieillesse) strictement provinciale avec transférabilité des droits acquis d'une province à l'autre.

— Que le montant des pensions soit ajusté non seulement aux fluctuations de l'indice des prix à la consommation, mais également à l'indice d'augmentation des salaires dans l'industrie.

— Que la protection de la caisse s'étende aux personnes à charge.

— La création, au sein de la caisse provinciale de retraite, d'une division des régimes privés facultatifs, *a)* qui offrirait aux entreprises intéressées un plan d'assurance-vieillesse facultatif à l'intention des employés de ces entreprises et *b)* qui servirait d'agent de coordination entre les fonds privés indépendants pour assurer la collecte et le versement des pensions de vieillesse.

— La participation des syndicats à la nomination d'un nombre déterminé d'administrateurs de la caisse [43].

43. Voir : *Politique de la F.T.Q. 1960-1967*, Montréal, Les Éditions F.T.Q., 1967, p. 113-114.

4. AUTRES QUESTIONS SOCIALES

Nous traiterons brièvement sous cette rubrique de l'habitation, des accidents de travail, des droits de l'homme et de la question linguistique.

a) L'habitation

Depuis sa fondation, la F.T.Q. s'est préoccupée presque exclusivement de la régie des loyers, en réclamant de façon répétée son maintien, voire son extension, en demandant une représentation syndicale au sein de cette dernière et en proposant qu'elle puisse entendre les plaintes relatives à la sécurité, l'hygiène, les pannes des services essentiels, etc. Si l'on considère diverses déclarations portant sur les problèmes sociaux et économiques, il appert qu'elle s'intéresse au développement de la construction domiciliaire et plus particulièrement au problème de l'élimination des taudis et des logements insalubres, bien que celui-ci n'ait pas encore été l'objet d'une analyse spécifique approfondie.

Des développements dans la pensée officielle de la F.T.Q. sont à prévoir si l'on retient le rapport soumis en 1969 par son comité d'étude sur l'habitation. Ce comité conclut que le mouvement syndical, étant donné la confusion et les problèmes urgents dans ce domaine, doit passer lui-même à l'action en utilisant les ressources dont il dispose. Il propose : la création par les syndicats d'une caisse de l'habitation qui pourrait éventuellement devenir une source de financement à court terme ; la création de coopératives d'habitation ; la création de compagnies de construction sans but lucratif, financées et administrées par les syndicats. Conscient qu'une telle action ne saurait être possible sans une transformation importante des lois qui régissent l'habitation, le comité recommande : l'établissement d'un véritable contrôle des loyers ; l'élimination de la spéculation foncière ; une loi cadre de l'urbanisme ; une loi autorisant l'utilisation d'une partie des capitaux des caisses de retraite, avec bonification des taux d'intérêt pour le développement de l'habitation sans but lucratif ; une politique de subventions à la construction de logements à prix modiques [44].

Le faible dynamisme manifesté par la F.T.Q. en matière d'habitation semble découler d'une diminution d'un souci direct sur la famille. Si la F.T.Q. se prononce en 1965, en faveur du mariage civil, d'un tribunal provincial du divorce et d'un élargissement de la Loi de

---

44. Voir : « Le logement sera social ou ne sera pas », *le Monde ouvrier*, vol. 54, nos 10-11, octobre-novembre 1969 : 5.

l'adoption, elle demeure néanmoins relativement silencieuse sur les autres questions, notamment sur les allocations familiales. Nous ne voyons cependant pas en cela un manque d'intérêt. Il s'agit plutôt d'un déplacement de la stratégie suivant laquelle les problèmes spécifiques de la famille peuvent être réglés par l'entremise des propositions globales en matière économique et de sécurité sociale.

b) Les accidents du travail

La Loi des accidents du travail est l'objet de revendications nombreuses régulières et précises selon le même esprit qui prévalait au sein de la F.P.T.Q. avant la fusion. Ces réclamations visent à :

a) élargir le champ de couverture de la loi dans le but d'atteindre tous les salariés ;

b) bonifier les compensations telles que indemnité égale au salaire de l'accidenté, réajustement des compensations selon un minimum vital et le coût de la vie en cas d'incapacité permanente partielle ou totale et augmentation des pensions aux veuves des accidentés ;

c) améliorer les mécanismes de la C.A.T. tels que la réduction des délais de paiement, la détermination précise de la date de retour au travail, le réembauchage des accidentés, la simplification de la preuve d'incapacité, la décentralisation administrative de la C.A.T. et l'amélioration des qualifications de son personnel.

La F.T.Q. met en même temps l'accent sur la prévention des accidents au travail d'une façon beaucoup plus immédiate et importante qu'avant 1957. Elle propose en 1961 la création d'une commission de prévention des accidents du travail dans laquelle les employeurs et les travailleurs seraient représentés paritairement [45]. C'est en 1966 que sa campagne est la plus forte. À la suite de la tragédie de l'échangeur Turcot, survenant peu après celle du pont de Trois-Rivières, la F.T.Q. s'en prend violemment à l'absence de sens des responsabilités des employeurs, réclame une enquête publique sur les circonstances de cet accident et demande à l'État de prendre toutes les mesures nécessaires pour forcer les employeurs à respecter les normes de sécurité sur les chantiers de construction et d'améliorer le système de prévention en y associant au même niveau les travailleurs et les structures syndicales [46]. Ces attitudes constituent depuis les composantes principales de sa politique en matière de prévention des accidents au travail.

---

45. *Information*, communiqué de presse, 20 mars 1961.
46. *Information*, communiqué de presse, 20 janvier 1966.

c) Droits de l'homme et langue du travail

La F.U.I.Q. consacrait une importante partie de son manifeste à la formulation des droits fondamentaux individuels et collectifs. La F.P.T.Q., bien que moins explicite, s'inspirait dans son action de la déclaration universelle des droits de l'homme. Ces traditions inspirent la F.T.Q. qui se montre très attentive aux pratiques discriminatoires et aux mesures qui affectent la liberté d'expression.

Sa politique à l'égard de la discrimination est décrite par le passage suivant :

> La F.T.Q. réprouve toute pratique discriminatoire et prie le gouvernement provincial de faire adopter des lois comportant des sanctions sévères, interdisant la discrimination pour des raisons de race, de couleur, de religion et d'origine ethnique, en ce qui a trait à l'emploi, à la location ou rente de logements, à l'accès aux endroits publics et aux services publics et professionnels [47].

En vertu de cette position de principe, elle appuie le Comité de défense des droits de l'homme en invitant ses membres à y participer activement et endosse le mémoire que ce dernier présente en 1965 en y recommandant au gouvernement provincial de créer une commission des droits de l'homme et d'adopter un code des droits de l'homme. Elle propose des modifications aux lois afin d'établir l'égalité des droits de la femme et lui assurer un salaire égal pour un travail égal. Se prononçant sur le bill 16 en 1965, elle insiste sur la reconnaissance de l'égalité des droits de la femme mariée et sur la modification en ce sens des régimes matrimoniaux. Protestant contre la discrimination à l'égard des travailleurs âgés, elle propose :

> Que les journaux de la province refusent de publier toute demande de main-d'œuvre, mentionnant une limite d'âge ;
> Que le gouvernement provincial adopte une loi défendant toute discrimination dans tout emploi à cause de l'âge ;
> Que le gouvernement fédéral adopte la politique d'annuler tout contrat accordé aux compagnies qui pratiquent ce genre de discrimination contre les travailleurs âgés [48].

Le même esprit l'anime à l'occasion du mémoire qu'elle soumet en 1967 à la Commission d'enquête sur l'administration de la justice. Il est bien traduit par cette simple phrase : « Le principal objectif de votre commission doit être l'élimination des injustices de notre système

---

47. *Mémoire législatif*, novembre 1958, *op. cit.*, p. 43. Les faits rapportés dans le reste du paragraphe sont tirés de cette publication.
48. *Ibid.*, p. 44.

d'administration de la justice par l'adoption de diverses mesures visant à garantir à tous les citoyens l'égalité devant la loi [49]. » En résumé, la politique de la F.T.Q. eu égard aux droits de l'homme, c'est l'égalité de tous les citoyens sur le marché du travail et quant aux droits civils et politiques, ce qui exclut en même temps toute discrimination d'une classe sociale sur une autre.

La F.T.Q. considère d'autre part que la liberté d'information et d'expression est un prérequis pour assurer, en démocratie, le respect des droits fondamentaux des citoyens et l'élimination des mesures discriminatoires. C'est un droit que le syndicalisme utilise fréquemment et qu'il veut voir exercer sans contrainte tant pour lui-même que pour les autres. La F.T.Q. est donc très sensible à toute forme de contrôle dans ce domaine et manifeste son opposition dès qu'il apparaît que l'on veuille le limiter, quel qu'en soit l'auteur. C'est ce qui explique l'attitude que les dirigeants de la fédération ont adopté lors des événements d'octobre 1970.

> Quand les événements ont commencé à se bousculer, nous avons vite compris que nous n'avions pas le droit de rester muets. La voix que nous avons voulu faire entendre, c'est celle que nous avons toujours tenté d'imposer : celle de la raison et de la justice...

> Les positions que nous avons prises sont claires : nous avons dit aux terroristes que nous ne marchions pas dans leur violence, qu'elle était inadmissible et dégradante pour tous les québécois Nous avons dit, du même souffle, aux gouvernements que nous n'acceptions pas que soient mises en veilleuse les libertés fondamentales des citoyens et la démocratie tout entière...

> Nous n'avons jamais cru quant à nous, du mouvement, syndical, que la fin justifiait les moyens... [50].

En vertu de sa politique à l'égard des droits de l'homme, la F.T.Q. s'est intéressée au problème du français comme langue du travail, bien avant que cette question ne soit politisée. Dès 1960, elle réclamait des mesures gouvernementales pour assurer des chances égales aux francophones dans l'embauchage, dans les promotions et dans les conditions de travail. Elle demande de façon répétée, depuis 1962, qu'une législation impose le français comme langue de travail et des relations patronales-ouvrières. Dans sa politique linguistique, la F.T.Q. essaie de

---

49. *Mémoire à la Commission d'enquête sur l'administration de la justice en matière criminelle et pénale*, juillet 1967, p. 5.
50. *Le Monde ouvrier*, numéro spécial sur les événements d'octobre, vol. I, n⁰ 1, octobre 1970 : 1.

faire preuve de réalisme. D'une part, elle s'inscrit en faux contre la thèse de l'unilinguisme québécois :

> Nous savons que la connaissance de l'anglais continuera longtemps à donner le pouvoir réel à ceux qui contrôleront les échanges à l'intérieur de l'économie nord-américaine, et nous ne voulons pas abandonner éternellement ce pouvoir à l'élite bourgeoise, à une nouvelle classe de privilégiés du bilinguisme, qu'il s'agisse de Canadiens français opportunistes ou d'anglophones intelligents [51].

Il lui apparaît d'autre part que faire du français la langue de l'éducation et du travail constitue le moyen privilégié pour renverser la situation existante, suivant laquelle l'anglais est la langue du pouvoir économique et du prestige au Québec et le français la langue des emplois subalternes et du chômage.

* * *

Eu égard à la F.P.T.Q., la définition du système social ne ressort pas aussi clairement que la définition du système économique. Celle-ci n'avait pas de pensée sociale intégrée et articulée bien qu'elle se soit prononcée sur de nombreuses questions, d'une façon plus ou moins sporadique ou régulière selon les thèmes. Cette carence idéologique nous semble reliée à sa définition de soi. S'identifiant à un mouvement syndical plutôt qu'au mouvement ouvrier, à une organisation économique plutôt que sociale, elle a privilégié les problèmes économiques sur les problèmes sociaux et rationalisé davantage son action économique en vertu de ses préoccupations fonctionnelles.

Notre étude révèle que la composante sociale de l'idéologie de la F.P.T.Q. est tributaire de sa composante économique. Les revendications sociales sont supplétives aux revendications économiques. Elles sont conçues en termes de correctif à certaines déficiences dans le fonctionnement du système économique ou de complément à ses effets bénéfiques. Elles visent le même objectif, soit la prospérité de la cellule familiale comme unité de consommation. Qu'il s'agisse d'éducation ou de l'un ou l'autre aspect de la sécurité sociale, un lien direct peut être établi entre les revendications de la F.P.T.Q. et la sécurité du revenu ou le pouvoir d'achat.

Le lien entre le social et l'économique explique pourquoi la définition du rôle de l'État en matière sociale est sensiblement la même qu'en matière économique sauf en ce qui a trait à la question de la

---

51. Extrait du message du président Laberge à l'occasion de la Saint-Jean-Baptiste, rapporté par le Monde ouvrier, vol. 52, n° 7, juillet 1967 : 4.

santé qui est perçue très tôt dans une perspective socialisante. Bien que la nature même des solutions aux problèmes sociaux entraînait une plus grande propension à recourir à l'État qu'en matière économique, la F.P.T.Q. conçoit le rôle de l'État selon une optique de suppléance, sauf au cours de ses dernières années d'existence, alors qu'elle commence à vouloir lui conférer plus de responsabilités directes. Pendant la majeure partie de son existence, celle-ci croit que les individus et les groupes sont les principaux responsables de leur sort et que le gouvernement doit, sans se substituer aux droits des individus et de la famille, s'efforcer de pallier, dans la mesure du possible, aux problèmes les plus immédiats ou les plus sévères.

En matière de santé, la politique de la F.P.T.Q. s'inscrit plutôt dans un modèle de socialisation. Une hypothèse peut être émise pour expliquer cette orientation. Le chômage, le sous-emploi et l'inflation constituent des maux que l'on peut qualifier de réparables, en ce sens que le travailleur conserve une possibilité de rattrapage pour assurer le progrès de l'unité de consommation dont il est responsable. La santé est au contraire un bien périssable et non récupérable, dont la perte met en danger la survie même de l'unité de consommation. Il semble donc logique que le syndicalisme y soit sensibilisé davantage et qu'il recherche en conséquence des solutions plus globales et collectives.

Chez la F.U.I.Q., les politiques sociales ne sont pas conçues comme uniquement supplétives aux politiques économiques. Il y a, bien sûr, de nombreuses revendications qui relèvent d'une approche supplétive. Mais, la F.U.I.Q. définit globalement ses politiques sociales et ses politiques économiques dans une perspective de développement de la collectivité. Elle opère suivant un modèle idéologique unitaire, explicite dans sa définition de soi, en établissant des rapports d'interdépendance et de réciprocité entre les phénomènes sociaux et les phénomènes économiques.

Le même mécanisme de perception est observable aussi bien dans le domaine social que dans le domaine économique. Procédant par voie de comparaison, la F.U.I.Q. constate le sous-développement des politiques sociales au Québec, en attribue la cause fondamentale à l'inertie rétrograde du gouvernement provincial, formule, dans une perspective de développement, des objectifs de la communauté et définit l'État comme le principal agent du progrès.

Les politiques sociales de la F.T.Q. dénotent une nette prédominance de l'influence de la F.U.I.Q. Nous avons pu le constater dans le développement initial de la pensée de la nouvelle fédération, lors de l'analyse des premiers mémoires préparés en 1958 sur l'éducation et la santé. L'évolution subséquente, compte tenu de la situation existentielle, est dans le prolongement logique de l'idéologie de la F.U.I.Q.

La pensée de la F.T.Q. se structure selon une approche plus collectiviste qu'individualiste où les problèmes constituent un coût social autant qu'un coût individuel et leurs solutions un actif national aussi bien que personnel. Elle indique une idéologie de socialisation qui situe les préoccupations au niveau des structures globales et qui invite l'État à jouer un rôle de premier plan aussi bien en qualité de moteur du développement qu'en qualité d'artisan des solutions permanentes aux divers problèmes sociaux. Elle suppose aussi une conception d'interdépendance entre l'économique et le social, comme celle qui existait au sein de la F.U.I.Q. Celle-ci est particulièrement remarquable quant à la question de l'assurance-chômage.

Les composantes sociale et économique de l'idéologie de la F.T.Q. non seulement concordent mais se fusionnent en fonction d'un objectif commun qui est le progrès de l'unité familiale de consommation. L'une et l'autre ont pour fonction de contribuer à garantir un niveau de vie décent et permanent. C'est pourquoi, beaucoup d'importance est attachée, en matière sociale, à l'aspect préventif et à l'aspect investissement, alors que le concept de réparation devient davantage synonyme de maintien des droits acquis que de compensation.

Chapitre 8

Les relations du travail

Ce chapitre est relativement court si l'on considère que les problèmes du travail ont traditionnellement constitué le principal centre de préoccupations du mouvement syndical nord-américain. Ceci s'explique par les raisons suivantes. Les politiques du travail, objet de la négociation collective, ne sont pas couvertes par notre étude, parce qu'elles sont la responsabilité première des unions. La conception globale du système de relations industrielles et la définition des acteurs les uns par rapport aux autres ont été traitées au chapitre 5. Le but du présent chapitre est de poursuivre cette première analyse en dégageant les positions de base du mouvement qui concrétisent la définition de soi et la définition des rapports avec les autres. C'est pourquoi, le centre d'intérêt sera les politiques des trois centres syndicaux à l'égard du droit d'association, du droit de négociation, du droit de grève et du rôle de l'État.

Une large section du chapitre sera consacrée à la F.P.T.Q., parce que cette fédération a, en vertu de son orientation professionnelle, accordé plus d'importance à ces questions que la F.U.I.Q. en établissant des traditions qui ont servi de cadre de référence et de point d'appui à la F.T.Q.

I
La Fédération provinciale du travail du Québec

Pour la F.P.T.Q. le système de relations industrielles a fondamentalement comme fonction essentielle d'instaurer la paix industrielle en créant des relations harmonieuses entre le Capital et le Travail. « Il est des relations industrielles un peu comme des relations internationales. Leur réglementation doit viser plus loin que l'immédiat, et viser à l'harmonie future comme à l'harmonie actuelle [1]. » Cette définition du but des relations industrielles s'inscrit dans la problématique d'un syndicalisme qui se veut non révolutionnaire. Elle repose sur deux idées de base, soit que les travailleurs et les employeurs sont les principaux agents des relations professionnelles et que des relations ordonnées entre eux impliquent un équilibre de force. Celles-ci sont sousjacentes aux politiques de la F.P.T.Q. eu égard au droit d'association, au droit de négociation, au droit de grève et au rôle de l'État.

A. LE DROIT D'ASSOCIATION

La libre appartenance de chacun à l'union de son choix constitue la première composante de l'idéologie de la F.P.T.Q. en matière de relations du travail. Considérée comme un droit fondamental qui conditionne l'exercice des autres droits des travailleurs, la liberté d'association acquiert un caractère absolu.

> Votre comité recommande que cette convention réaffirme son attitude en faveur d'une liberté absolue d'association pour tous les ouvriers dans toute union de leur choix quels que soient leur métier ou leur classification y compris les employés du service civil [2].

> Garantir, en termes non équivoques, la liberté d'association et le droit d'organisation aux travailleurs sans intimidation ou coercition ou restriction d'aucune espèce de la part des employeurs [3].

Elle donne lieu à une double politique, l'une visant à élargir constamment le champ de la protection juridique du droit d'association, l'autre visant à assurer la sécurité syndicale et à éliminer les obstacles au libre exercice du droit d'association.

En 1944, la F.P.T.Q. se réjouit de l'adoption de la Loi des relations ouvrières parce qu'elle consacre le principe du droit des travailleurs de s'associer dans des unions de leur choix. Mais, elle se rend vite compte, à l'usage, que cette loi comporte des failles. En effet, la

---

1. *Mémoire législatif au gouvernement provincial*, présenté le 25 novembre 1952, p. 2. La même idée est exprimée dans les mémoires législatifs du 15 décembre 1948, p. 2, du 12 décembre 1951, p. 3 et 6 et du 9 février 1955, p. 2.
2. *Rapport des délibérations de la septième conférence annuelle de la F.P.T.Q.*, Shawinigan, 8-10 septembre 1944, p. 15.
3. *Mémoire législatif au gouvernement provincial*, présenté le 27 avril 1943, p. 9.

stratégie des employeurs antisyndicaux à l'occasion d'une campagne d'organisation syndicale consistait à menacer leurs employés de congédiement ou de fermeture de l'usine s'ils adhéraient au syndicat *bona fide*, à favoriser sinon stimuler la formation d'union de compagnie dite indépendante, ou à congédier les « activistes syndicaux ». La stratégie défensive de la F.P.T.Q. consiste alors, d'une part à tenter de déloger les unions de boutique et de les faire interdire par la loi, comme nous l'avons vu au chapitre 5, et d'autre part, à réclamer que la législation prévoit la réintégration dans leurs fonctions des employés congédiés pour activités syndicales avec l'entière compensation monétaire pour le salaire perdu pendant la période de congédiement et qu'elle impose des sanctions ou amendes plus sévères aux employeurs qui violent la loi en congédiant des travailleurs pour activités syndicales [4].

Il nous semble important d'insister ici sur un point qui paraît antinomique, celui de la sécurité syndicale par opposition à la liberté d'association. En effet, tout en définissant la liberté d'association comme un droit fondamental qu'elle revendique pour tous les travailleurs au nom de la démocratie, la F.P.T.Q. préconise des mesures qui assurent la sécurité du syndicat, mais qui limitent en même temps, les possibilités quant au choix de l'organisme de représentation ouvrière et quant au changement d'allégeance syndicale.

Pour la F.P.T.Q. et le syndicalisme nord-américain, en général, la liberté syndicale ne doit pas entraîner de division à l'intérieur de la classe ouvrière. Elle réside fondamentalement dans des structures syndicales démocratiques. La véritable liberté syndicale, ce n'est pas le changement d'allégeance syndicale quand on le désire et souvent pour des motifs futiles, mais c'est le pouvoir réel des membres de modifier la constitution de leur syndicat et de changer leurs dirigeants. C'est pourquoi, loin de voir une opposition entre liberté d'association et sécurité institutionnelle, on conçoit que ces deux notions sont convergentes. Le libre exercice du droit d'association est illusoire s'il ne s'effectue pas par l'entremise d'une organisation efficace. L'efficacité est irréalisable pour un organisme qui doit constamment lutter pour survivre. En conséquence, il ne saurait y avoir sans sécurité syndicale de promotion de la condition ouvrière, ce qui constitue l'objectif principal de l'exercice du droit d'association.

Dans sa recherche d'une sécurité institutionnelle, le syndicalisme nord-américain ne s'est pas contenté de ses propres moyens seulement, soit l'élimination de la concurrence intersyndicale et la négociation de

---

4. Ces propositions sont l'objet de résolutions répétées à l'occasion des congrès et apparaissent dans plusieurs des mémoires législatifs de la fédération.

clauses de sécurité syndicale. Il a aussi tenté de l'obtenir par voie législative. Ainsi, le congrès de 1943 recommande que la clause d'atelier fermé, simple ou conjoint, soit accordée lorsque 75% des travailleurs sont organisés dans une ou plusieurs unions, pourvu que les parties soient d'accord. Un désir semblable est exprimé en 1950 dans un énoncé de principe à l'égard d'un projet de Code du travail, comme l'indique le passage suivant :

> Des dispositions pourront être incluses dans une convention collective après négociation entre les parties ou après conciliation ou pourront faire le sujet d'une sentence arbitrale, afin qu'un employeur soit tenu : a) d'engager ou de garder à son emploi comme salariés des membres d'une union ; b) d'accorder sur entente avec l'union une préférence dans l'engagement ou le maintien à son emploi de membres de cette union [5].

En 1954, on dénonce le principe des lois américaines, dites du « droit au travail ». *Le Monde ouvrier* les qualifient de lois antisyndicales qui conduisent aux bas salaires, aux grèves et au malaise industriel, de violation des droits de l'homme et de menace au bien-être général [6]. La F.P.T.Q. fait alors écho à la campagne des unions américaines contre ces lois. Il est probable aussi qu'elle craigne à l'époque que l'esprit du bill 5, qu'elle avait combattu victorieusement en 1949, ne soit introduit par le gouvernement Duplessis à la suite d'un processus d'imitation de certaines lois américaines.

B. LE DROIT DE NÉGOCIATION

Le droit de négociation est intrinsèquement lié au droit d'association. En effet, l'exercice du droit d'association en vue d'améliorer les conditions de travail est illusoire s'il n'existe pas pour les syndicats une capacité réelle de transiger sur un pied d'égalité avec les employeurs. La politique de la F.P.T.Q. quant au droit de négociation repose fondamentalement sur cette idée. Son objectif est d'obtenir la pleine reconnaissance juridique ainsi que le respect intégral par les employeurs de ce droit.

Au moment de la création de la F.P.T.Q., le principe de l'obligation pour un employeur de négocier avec un syndicat accrédité, introduit dans le système américain de relations industrielles par le Wagner Act, n'avait pas encore été transcrit dans les législations cana-

---

5. *Énoncé de principes*, 1er mars 1950, p. 20.
6. « Les lois du « droit au travail » sont condamnées par les autorités religieuses », *le Monde ouvrier*, vol. 39, nos 11-12, novembre-décembre 1954 : 9.

diennes. Au début des années 40, cette question est l'objet d'une vive préoccupation au sein de la F.P.T.Q. Les délégués au congrès de 1943 demandent que le droit de négociation soit reconnu légalement, là où 50% des travailleurs sont syndiqués dans une ou plusieurs unions et que l'employeur soit alors tenu de négocier [7].

Dans les années qui suivent la promulgation de la Loi des relations ouvrières, la F.P.T.Q. se plaint de l'attitude antisyndicale de certains employeurs qui refusent de rencontrer les représentants d'union certifiée, parfois même lorsqu'une telle rencontre est convoquée par un conciliateur, qui ne négocient pas de bonne foi, ou font tout pour laisser traîner les choses en longueur. Elle demande alors au gouvernement de forcer ces employeurs à respecter la loi, sinon de l'abroger et de laisser les syndicats se servir de leur force économique sans restriction légale [8]. Face à la persistance de ce problème, la F.P.T.Q. demande quelques années plus tard que la Commission des relations ouvrières ait le pouvoir de forcer les employeurs à négocier de bonne foi et que les amendes pour violation de la loi soient augmentées, en soulignant qu'il est actuellement plus avantageux pour l'employeur de ne pas respecter la loi que de reconnaître le droit d'association et de négocier une convention collective [9].

C. LE DROIT DE GRÈVE

Les revendications quant au droit de grève s'inscrivent dans le même système de pensée que celles portant sur le droit d'association et le droit de négociation. Aussi, se font-elles au nom des mêmes principes de la démocratie et de la liberté. La politique de la F.T.Q. vise à libérer l'exercice du droit de grève des entraves qui l'entourent. Elle s'efforce donc, d'une part d'éliminer ou de réduire les obstacles qui en affectent l'efficacité et d'autre part, de faire abolir les restrictions d'ordre juridique à la reconnaissance totale du droit de grève.

Les *scabs*, les délais juridiques dans l'exercice du droit de grève et les injonctions constituent les principaux obstacles qui préoccupent la F.P.T.Q.

Les briseurs de grève sont perçus comme des éléments disfonctionnels dans le système de relations industrielles. On les considère

---

7. *Rapport des délibérations de la sixième conférence annuelle de la F.P.T.Q.*, Trois-Rivières, 23-25 juillet 1943, p. 11-12.
8. *Mémoires législatifs au gouvernement provincial*, présentés le 4 décembre 1946, p. 6 et le 7 janvier 1948, p. 5.
9. *Mémoires législatifs au gouvernement provincial*, présentés le 12 décembre 1951, p. 6 et le 2 février 1954, p. 4.

comme des ennemis plus redoutables que le patron antisyndical. C'est pourquoi on veut que la loi interdise leur utilisation lors d'une grève légale [10]. À l'occasion, les policiers, lorsque soupçonnés d'un excès de zèle envers la protection de la propriété privée, sont qualifiés du même anathème.

Dès 1944, la F.P.T.Q. remet en cause les provisions de la Loi des relations ouvrières portant sur les délais préalables à la déclaration d'une grève légale, parce que ceux-ci sont utilisés indûment par le patronat. Elle propose alors de limiter à 30 jours la période de conciliation et d'arbitrage et que le droit de grève soit acquis à la fin de cette période [11]. Par la suite, les revendications visent constamment à réduire l'effet des mesures temporisatrices (délais légaux, conciliation, arbitrage) avant qu'un conflit ne devienne ouvert. Parce que l'on considère que ces mesures affaiblissent le pouvoir de marchandage syndical, on a pour objectif, de ramener le moment du débrayage aussi près que possible de la date d'expiration de la convention collective.

Le recours à l'injonction est une pratique très impopulaire dans les milieux syndicaux. La F.P.T.Q. s'y est constamment opposée en le définissant comme une négation de droits reconnus légalement. Elle considère que les lois sociales et les statuts visant à protéger les ouvriers, à permettre la reconnaissance syndicale et à promouvoir la signature de conventions collectives deviennent inopérants et inutiles si un juge peut accorder une injonction dès qu'un employeur se prétend lésé à tort ou à raison. Elle réclame donc, à plusieurs reprises, que la loi mette un terme à l'épidémie d'injonctions afin de protéger les droits des travailleurs en proposant : que le législateur s'inspire de la loi Norris La-Guardia en cette matière, qu'aucune injonction ne soit accordée lorsqu'une grève est légale et que le recours à l'injonction contre le piquetage soit aboli.

D. LE RÔLE DE L'ÉTAT

La présence permanente de l'État comme acteur est une composante de la définition du système de relations industrielles. Pour la

---

10. La résolution no 8 du congrès de 1948 est explicitement dans ce sens : « Qu'il soit résolu que la F.P.T.Q. fasse pression auprès des autorités pour qu'il ne soit permis à aucune compagnie d'engager les briseurs de grève tant que la grève n'a pas été déclarée illégale. » Voir : *Rapport des délibérations de la onzième conférence annuelle de la F.P.T.Q.*, Trois-Rivières, 4-6 juin 1948, p. 9.
11. *Rapport des délibérations de la neuvième conférence annuelle de la F.P.T.Q.*, Québec, 28-30 juin 1946, résolution no 35, p. 34-35. Le principe de cette proposition sera accepté plus de 20 ans plus tard par le législateur provincial.

F.P.T.Q., le rôle de l'État doit alors être strictement supplétif. Ce dernier doit, d'une part laisser les deux autres acteurs à eux-mêmes et ne pas s'imposer au nom de la liberté et de la démocratie et d'autre part, se tenir à la disposition des intéressés pour intervenir sur demande afin de redresser les torts, modifier les lois et faire reconnaître les droits. On retrouve dans cette perception la même crainte de l'État que nous avons relevée en matière de politiques sociales et économiques.

La crainte de l'État est très visible au début des années 40. La F.P.T.Q. s'oppose à l'ingérence étatique officielle qu'elle perçoit dans les lois des syndicats professionnels, des conventions collectives et des salaires raisonnables. Selon cette dernière, la Loi des syndicats professionnels est une législation d'exception qui favorise l'intervention de l'État dans une sphère qui n'est pas de son ressort, car les syndicats qui désirent s'incorporer, peuvent le faire sous l'empire des lois existantes, sans qu'une loi particulière, favorisant un contrôle indû des unions, ne soit nécessaire [12]. Tout en acceptant le principe de la loi des conventions collectives, la fédération reproche au gouvernement de s'être soustrait aux obligations de cette loi pour ses propres employés et surtout, s'oppose au pouvoir accordé au gouvernement de modifier, d'abroger ou de révoquer un décret de son propre chef et sans consultation préalable des parties intéressées. Considérant qu'une convention collective devient alors aléatoire, elle réclame que la loi soit amendée de façon à ce qu'aucun décret ne soit modifié sans le plein consentement des parties [13]. Enfin, la F.T.P.Q. prétend que la Loi des salaires raisonnables est inapplicable et qu'il vaut mieux, d'une part laisser les syndicats et les employeurs déterminer les salaires par la négociation collective et d'autre part, protéger les travailleurs non syndiqués, dans la mesure du possible, par l'établissement de salaires minima. Elle propose à cet effet, la création d'une commission dont les pouvoirs réduiraient au strict minimum l'intervention gouvernementale [14].

La F.P.T.Q. est cependant consciente que l'intervention de l'État est non seulement inévitable mais aussi nécessaire, à la fois en vertu des pouvoirs qu'il possède et à cause de la résistance patronale au syndicalisme. C'est pourquoi, elle soumet régulièrement des mémoires législatifs afin d'améliorer la condition ouvrière par l'entremise du levier étatique. Elle s'efforce, cependant, dans ses divers mémoires, de convaincre les représentants du gouvernement que le rôle de l'État doit

12. *Mémoires législatifs au gouvernement provincial*, présentés le 23 janvier 1940, p. 3 et le 11 février 1941, p. 3.
13. *Mémoires législatifs au gouvernement provincial*, présentés le 23 janvier 1940, p. 5 et le 11 février 1941, p. 4.
14. *Mémoire législatif au gouvernement provincial*, présenté le 23 janvier 1940, p. 7.

être strictement supplétif, en proclamant constamment que ce dernier doit reconnaître les droits plutôt que les définir, ne pas s'ingérer dans les relations entre les parties intéressées en intervenant seulement pour maintenir l'équilibre du système de relations industrielles et pour s'assurer que les droits des divers groupes sociaux sont respectés. Elle est alors très logique avec elle-même lorsqu'elle s'oppose à l'imposition par l'État de l'arbitrage obligatoire ou au pouvoir unilatéral que lui confère la Loi des conventions collectives d'une part et lorsqu'elle réclame d'autre part qu'il intervienne parce que des grèves sont dans une impasse ou qu'il mette en tutelle et négocie à la place d'une compagnie qui s'y refuse.

Dans la mesure où l'État dépasse le rôle qu'elle lui attribue, la F.P.T.Q. s'efforce de composer avec ce dernier. Soulignant le caractère essentiel d'une bonne entente entre les milieux syndicaux et gouvernementaux, la F.P.T.Q. met l'accent sur la participation et la consultation. Elle réclame une participation ouvrière sur tous les organismes paragouvernementaux qui concernent les travailleurs. Elle demande qu'aucune loi ne soit sanctionnée avant que le projet n'ait été étudié par les représentants syndicaux et qu'ils n'aient donné leur avis. Elle justifie cette attitude par la nécessité que les représentants de l'État soient bien informés sur des questions ou des domaines qu'ils méconnaissent souvent, sur des besoins et des aspirations qu'ils ne soupçonnent parfois pas, afin que la décision gouvernementale soit vraiment démocratique.

II
La Fédération des unions industrielles du Québec

L'idéologie globale de la F.U.I.Q. imprègne ses politiques de relations industrielles, dans ce sens que le gouvernement Duplessis est perçu comme adversaire, à la fois comme acteur et comme législateur, au même titre que l'adversaire historique représenté par le patronat.

Dans son premier mémoire législatif, la F.U.I.Q. souligne que certains patrons refusent de négocier avec des unions accréditées, s'opposent systématiquement à toute tentative de syndicalisation en congédiant des employés pour activités syndicales, ou mettent sur pied des syndicats de boutique. Elle renouvelle alors une démarche faite en 1948 par les syndicats québécois affiliés au C.C.T., qui prétendaient que la Loi des relations ouvrières, par son imprécision, laissait libre cours aux employeurs pour intervenir à volonté et faire échec à l'organisation des travailleurs.

La F.U.I.Q. soulève les mêmes problèmes que la F.P.T.Q. quant à l'exercice du droit d'association et du droit de négociation. Elle s'en distingue cependant en établissant une jonction entre le patronat et le gouvernement au pouvoir. Une déclaration du secrétaire général en 1954 décrit ce processus de pensée. Il déclare qu'il y a une coalition et une conspiration entre le patronat et les partis au pouvoir pour démolir le syndicalisme, car le patronat ne pourrait être aussi manifestement antisyndical sans l'appui gouvernemental. Il s'en prend plus particulièrement au gouvernement Duplessis en qualifiant ses lois ouvrières de nettement fascistes et antiouvrières [15]. La diatribe se poursuit avec encore plus de violence dans le manifeste. On y accuse le gouvernement Duplessis d'être asservi aux intérêts égoïstes du capitalisme et d'être devenu le complice des employeurs pour faire avorter les aspirations syndicales des travailleurs des mines de l'Ungava et de la Gaspésie [16]. On se souviendra aussi de la marche sur Québec en 1954 contre les bills 19 et 20, que la F.U.I.Q. et la C.T.C.C. considéraient comme des mesures iniques et dictatoriales.

L'opposition au gouvernement Duplessis découle d'un décalage entre la définition idéale du rôle de l'État et la situation existentielle vécue par la F.U.I.Q. Les attentes de la F.U.I.Q. contiennent l'expectative d'une lutte à livrer contre l'adversaire historique patronal, mais non contre les représentants de l'État dont le rôle de protecteur du bien commun implique la reconnaissance de la primauté des intérêts collectifs sur les intérêts privés. Contrairement aux attentes de la F.U.I.Q., le gouvernement Duplessis paraît agir en fonction des intérêts des employeurs, à la fois comme législateur et comme acteur. Cette subordination du gouvernement est aussi visible selon la F.U.I.Q. dans le comportement de la sûreté provinciale dans certains conflits et dans la façon dont la Commission des relations ouvrières accorde certains certificats d'accréditation.

Les objectifs de la F.U.I.Q., en matière de relations de travail, sont résumés dans l'extrait suivant du manifeste.

Nous préconisons la compilation de toutes nos lois du travail dans un code unique qui garantirait le droit réel d'association et le droit de grève pour tous les salariés et qui rendrait impossible la formation de tout syndicat de boutique. Nous refusons d'ad-

15. Discours du secrétaire général, *Procès-verbaux*, troisième congrès de la F.U.I.Q,. Champigny, 5-6 juin 1954, p. 8-9.
16. *Constitution et manifeste politique*, Montréal, 14 mai 1955, p. 1 et 15.

mettre le principe qu'un certificat de reconnaissance est un privilège accordé à un syndicat ou à un groupe de salariés. Au contraire, nous voulons que l'économie de la loi reconnaisse le principe que le certificat est la preuve que le syndicat a recruté la majorité d'un groupe d'employés. Nous voulons également reconnaître le principe que tout contrat de travail dûment signé par la partie patronale et la partie syndicale soit valide, indépendamment de la question de l'émission d'un certificat de reconnaissance.

Nous croyons qu'il est capital que la Commission de relations ouvrières soit constituée d'un nombre égal de représentants patronaux et ouvriers et d'un président impartial. Les membres qui constitueront cette Commission devront être choisis par les associations ouvrières et patronales les plus représentatives, en nombre égal, et ces associations, au moins une fois l'an, auront le droit de désigner leurs représentants [17].

L'esprit qui anime la formulation de ces objectifs nous semble bien illustré par le passage suivant :

En effet, c'est un principe connu que la justice a d'autant plus de chances d'être respectée dans une convention, que les cocontractants négocient sur un pied d'égalité ; un contrat de travail est donc d'autant meilleur que les parties, patronale et ouvrière, discutent et négocient en égaux. Et c'est à cette fin que les travailleurs se groupent en unions ouvrières [18].

Dans ce même document, la F.U.I.Q. préconise une législation nationale (canadienne) en matières du droit d'association, de ses corollaires, de la reconnaissance syndicale et de la sécurité syndicale. Elle suggère, à cet effet, qu'une entente intervienne entre les provinces sur des standards communs. Dans le but de faciliter le règlement des conflits dans les entreprises d'une même industrie réparties dans diverses provinces, elle demande une uniformisation de la législation quant à la conciliation, à l'arbitrage et à l'exercice du droit de grève.

Les politiques de relations du travail de la F.U.I.Q. et de la F.P.T.Q., par rapport aux lois provinciales sont dans l'ensemble assez semblables, sauf en ce qui a trait aux bills 19 et 20. Mais la F.U.I.Q. adopte une stratégie nettement différente en proposant l'établissement de standards communs par la voie de législations nationales. Nous croyons que ceci s'explique par la nature de certaines valeurs de son

17. *Constitution et manifeste politique*, Montréal, 14 mai 1955, p. 15-16.
18. *Mémoire à la Commission royale d'enquête sur les problèmes constitutionnels de la province de Québec*, présenté le 10 mars 1954, p. 23.

idéologie, de son pouvoir de marchandage et de son rapport avec l'adversaire gouvernemental provincial. L'objectif de l'uniformisation de la condition ouvrière découle logiquement des valeurs de classe sociale. D'autre part, le syndicalisme de métier, en contrôlant systématiquement l'offre de travail, possède un pouvoir de marchandage qui permet de privilégier la négociation collective pour promouvoir la cause des travailleurs et éliminer les différentiels dans les conditions de travail. Le syndicalisme industriel ne dispose pas intrinsèquement d'un pouvoir de marchandage comparable. C'est pourquoi, l'uniformisation des conditions de base par voie de législation nationale apparaît doublement nécessaire. Un motif supplémentaire provient de l'objectif de rattrapage du Québec sur les autres provinces, lequel ne peut être atteint par l'entremise du gouvernement provincial dont la politique de développement économique est axée sur une politique de main-d'œuvre à bon marché.

III
La Fédération
des travailleurs du Québec

Les politiques de relations du travail de la F.T.Q. se situent sensiblement dans le prolongement de celles que partageaient la F.U.I.Q. et la F.P.T.Q. La même idéologie de base soutient les revendications quant au droit d'association, au droit de négociation et au droit de grève. La définition du rôle de l'État constitue un compromis entre la crainte de la F.P.T.Q. et la stratégie de l'interventionisme gouvernemental de la F.U.I.Q. Il s'agit d'une orientation consistante depuis 1958, les revendications à caractère novateur constituant une réponse à la situation existentielle des années 60 plutôt qu'une modification de la structure de l'idéologie. Une brève revue de quelques points saillants permettra d'étayer ces généralisations.

À travers les diverses revendications, se dégage implicitement une définition de l'état-législateur et de l'état-employeur. Il nous apparaît opportun cependant de reproduire, au départ, une formulation du rôle de l'état-législateur qui semble le produit d'une réflexion consécutive aux événements de Murdochville et d'un désir de profiter du climat de libéralisation créé par le gouvernement Sauvé.

Après avoir entendu les revendications d'une association, il y a l'obligation d'en juger les mérites à la lumière du caractère représentatif de l'association et en fonction du bien commun. Il va sans dire, en effet, que le bien commun doit primer sur les intérêts particuliers et qu'il est mieux servi en donnant satisfaction aux revendications d'associations vraiment représentatives du peuple qu'en cédant aux pressions de groupes d'intérêts. Il est également évident qu'un gouvernement conscient de ses responsabilités et soucieux d'assurer le bien-être de ses administrés a le devoir de faire passer dans la législation les suggestions qui lui semblent conformes au bien commun [19].

Cette définition est accompagnée d'une tentative non équivoque d'associer la protection des intérêts des travailleurs à celle du bien commun par opposition aux intérêts des capitalistes :

Ceci dit, nous estimons que votre gouvernement, qui est le gardien du bien commun doit faire la différence qui s'impose entre les revendications d'associations populaires et celles de groupes d'intérêts...

Cependant, nous vous suggérons que ce qui est bon pour le mouvement syndical, ou pour quelque autre association populaire composée de simples citoyens a bien des chances de convenir à l'ensemble de la population de notre province [20].

En vertu du principe du bien commun, la F.T.Q. réclame alors le respect fondamental des droits d'association, de négociation et de grève :

Le droit d'association, ce n'est pas seulement le droit de former des syndicats professionnels, mais aussi le droit de former toutes sortes d'associations populaires, de cultivateurs, de coopérateurs, de parents, etc., sans lesquelles la démocratie ne deviendrait qu'un vain mot. Tout paradoxal que cela puisse paraître, les économistes et les sociologues éclairés sont d'accord avec nous pour affirmer que les droits à la négociation collective et à la grève sont essentiels au bien-être matériel et moral des travailleurs, que leur exercice est nécessaire au maintien de la paix industrielle et sociale, à la santé de toute la société [21].

Une partie importante des efforts de la F.T.Q. a porté sur le droit d'association. Elle préconise les mêmes mesures protectrices qu'avant la fusion quant aux syndicats de boutique, à l'ingérence patronale à l'occasion de l'organisation syndicale et aux congédiements pour activités syndicales. Cependant, c'est à l'extension de la reconnaissance du

19. *Mémoire législatif au gouvernement provincial,* présenté le 11 novembre 1959, p. 4.
20. *Ibid.,* p. 21.
21. *Ibid.,* p. 20.

droit d'association qu'elle s'est surtout activée. Elle se préoccupe d'abord des employés des services publics ainsi que des fonctionnaires provinciaux. Elle définit alors l'État comme un employeur comme les autres, mais qui doit être en plus à l'avant-garde comme tel afin de donner l'exemple :

> Votre gouvernement pourrait donner l'exemple dans ce domaine en reconnaissant d'abord le droit d'association aux fonctionnaires provinciaux. Rien ne peut autant encourager les employeurs privés à nier ce droit à leurs employés que de voir l'État provincial, chargé de veiller au respect de ce droit, le nier lui-même, en sa qualité d'employeur, à toute une catégorie de citoyens [22].

Elle poursuit cette idée au début des années 60 jusqu'à l'adoption de la Loi de la fonction publique.

La F..TQ. mène un combat d'envergure contre le bill 54 en 1964, principalement parce qu'il est inspiré à son point de vue par une philosophie négative à l'égard du droit d'association : « On exclut des catégories entières de salariés, dont les membres des professions libérales, de l'exercice du droit d'association et qu'on interdise aux syndicats de fonctionnaires provinciaux de s'affilier à la centrale de leur choix [23]. » Elle affirme alors que ce bill aggrave la « corporite aiguë », maladie cancéreuse qui provoque la prolifération des corporations professionnelles et l'exclusion de leurs membres du régime des lois du travail [24]. Au cours des années suivantes, la F.T.Q. demande à plusieurs reprises que la Loi de la fonction publique soit amendée de façon à supprimer toute restriction à la liberté d'affiliation syndicale des fonctionnaires provinciaux. Bien que faite au nom du droit d'association, cette demande n'est pas entièrement désintéressée dans le contexte de concurrence intersyndicale.

Depuis 1965, les efforts ont été dirigés vers l'extension du droit d'association aux travailleurs non organisés, selon la formule Jean Gérin-Lajoie. C'est ce que la F.T.Q. appelle l'objectif de la reconnaissance pratique du droit d'association.

> La F.T.Q. demande donc de modifier profondément plusieurs lois ouvrières, non dans le seul intérêt des travailleurs syndiqués, mais aussi pour donner à quelque 1 200 000 travailleurs non syndiqués, un accès pratique et réaliste à la liberté d'association dont l'absence aujourd'hui se fait lourdement sentir.

22. *Mémoire législatif au gouvernement provincial,* présenté le 11 novembre 1959, p. 8. La même définition de l'État-employeur existe quant au droit de grève.
23. *Information,* communiqué de presse, 27 février 1964.
24. *Information,* communiqué de presse, 10 mars 1964.

Sur le plan des lois, nous estimons nécessaire de mettre fin au divorce permanent qui, dès leur origine, a séparé le Code du travail d'avec la loi de l'extension de la convention collective. Sur le plan pratique, nous estimons que pour la majorité des travailleurs, l'exercice pratique de la liberté d'association exige qu'on permette le recrutement syndical, l'accréditation légale et les négociations collectives au niveau du secteur [25].

Au cours des dernières années, la F.T.Q. et la C.S.N. ont conjugué leurs efforts afin de promouvoir le syndicalisme de cadre.

Les revendications quant au droit de négociation sont moins fréquentes que celles qui portent sur le droit d'association et y sont souvent associées, comme c'est le cas pour la négociation sectorielle. Elles font surtout état du problème de la négociation de bonne foi. Elles sont du type traditionnel : sanctions plus sévères contre les employeurs de mauvaise foi, intervention directe de l'État pour forcer les employeurs récalcitrants, recours facultatif à la conciliation et à l'arbitrage afin d'éliminer toute immunité contre les tactiques dilatoires.

Les revendications portant sur l'exercice du droit de grève sont plus nombreuses. Ce que la F.T.Q. recherche fondamentalement, c'est que tous les travailleurs syndiqués puissent exercer ce droit sans entrave lorsqu'ils jugent que c'est essentiel pour la défense de leurs droits ou de leurs intérêts. Dans cette perspective, l'État doit se garder d'intervenir de façon intempestive ou répressive, mais son action peut être justifiée afin de protéger la sécurité de la population. Interdire la grève, ce n'est pas l'empêcher mais forcer les travailleurs à agir dans l'illégalité. De plus, les travailleurs, comme citoyens responsables, sont capables d'auto-discipline lorsque l'intérêt public est en jeu. D'où cette notion de grève civilisée, introduite à l'occasion de la grève tournante des employés de l'Hydro-Québec en 1967, événement dont la F.T.Q. fait état avec fierté parce que ses membres ont alors fait la preuve qu'ils étaient conscients du bien public, tout en défendant leurs intérêts.

Plus concrètement, les politiques de la F.T.Q. visent, en premier lieu, à étendre le champ de la reconnaissance légale du droit de grève. En 1958, elle exige que ce droit soit reconnu pour tous les salariés, sans exception, y compris ceux des services publics et des corporations municipales et scolaires. Le caractère aléatoire de la capacité des employés des services publics de faire la grève constitue l'un des motifs de son opposition au bill 54 en 1964. On déclare à cette occasion : « On

25. Extrait du Mémoire sur la reconnaissance pratique du droit d'association, reproduit dans *Information*, communiqué de presse, 4 janvier 1968.

interdit le recours à la grève non pas en raison de la nature des fonctions, mais du fait d'une définition arbitraire et fantaisiste des mots services publics [26]. » La F.T.Q. acceptait en 1962 que le droit de grève s'exerce selon des modalités spéciales dans le secteur public, à la condition que celles-ci soient déterminées par les parties intéressées et non pas de façon unilatérale et arbitraire par voie législative [27]. Cette attitude demeure par la suite pour le reste de la période de notre étude.

L'objectif de l'extension du droit de recours à la grève entraîne, de façon intermittente, des demandes visant à permettre le droit de grève sur les griefs, sur les changements technologiques et pendant la durée de la convention collective. Pour la F.T.Q., il s'agit de questions qui ne sont pas d'intérêt public, de sorte que les parties intéressées devraient avoir le pouvoir de s'entendre librement et en privé.

La F.T.Q. consacre, en deuxième lieu, beaucoup d'efforts à combattre les obstacles à l'exercice du droit de grève. Ses politiques sont celles d'avant la fusion, en ce qui a trait à l'élimination des délais juridiques avant que la grève ne soit légale, aux briseurs de grève et aux injonctions. Si l'on considère la fréquence des revendications, c'est le recours aux injonctions qui semble le problème principal. La définition de ce problème par la F.T.Q. nous paraît bien décrite par le passage suivant :

> Le mécanisme des injonctions utilisé pour le nombre de piqueteurs et pour favoriser le travail des briseurs de grève est une négation pratique d'un droit inaliénable au travail et à ce titre, on ne saurait tolérer plus longtemps cette politique désuète et injuste, qui est le fruit d'une collaboration entre l'État et l'employeur et qui contribue à aggraver les malaises industriels. Nous nous proposons donc de recommander l'adoption d'une loi interdisant l'utilisation des injonctions dans les conflits ouvriers et rendant illégal le recours aux briseurs de grève [28].

Résumons en terminant la définition de l'État dans le système de relations industrielles. À l'idée de l'État-employeur comme les autres, la F.T.Q. ajoute la notion de premier parmi ses pairs quant à la reconnaissance pratique des droits des salariés syndiqués. Elle est disposée à accorder une plus grande marge d'initiative à l'État-législateur qu'avant la fusion, mais à la condition que ce dernier agisse en consultation avec les parties intéressées. Le bill 290 ainsi que la réforme

---

26. *Information*, communiqué de presse, 2 mars 1964.
27. *Information*, communiqué de presse, 26 février 1962.
28. *Mémoire à la Commission d'enquête sur l'administration de la justice en matière criminelle et pénale*, juillet 1967, p. 38.

du système d'accréditation ont été bien accueillis par la F.T.Q., parce qu'ils ont été produits dans cet esprit. Le Conseil supérieur du travail, réanimé au début des années 60 et transformé radicalement en 1968 suivant les propositions des intéressés eux-mêmes, devient alors un endroit privilégié, non seulement pour promouvoir les idées syndicales, mais aussi pour mettre en pratique cette définition du rôle de l'État-législateur.

* * *

Nous pouvons conclure que globalement la définition du système de relations industrielles par les trois fédérations que nous avons étudiées, se greffe dans une perspective instrumentale sur les définitions des systèmes social et économique. L'objectif fondamental, c'est de nouveau la promotion du bien-être de l'unité de consommation familiale. Le syndicalisme y œuvre en misant principalement sur son pouvoir de marchandage. L'importance accordée à la trilogie du droit d'associaion, du droit de négociation et du droit de grève s'insère essentiellement dans la stratégie requise pour l'atteinte de la finalité syndicale. L'emphase placée sur la liberté d'action des principaux intéressés n'est cependant pas assimilable à la loi de la jungle. En effet, c'est précisément pour l'éviter que la présence de l'État est requise. Quelles que soient les fonctions qu'on lui confère dans une conjoncture donnée, il apparaît, d'une part comme le grand artisan du respect des règles du jeu contenues dans l'infrastructure juridique et d'autre part, comme un instrument compensateur à la faiblesse du pouvoir de marchandage syndical.

Conclusion

Il n'est pas dans notre intention de procéder en terminant, à une description systématique des similitudes et des différences dans les politiques des mouvements syndicaux qui ont été l'objet de cette étude. Le lecteur pourra facilement les constater lui-même en relisant parallèlement les conclusions des divers chapitres. Il nous semble au contraire plus important de dégager les caractéristiques essentielles de la C.S.N. et de la F.T.Q., d'identifier les principales contraintes dans le développement de leurs idéologies respectives et d'esquisser des réponses aux questions majeures que l'on peut se poser quant à l'évolution à moyen terme de ces deux centres syndicaux.

Les différences idéologiques entre la C.T.C.C., la F.P.T.Q. et la F.U.I.Q. étaient suffisamment évidentes et identifiables. Compte tenu d'une prise de conscience syndicale à la fin des années 40, à l'occasion de laquelle l'employeur était apparu comme un adversaire, la C.T.C.C. pratiquait un syndicalisme réformiste inspiré par des valeurs cléricales-nationalistes. Malgré un certain dynamisme professionnel au cours des années 50, qui l'avait entraînée dans une opposition quasi systématique au gouvernement Duplessis, celle-ci demeurait handicapée par l'adhésion doctrinale de la constitution de 1921 où les valeurs nationales et confessionnelles primaient sur les normes reliées à la revendication économico-professionnelle. La F.P.T.Q., confinée purement et simplement dans un rôle de structure horizontale régionale, disposait de peu d'autonomie idéologique en servant plutôt de porte-parole au C.M.T.C. et aux unions internationales ainsi que de véhicule aux orientations du modèle gompérien axé sur le pouvoir de marchandage de l'unité syndicale de base. La F.U.I.Q., puisant dans les valeurs de classes sociales adoptées par le C.I.O. et le C.C.T. préconisait un modèle socialiste-démocratique, dans lequel elle rejoignait la C.T.C.C. dans son opposition au duplessisme, s'apparentait à la F.P.T.Q. quant à l'importance du pouvoir de marchandage, mais se distinguait de l'une et l'autre sur le plan de l'engagement politique.

Avec la fusion F.U.I.Q.-F.P.T.Q. en 1957, la maturation et la croissance spectaculaire de la C.S.N. au début des années 60 et l'avènement de la « révolution tranquille » qui a amorcé une transformation profonde de la situation existentielle, ce panorama syndical a bien changé. En effet, on assiste depuis une dizaine d'années environ, à une convergence progressive des politiques globales de la F.T.Q. et de la C.S.N., au point que les structures de leurs idéologies comportent maintenant plusieurs éléments de base communs. Ce sont : la défense et l'amélioration du bien-être de la cellule familiale comme principe unificateur des composantes idéologiques ; une conscience de la bipolarité économico-professionnelle et socio-politique de l'action syndicale ; une conception généralement similaire quant aux droits fondamentaux et quant aux rôles des divers acteurs dans le système de relations industrielles ; une contestation globale du système capitaliste, principalement à cause des inégalités qui en découlent au niveau de la distribution des biens économiques et du pouvoir, mais aussi parce que le développement ne se fait pas harmonieusement comme l'indiquent les cycles économiques et la persistance d'une rareté de certains biens de première nécessité face au surplus de certains biens de luxe ; une volonté manifeste de le transformer radicalement de façon démocratique et dans une perspective humaniste, car les problèmes et les faiblesses du système apparaissent comme pathologiques ; le choix de la fonction politique comme instrument privilégié à cette fin ; la perception des gouvernements actuels comme des adversaires qui retardent le processus de transformation en se comportant comme des alliés ou des colonisés du superpouvoir économique ; un engagement politique, à la fois pour s'adapter à l'évolution de la situation existentielle où l'État de bien-être et régulateur devient omniprésent et pour accélérer le processus de transformation du système en agissant le plus directement et immédiatement possible sur son centre nerveux, soit l'État moteur-directeur de l'économie.

Ces similitudes dans les structures idéologiques ne signifient pas que les attitudes particulières et concrètes des deux centres syndicaux sont interchangeables. Étant donné les structures, la nature des ressources intellectuelles et les traditions historiques et culturelles des deux mouvements, il existe de nombreuses différences de degré, de nuance et de verbalisation. Mais, le consensus sur le fond est en dépit de cela de plus en plus réel et évident. C'est précisément à cause de ce consensus sur les orientations de base que la C.S.N. et la F.T.Q., malgré la vive concurrence de certains de leurs affiliés, éprouvent généralement peu de difficultés à agir en cartel à l'occasion des options importantes, ce que démontrent leurs mémoires conjoints sur l'éducation et sur la santé ainsi que leurs attitudes communes face aux événements d'octobre 1970 et face à la politique salariale du gouvernement provincial.

Peut-on prévoir, pour cela, une éventuelle fusion organique de ces deux centres syndicaux qui donnerait naissance à une nouvelle centrale syndicale québécoise regroupant plus de 400 000 travailleurs ? Pour plusieurs raisons, que nous allons examiner dans les paragraphes suivants, nous sommes d'avis que cette hypothèse s'avère peu probable à brève échéance.

Comme organisation régionale de type horizontal, la F.T.Q. est une création juridique du C.T.C. C'est pourquoi, les pourparlers d'unité et l'entente de fusion devraient intervenir entre la C.S.N. et le C.T.C., si la relation C.T.C.-F.T.Q. n'est pas modifiée. Mais, les principaux obstacles (adhésion doctrinale et intégrité organisationnelle de la C.T.C.C.), qui avaient été la cause de l'avortement de la tentative d'unification des années 50, sont encore plus difficiles, à surmonter présentement. La C.S.N. est devenue une organisation numériquement puissante, bien munie en ressources humaines et financières, mieux institutionnalisée dans le milieu québécois, concurrentielle sur le plan de l'action professionnelle et de la qualité des services aux membres et agressive dans le domaine du recrutement syndical. Au problème de la confessionnalité s'est substitué un engagement doctrinal de la C.S.N. qui a peu d'éléments communs avec l'idéologie floue et polymorphe d'un C.T.C. qui n'a pas encore réussi à développer et à affirmer un pouvoir moral réel et un leadership incontesté, tant sur le plan syndical canadien que vis-à-vis du mouvement américain. Il semble impensable que la C.S.N. accepte, soit de se disloquer et de se laisser absorber par morceaux par le mouvement rival, soit de laisser s'effriter une partie de ses pouvoirs comme organisation autonome afin de créer une F.T.Q. plus grosse qui demeurerait sous la tutelle du C.T.C. quels que soient ses pouvoirs nouveaux. Il est aussi impensable que le C.T.C. soit disposé à intégrer dans ses rangs une organisation autonome qui serait en concurrence avec ses autres affiliés, qui serait un trouble-fête idéologiquement et qui pourrait lui tirer au flanc de l'intérieur.

Il faut tenir compte d'autre part que la F.T.Q. s'efforce d'acquérir depuis 1965 environ, dans la définition de ses rapports avec le C.T.C., des caractères propres à une centrale syndicale provinciale. C'est là l'un des traits dominants de la définition de soi des dernières années. Cette démarche émancipatrice devrait se poursuivre au cours des prochaines années, en partie comme un effet du dynamisme interne de la F.T.Q. et en partie comme une réaction neutralisante du néo-nationalisme québécois, de la concurrence de la C.S.N. et de l'immobilisme du C.T.C. Mais, étant donné la propension traditionnelle du C.T.C. à résister aux statuts particuliers syndicaux formels, il est à prévoir que la F.T.Q., dans un premier temps, de plus en plus prendra des initiatives ou posera des gestes qui mettent le C.T.C. devant un fait accompli, au fur et à mesure de la progression de ses ressources (financières et surtout humaines), de la maturation de son idéologie indigène et de son implication dans l'entreprise de la transformation de la société québécoise. La propension de la F.T.Q. à acquérir le statut d'une centrale syndicale provinciale contient à l'état de germe un risque de rupture des liens syndicaux pancanadiens, si le C.T.C. est incapable de faire preuve d'une grande souplesse à l'égard de ses affiliés québécois, indépendamment de l'avenir du Québec au sein de la confédération canadienne. Il est probable que les liens syndicaux pancanadiens actuels ne subsisteraient pas longtemps dans l'hypothèse d'un Québec souverain.

Même si la F.T.Q. devenait dans les faits une centrale syndicale, une fusion organique C.S.N.-F.T.Q. demeurerait encore peu plausible pour trois raisons principales.

Premièrement, le nationalisme autonomiste et l'antiaméricanisme économique et politique de la C.S.N. seraient en contradiction avec le maintien des liens actuels des affiliés de la F.T.Q. avec les unions internationales (américaines). Mais, ces derniers ne sont pas prédisposés à les rompre car ils leur apparaissent fonctionnellement utiles et idéologiquement rentables. Dans la mesure où la sauvegarde d'une autonomie canadienne et québécoise est considérée suffisante, on conserve la conviction que ces liens permettent de mieux contrer le capitalisme américain, qu'ils contribuent à renforcer le pouvoir de marchandage des syndicats québécois et qu'ils leur sont financièrement avantageux, tout en permettant que la souveraineté des filiales syndicales soit davantage respectée que celle des filiales des entreprises, qu'ils vont enfin, dans le sens historique de l'unité internationale des travailleurs face au développement multinational du capitalisme moderne. Dans ces conditions, l'attitude de la C.S.N. apparaît aux yeux de la F.T.Q. comme le fruit d'un isolationnisme anachronique, rétrograde et à contre-courant des forces historiques. Il ne saurait donc être question que les affiliés de la F.T.Q. acceptent pour plaire à la C.S.N. de rompre tous leurs liens avec les unions internationales, tout comme il est hors de question que la C.S.N. accepte de s'assujettir à celles-ci. Il semble logique de prévoir cependant que la F.T.Q. en s'affirmant comme porte-parole syndical dans la société québécoise, se montre de plus en plus critique envers les unions internationales qui fournissent des services de qualité inférieure ou qui ne sont pas suffisamment sensibilisées ou adaptées aux particularismes du milieu.

Deuxièmement, la C.S.N. et la F.T.Q. ne perçoivent pas de la même façon la question de l'unité syndicale. S'inspirant de la tradition du syndicalisme nord-américain cette dernière valorise l'unité organique dans le but de réaliser une meilleure sécurité institutionnelle et d'établir un fort contrôle des jobs face aux adversaires patronal et gouvernemental. La première, tout en acceptant les clauses de sécurité syndicale et le monopole de représentation syndicale, préconise l'action en cartel plutôt que l'unité organique parce qu'elle croit qu'une certaine dose de concurrence syndicale facilite la liberté d'association des travailleurs, favorise l'amélioration de la qualité des services aux membres et stimule le développement idéologique. Elle accepte alors, comme un prix à payer, que certaines luttes d'apparence stériles entraînent une déperdition d'énergie, parce que celle-ci est avantageusement compensée par le dynamisme que la concurrence infuse dans le syndicalisme et par la possibilité de réaliser une unanimité syndicale, tant au niveau des politiques qu'au niveau de l'action, quant aux adversaires et quant aux options fondamentales. Cette différence idéologique ne constitue pas un problème majeur en soi, mais celui-ci acquiert plus d'importance lorsqu'il est perçu dans les cadres d'un ensemble d'obstacles ou de difficultés.

Troisièmement, plusieurs différences de nature entrent aussi en ligne de compte. Ces deux centres syndicaux regroupent des travailleurs dont la mentalité et la psychologie collectives sont différentes : la C.S.N. représente proportionnellement plus de cols blancs, de salariés du secteur tertiaire et de travailleurs des petits centres industriels de province ; la F.T.Q. domine largement dans la région métropolitaine de Montréal et est concentrée davantage auprès des travailleurs de métiers et industriels. De plus, plusieurs incompatibilités idéologiques subsistent, en dépit de la convergence de grands thèmes idéologiques, que nous avons décrits précédemment. Parmi les plus importantes, mentionnons que : l'objectif de l'intégration de l'homme dans les structures de l'entreprise contient implicitement chez la C.S.N. un projet gestionnaire qui est absent chez la F.T.Q., dont les affiliés adhèrent encore à l'idéologie de la séparation des fonctions de l'entreprise et du syndicat selon le modèle de Perlman ; la F.T.Q. entretient cependant une visée gestionnaire sur la société en conservant la propension à l'action politique partisane en dépit des déboires rencontrés jusqu'ici sur ce plan, alors que la C.S.N. s'y définit comme un groupe de pression en maintenant sa position traditionnellement non partisane ; la

C.S.N. semble vouloir réviser son idéologie dans une optique marxiste, bien que ce ne soit pas encore très précis, ce qui laisse entrevoir un possible rapprochement C.S.N.-F.T.Q. quant à la politisation partisane, lequel n'éliminerait pas toutefois toute la distance qui les sépare, car la F.T.Q. continue de puiser aux sources d'un socialisme modéré.

Cette analyse autorise à conclure qu'il semble plus logique d'entrevoir, au lieu d'une fusion organique, une augmentation de la fréquence des actions conjointes aux niveaux de la négociation collective, des mouvements de pression sur les gouvernements et des efforts pour influencer l'opinion publique. Ces fronts communs pourront avoir comme effet de faciliter la poursuite du rapprochement idéologique et de diminuer certaines conséquences négatives de la concurrence syndicale, du moins au niveau de l'inflation verbale. Mais, le dynamisme contestataire qui a fait depuis une dizaine d'années jusqu'à un certain point la force et l'originalité du syndicalisme québécois par rapport au reste du syndicalisme canadien, à cause de la concurrence intersyndicale, ne devrait pas être atténué pour autant.

En examinant la situation d'un autre point de vue, il apparaît que la politisation et la radicalisation sur le plan idéologique constituent le phénomène qui marque le plus l'évolution des deux centres syndicaux au cours des années récentes. C'est probablement ce qui attire le plus d'attention et soulève le plus d'inquiétude dans l'opinion publique. Il ne s'agit pas selon nous d'une manifestation syndicale dangereuse, mais d'un phénomène fonctionnel aussi bien que conjoncturel, qui atteint présentement les dirigeants davantage que les membres de la base et qui se veut démocratique, tant dans les objectifs que dans les moyens, en dépit d'un verbalisme révolutionnaire de certains éléments.

La politisation syndicale n'est pas un phénomène récent. Les premières organisations ouvrières permanentes des pays occidentaux se définissent comme bifonctionnelles. Par une action tant au niveau politique qu'au niveau économique, elle visait à promouvoir le statut socio-politique aussi bien que le statut économique des classes laborieuses. Le syndicalisme anglais, avec l'avènement du « nouveau modèle » dans les années 1850 et le syndicalisme américain, avec le développement des unions de métier à partir de 1870, se sont concentrés sur les objectifs économico-professionnels en reléguant au second plan les objectifs socio-politiques. Le mouvement britannique devait redevenir bifonctionnel avec le « nouvel industrialisme » des années 1880. Le syndicalisme américain, bien que n'abandonnant pas toute finalité sociale, est demeuré fondamentalement apolitique et économico-professionnel suivant l'orientation gompérienne. Il a, en fonction de cette orientation, pratiqué une action politique non partisane, en utilisant les méthodes de l'antichambre et de la pression et en mettant en pratique le principe, « punissons nos ennemis et récompensons nos amis ».

Le syndicalisme canadien, dont les débuts réels remontent aux environs de 1850, est entré directement dans le seconde phase, sauf pour les épisodes des Chevaliers du travail au tournant du siècle et de l'O.B.U. dans les années 1920, en puisant son inspiration et son orientation, d'abord dans le « nouveau modèle » anglais, puis dans le modèle gompérien. D'autre part, l'orientation initiale de la C.T.C.C., dans le giron clérical, ne s'inscrivait pas vraiment dans la tradition syndicale. Notre étude révèle, cependant, que le syndicalisme québécois de 1940, jusqu'à la fin des années 50 environ, bien que se définissant principalement selon une finalité économico-professionnelle, faisait néanmoins preuve de conscience sociale. C'était particulièrement évident chez la C.T.C.C. et la F.U.I.Q. Par exemple, les revendications des années 40 sur la santé, avaient, à l'époque, un caractère aussi révolutionnaire que certaines propositions socialisantes actuelles. On déployait de nombreux efforts sur le plan politique, par les mémoires, les revendications et les pressions, afin d'obtenir des améliorations tant aux lois sociales qu'au lois du travail. Si le syndicalisme n'était pas politisé davantage, tant au niveau des objectifs que des moyens, c'est d'une part, parce que la situation existentielle s'y prêtait peu et d'autre part, c'est qu'il partageait en grande partie l'idéologie prévalente de l'époque à l'effet que le rôle de l'État consistait essentiellement à n'intervenir que de façon supplétive dans les affaires privées. Eut-il voulu agir autrement, qu'il n'en aurait pas eu le pouvoir et aurait mis en péril sa propre survie d'une part, parce qu'il était faible numériquement, peu institutionalisé et bénéficiant tout au plus d'une tolérance dans une société où une mentalité rurale et agricole persistait et d'autre part, parce qu'il aurait été l'objet d'une suspicion de ses propres membres qui n'avaient pas de mentalité de classe et qui étaient politisés suivant les axes des partis politiques traditionnels.

Notre société entre dans une troisième phase, celle de la société postindustrielle. Bien institutionnalisé et devenu une force sociale, le syndicalisme élargit sa conscience sociale aux minorités, aux pauvres et aux déshérités non organisés, ce qui le fait déboucher sur les problèmes de la société de consommation, en particulier sur ce qu'il perçoit comme un développement anarchique qui entraîne la pauvreté dans l'abondance, des inégalités sociales et la concentration abusive du pouvoir entre les mains d'une certaine élite économique. Dans ces conditions, les idéologies de conservation et de rattrapage sont périmées. C'est par une idéologie de développement et de participation que l'on entrevoit pouvoir réaliser l'idéal de la démocratisation et de l'égalité socio-économique qui a toujours été la principale raison d'être du syndicalisme depuis sa naissance. Il s'ensuit une contestation globale du système parce que l'on conclut qu'il est à l'origine des maux actuels, qu'il est incapable de répondre à tous les besoins et à toutes les aspirations des individus et des collectivités et qu'il ne peut résoudre intrinsèquement les problèmes qu'il engendre. Dans la redéfinition des statuts et des rôles des acteurs qui s'ensuit, il apparaît que seul l'État peut disposer du pouvoir et des leviers pour reconstruire une société humaniste. Ce rôle de l'État est d'autant plus important dans le contexte québécois, que le projet économique se double d'un projet national dans lequel l'État apparaît être le principal sinon le seul levier qui puisse permettre à la collectivité canadienne-française d'exercer un contrôle sur son avenir comme communauté ethnique. Il est, en conséquence, logique pour le syndicalisme, d'intervenir sur le plan politique afin que les gouvernants prennent conscience de la nécessité d'une transformation en profondeur du système, qu'ils acceptent de s'y engager en suivant le modèle qui semble le plus approprié et qu'ils procèdent avec diligence et célérité. C'est là, le sens fondamental de la politisation du syndicalisme.

Du point de vue conjoncturel, rappelons que le Québec a connu, au cours des dernières années, une forte période de tensions socio-économiques, caractérisée par une instabilité économique découlant d'un chômage chronique, d'une inflation que l'on ne parvient pas à juguler, de nombreuses fermetures d'usines et d'une création d'emplois insuffisante pour absorber la nouvelle main-d'œuvre sur le marché du travail et par une instabilité sociale traduite dans la confusion des idéologies multiples, dans un nationalisme effervescent et dans des formes diverses de protestations de toutes sortes. L'histoire du mouvement ouvrier nous enseigne que le syndicalisme a tendance à se radicaliser dans de telles circonstances, pour revenir à des comportements plus modérés lorsque la situation se redresse. La propension actuelle à la radicalisation est d'autant plus forte que le syndicalisme est fonctionnellement politisé, que sa confiance a été ébranlée par l'avortement des espoirs qu'il avait mis dans la révolution tranquille et qu'il perçoit les gouvernants québécois traditionnels comme un obstacle à la transformation du système alors qu'ils devraient en être le moteur. La radicalisation actuelle serait en quelque sorte partiellement un sous-produit de l'insatisfaction due à la non-concordance entre la définition idéale de l'État comme l'organisme privilégié du projet de réforme du libéralisme économique et la perception que son actualisation par les gouvernants en fait un rouage de l'exploitation au lieu d'un mécanisme d'émancipation.

Il apparaît normal que la politisation et la radicalisation soient l'apanage des dirigeants avant d'être celui des membres de la base. C'est en effet un attribut du leadership, de par sa position dans la structure syndicale, d'avoir à évaluer et à interpréter la situation existentielle et d'être appelé à reformuler constamment, selon celle-ci, les objectifs et les méthodes de l'action syndicale. En qualité de définisseur, il est normalement en avance sur les membres de la base au point de vue idéologique. Ce qui importe le plus, cependant, c'est le degré de réceptivité de la base, car c'est sa réponse éventuelle qui détermine en définitive l'orientation idéologique effective. Il n'y a pas, pour le moment, de signes indiscutables qui indiquent que les membres de la base endossent, en masse, les propositions des dirigeants syndicaux radicaux. Il faut retenir en plus que l'unanimité est loin d'exister au sein du leadership syndical lui-même. Chez la C.S.N., l'opposition à la faction de gauche, dirigée par le vice-président Dalpé se manifeste de plus en plus ouvertement et fermement. Celle-ci jouit probablement d'une écoute attentive auprès d'un bon nombre de permanents et de dirigeants que leurs activités professionnelles, axées sur la convention collective, rendent moins perméables aux engagements politiques. À cause de l'autonomie des locaux, de la force de la tradition non révolutionnaire des unions internationales et de la situation structurelle de la F.T.Q., il est permis de faire l'hypothèse que le degré de consensus est encore plus faible au sein de ce mouvement, même si l'opposition conservatrice semble moins organisée pour les mêmes raisons, d'autant plus que sa radicalisation récente a été moins progressive qu'à la C.S.N., ce qui augmente la probabilité que celle-ci ne soit encore que superficielle.

Quelle orientation idéologique prévaudra ? Nous sommes d'avis que les prochaines années seront déterminantes et que la redéfinition idéologique dépendra, pour beaucoup, de l'évolution sociale, économique et politique du milieu québécois. Il semble logique de prévoir une radicalisation générale graduelle du syndicalisme si les profonds malaises des dernières années continuent de persister. Le durcissement du leadership pourrait être accompagné d'une écoute plus réceptive à la base. Il faudrait alors s'attendre en plus, à un accroissement de la fréquence des manifestations spontanées venant de la base face au sous-emploi, aux fermetures d'usines et à la pauvreté. Dans l'éventualité d'une amélioration rapide et sensible de la situation, une faction idéologique modérée aurait de fortes chances de faire surface et de faire accepter son leadership par la base. Dans un tel cas, il serait erroné de croire cependant que le syndicalisme retournerait purement et simplement à l'idéologie de rattrapage. Dans le contexte de la société postindustrielle, où l'idéologie du développement prime, la politisation syndicale constitue une réalité fonctionnelle. Il s'agit d'un phénomène irréversible qui répond à la finalité syndicale de la transformation socio-économique du système et à la croissance du pouvoir des structures étatiques, dont les rôles de protecteur, initiateur, planificateur et directeur, pèsent de plus en plus lourdement dans la vie de la communauté. En définitive, ce qui sépare l'aile modérée de l'aile radicale, c'est peut-être moins l'objectif ultime de la transformation en profondeur du système que la définition des priorités dans la conjoncture actuelle et surtout l'absence d'entente sur la rapidité souhaitable du changement, y incluant les moyens appropriés.

Selon nous, la politisation devrait demeurer non partisane, en privilégiant les formes de pression publique et de participation dans les organismes consultatifs et administratifs de l'État. En effet, plus l'engagement aux niveaux des objectifs sera profond, plus le syndicalisme aura intérêt à préserver l'intégrité de sa capacité novatrice et critique en conservant son indépendance vis-à-vis des formations politiques qui, par leur nature même, représentent des intérêts hétérogènes. L'hypothèse d'un parti politique ouvrier, possédant des chances d'accéder au pouvoir, n'apparaît pas, pour le moment, plus réaliste qu'auparavant. Si ce raisonnement s'avère juste, la remise en question de l'appui officiel accordé au N.D.P., ainsi que la fin de cet appui ne seraient pas surprenantes, d'autant plus que cette opération ne s'est pas avérée plus fructueuse que l'expérience précédente avec le C.C.F., tant au niveau de la rentabilité politique que de la participation syndicale [1].

Cette discussion conduit à soulever le problème de la participation des membres à l'intérieur des structures syndicales. En d'autres termes, c'est le problème de la disparité du pouvoir et de la distance sociale qui sépare les membres et les dirigeants.

Dès 1950, des observateurs notaient que la concentration graduelle du pouvoir réel au sein des paliers supérieurs de la hiérarchie syndicale constituait l'un des aspects importants de l'évolution intrinsèque du syndicalisme américain. Ce phénomène du transfert du pouvoir du bas vers le haut, loin d'être interrompu, semble devoir acquérir encore plus d'acuité dans la société postindustrielle. Dans un contexte de

---

1. Selon une étude récente, l'action politique syndicale québécoise, dans les cadres du N.P.D. se solde par un échec total. Voir : R.U. Miller, « Organized Labor and Politics in Canada », dans R.H. Miller et F. Isbester, *Canadian Labour in Transition*, Prentice-Hall, Scarborough, Ontario, 1971, p. 204-239. Selon ce dernier, seulement 9 936 travailleurs syndiqués, soit 1,7%, étaient membres du N.P.D. Il ne s'agissait pas, en l'occurrence, uniquement de membres des affiliés de la F.T.Q.

socialisation, l'élargissement des niveaux de décision (avec la planification étatique et la négociation sectorielle), l'accroissement de l'importance et de la complexité de ces décisions afin d'assurer un développement harmonieux nécessiteront des modifications dans les méthodes d'action syndicale. En particulier, le dialogue sur un pied d'égalité avec les technocrates patronaux et gouvernementaux nécessitera des informations et des compétences qui ne sont pas l'apanage des membres de la base et qui dépassent souvent son entendement normal. Ceci comporte, pour le syndicalisme, le risque d'être amené à développer une technocratie syndicale, entretenant des rapports lointains avec la base mais définissant effectivement, en vertu de son pouvoir de compétence, les objectifs de l'action syndicale et à réduire alors la base au rôle d'une armée que l'on mobilise de façon instrumentale. C'est pourquoi, l'une des principaux problèmes du syndicalisme pour l'avenir, à notre point de vue, c'est de demeurer une force dynamique, adaptée à sa situation existentielle, sans creuser un fossé entre les membres et les dirigeants alors qu'il ne parvient pas à combler définitivement certaines crevasses actuelles.

La distance sociale qui sépare les membres des leaders est illustrée, entre autres, par le faible taux de participation des membres à la vie de leur syndicat, sauf en période de négociation collective. D'autre part, des observations laissent soupçonner que le syndicat est une entité extérieure pour certains syndiqués de la base. Nous avons souvent été frappés, à l'occasion de conversations avec des travailleurs, par le fait qu'ils référaient à leur syndicat comme à un tiers en utilisant les expressions « il » pour le syndicat et « le syndicat a décidé » au lieu de nous avons décidé. Pour certains, devenir membre d'un syndicat, c'est acquérir un droit de travailler, une certaine assurance de permanence d'emploi, une protection en cas de problème et la possibilité de bénéficier d'augmentations de salaires aux renouvellements de la convention collective. Enfin, d'autres adoptent une mentalité de classe moyenne et réagissent en consommateurs à l'occasion des grèves de travailleurs d'autres secteurs industriels que le leur. Ces observations non systématiques, n'ayant pas de caractère scientifique, n'autorisent pas de conclusion. Elles contribuent, cependant, à éclairer un dilemme de l'action syndicale, où les dirigeants doivent avoir la capacité de mobiliser les membres tout en préservant leur participation démocratique. Celui-ci deviendra de plus en plus aigu dans le contexte de socialisation.

Le grand défi des dirigeants syndicaux, c'est d'être capables, d'une part d'être constamment sensibilisés aux besoins et aux préoccupations de la base de façon à formuler des objectifs clairs et précis qui rencontrent son assentiment et d'éviter les erreurs de stratégie et d'autre part, d'élever le niveau des aspirations des membres, par l'animation et l'éducation, de façon à secouer une certaine apathie naturelle et à transformer la solidarité occupationnelle d'un syndicalisme balkanisé en une solidarité de masse en l'absence d'une véritable conscience de classe. Il s'agit en fait d'éliminer les tendances à l'élitisme.

Le processus de définition de la C.T.C.C.-C.S.N. s'est toujours effectué par l'entremise des valeurs dominantes du milieu québécois. C'est probablement l'institution qui projette le mieux l'évolution de la collectivité québécoise à partir de l'idéologie de conservation jusqu'à l'idéologie de développement en passant par l'idéologie de rattrapage. La F.P.T.Q. et la F.U.I.Q., quoique cette dernière à un degré moindre, utilisaient un cadre de référence extérieur à ce milieu, à cause de leurs positions structurelles au sein du syndicalisme nord-américain. Dans le contexte de concurrence de la dernière décennie, la C.S.N. a servi de véhicule à la F.T.Q. pour rejoindre les valeurs dominantes du milieu. La C.S.N. constituait le principal centre de fermentation idéologique, pendant que la F.T.Q., appelée par sa situation existentielle à se définir largement par opposition à la C.S.N., était forcée de faire occasionnellement du rattrapage idéologique. Ce modèle continuera-t-il de prévaloir ? Dans quelle mesure les affiliés de la F.T.Q. se tourneront-ils vers les valeurs du milieu québécois, comme système de référence dans le développement de leur idéologie ? La F.T.Q. développera-t-elle un processus autonome de perception du milieu qui élimine la C.S.N. comme intermédiaire ? La C.S.N. continuera-t-elle de porter le flambeau de la régénération idéologique du syndicalisme sans se disloquer sous la pression centrifuge d'un consensus interne de plus en plus fluide ? Il n'est pas possible pour le moment de répondre adéquatement à ces diverses questions, car des hypothèses multiples sont possibles quant à l'avenir des deux centres syndicaux, selon le degré d'autonomie de la F.T.Q., selon le degré de concertation idéologique intrinsèque de l'une et l'autre, selon les risques d'un éclatement interne, surtout chez la C.S.N., pouvant donner lieu à de nouveaux regroupements syndicaux suivant de nouvelles affinités.

Cela dépendra aussi de la façon dont la C.S.N. et la F.T.Q. concilieront les contradictions dans leurs idéologies, qui proviennent d'attitudes antinomiques que l'on peut résumer de la façon suivante. D'une part, l'idéologie libérale inspire les comportements sur le plan économico-professionnel, car l'action est strictement revendicative et fondée sur le pouvoir de marchandage de façon à maximiser les avantages pour les membres d'une unité de négociation donnée sans se préoccuper des conséquences intersectorielles. Ainsi, la propension actuelle à recourir à la menace de grève avant même que toutes les ressources de la négociation collective aient été mises en œuvre ne provient pas d'un refus de suivre les règles du jeu parce que l'on rejette le capitalisme, mais d'une redéfinition de la grève comme moyen ordinaire de pression faisant intégralement partie du pouvoir de marchandage plutôt qu'un moyen extraordinaire de pression lorsque les autres moyens ont été épuisés. D'autre part, une idéologie socialisante inspire les propositions quant à la planification économique démocratique et quant à la définition de l'État comme moteur-régulateur de l'économie et comme artisan de la promotion de la collectivité québécoise. Il y a des priorités à établir entre les deux types d'objectifs sous-jacents à ces orientations. C'est le cœur du débat qui est en cours au sein de la C.S.N. et qui s'amorce au sein de la F.T.Q.

Épilogue

Chaque année fournit sa récolte d'événements syndicaux ou de relations de travail qui constituent des jalons significatifs pour l'étude de l'évolution des idéologies du mouvement syndical et du mouvement ouvrier. Les années 1971 et 1972 ont été particulièrement fertiles sur ce point. À cet effet retenons le congrès de la F.T.Q. à l'automne 1971, la publication du manifeste de la C.S.N., *Ne comptons que sur nos propres moyens* et de celui de la F.T.Q. sur *l'État, rouage de notre exploitation*, le front commun C.S.N.-F.T.Q.-C.E.Q. à l'occasion de la négociation collective dans la fonction publique où l'affrontement direct avec le gouvernement provincial, symbolisé par la bravade des injonctions, a entraîné l'emprisonnement d'une trentaine de chefs syndicaux, la scission au sein de la C.S.N. et la création d'une nouvelle centrale syndicale, la Confédération des syndicats démocratiques (C.S.D.), enfin, le congrès de juin 1972 de la C.S.N. sous le signe de la politisation et l'opposition aux partis politiques traditionnels.

Rappelons que notre recherche couvre la période 1940-1970 seulement. Pendant la phase de rédaction du manuscrit, terminée vers la mi-février 1972, nous avons souvent eu la tentation, surtout au moment de la conclusion, de nous référer à l'un ou l'autre des épisodes de l'année 1971. À la réflexion, ces derniers nous paraissaient cependant se situer dans le prolongement logique de l'évolution des deux dernières années, avec peut-être une certaine accélération. Nous avions alors le sentiment que notre travail en tenait compte implicitement.

Les événements se sont précipités depuis. À titre d'exemple, l'hypothèse d'une rupture au sein de la C.S.N., que nous avions retenue comme une possibilité à moyen terme, est devenue une réalité quelques mois à peine après que nous l'eussions formulée. Dans ces circonstances il y a lieu d'ajouter quelques commentaires à notre conclusion. Parmi les événements mentionnés au premier paragraphe, il nous paraît nécessaire de tenir compte à cet effet, de façon particulière, de l'affrontement du front commun avec l'État provincial, du schisme à l'intérieur de la C.S.N. et du dernier congrès de cette dernière. Ces faits constituent-ils un prolongement ou un approfondissement de l'évolution passée ou bien marquent-ils au contraire une rupture et un nouveau départ ?

Il est permis de faire l'hypothèse que l'ampleur de l'intérêt soulevé par le manifeste « Ne comptons que sur nos propres moyens », nonobstant son orientation strictement marxiste, la tournure imprévue pour les trois D de l'enquête sur « l'affaire Lapalme » dont les retombées étaient davantage à leur détriment qu'à celui du président, la réaction favorable des masses à l'objectif initial de négociation de cent dollars ($100.00) par semaine, savamment exploitée politiquement par Marcel Pepin, la grève du Front commun dans le secteur public et l'emprisonnement subséquent des leaders syndicaux qui, en faisant du président Pepin un héros et un martyr, assurait pratiquement sa réélection et celle de son équipe à la direction de la centrale ont pu amener les dirigeants de l'aile modérée à conclure que l'affrontement au congrès de juin, recherché depuis quelque temps par les tenants des deux tendances, tournerait à leur désavantage.

En lançant l'opération de scission avant le congrès de juin, les trois D refusaient de livrer une bataille qu'ils considéraient maintenant comme perdue d'avance. La nouvelle situation existentielle aurait donc précipité une scission devenue inévitable due aux incompatibilités idéologiques irréductibles et irréconciliables. Elle a peut-être eu comme effet aussi de réduire à court terme l'importance numérique des défections et des transfuges vers la C.S.D. car dans l'adversité le président Pepin a reconquis certaines sympathies alors que la crédibilité des trois D a pu être mise en doute. Mais la scission éventuelle des éléments à mentalité plus professionnelle que politique est un mouvement difficilement réversible à long terme si l'orientation idéologique préconisée actuellement par les dirigeants de la C.S.N. demeure inaltérée ou sans modifications sensibles.

Avec le départ des éléments modérés et les politiques adoptées par le congrès de juin une ambiguïté, dont nous avons fait état dans notre conclusion, paraît maintenant levée. La nouvelle C.S.N. affirme ouvertement et clairement qu'elle accorde la priorité aux objectifs socio-politiques sur les objectifs économico-professionnels.

Qu'est-ce que cela signifie ? Il s'agit à notre point de vue d'une modification de la stratégie syndicale globale plutôt que d'un changement dans la conception de la finalité de l'action syndicale, qui demeure la transformation en profondeur du système libéral au bénéfice des travailleurs. La finalité révolutionnaire de l'action syndicale était en effet présente dans l'idéologie de la C.S.N. Sur ce plan le rapport du président Pepin au congrès de juin constitue un approfondissement et un aboutissement des deux rapports précédents, « une société bâtie par l'homme » et « un camp de la liberté ». Ce dernier réexprime l'objectif ultime de la transformation radicale du système avec plus de force qu'auparavant. La réorientation de la stratégie repose sur l'idée que cette transformation est plus facilement réalisable par une action au niveau du système politique que par une action au niveau du système économique. Elle est le fruit, à la fois d'une gestation idéologique interne au mouvement et des mutations dans la situation existentielle où les moyens d'action traditionnels paraissent insuffisants et impuissants face à la force d'inertie de l'immobilisme des institutions socio-politiques. Ce qui complique la situation, c'est que l'on tient absolument à rationaliser cette stratégie par la dialectique marxiste.

Il ressort des propos du président et des décisions prises à l'occasion du dernier congrès que cette nouvelle stratégie veut s'appuyer sur des méthodes démocratiques d'action, nonobstant la présence quasi inévitable d'éléments ultra-radicaux ou anarchisants. Plus spécifiquement, l'idéologie de la participation (développée dans « une société bâtie par l'homme ») est encore sous-jacente au projet de création des « comités populaires ». L'engagement électoral préconisé, lequel rejoint le « punissons nos ennemis et récompensons nos amis » gompérien, se veut une contestation « légale et légitime » du système. Il importe de retenir cependant que les méthodes à caractère politique seront privilégiées, comme l'indique l'importante augmentation des crédits accordés au service de l'action politique ainsi que la volonté exprimée de conférer une dimension politique au processus lui-même de la négociation collective.

Comment évoluera cette stratégie syndicale au cours des prochaines années ? Pour le moment les hypothèses d'une radicalisation révolutionnaire ou d'un retour à un comportement réformiste plus conventionnel sont aussi plausibles l'une que l'autre. Le développement de l'idéologie sera conditionné par le dénouement ultime de la crise soulevée par les éléments sécessionnistes dont certaines séquelles sont encore à venir, par les conséquences éventuelles des décisions prises au congrès de juin et par l'évolution de la situation existentielle, donc plus particulièrement de l'impact du mouvement séparatiste sur la société québécoise.

Épilogue

La radicalisation politique de la F.T.Q. est dans les faits moins profonde et moins aiguë que celle de la C.S.N. Les thèmes politiques développés par le président Laberge n'ont pas encore été transcrits significativement dans l'action par les syndicats affiliés. Lors du front commun, la F.T.Q. dont le nombre d'adhérents impliqués était relativement faible, semblait dans le sillage de ses deux partenaires. Le président de la fédération paraissait plus impliqué personnellement que son mouvement. Des groupes importants n'ont pas emboîté le pas. Les unités des Métallurgistes unis d'Amérique ne se sont pas associés au conflit. Le syndicat des employés de l'Hydro-Québec, affilié au S.C.F.P., s'est retiré du Front commun. Le secrétaire Fernand Daoust, dont l'option socialiste-démocratique est bien connue, a conservé une attitude apaisante et a adopté un comportement modéré tout en évitant de s'identifier publiquement de trop près au conflit du secteur public. Il semble donc logique de conclure pour le moment que le virage à gauche amorcé par le président Laberge dans son effort de rattrapage idéologique visant à redorer le blason de la F.T.Q. et de la situer avantageusement sur le plan de la concurrence syndicale n'a pas encore rallié un suffrage généralisé à cause du caractère polymorphe de la F.T.Q. et des liens pancanadiens et internationaux de ses affiliés.

La scène syndicale actuelle laisse présager un réalignement des forces ouvrières québécoises selon de nouvelles affinités dans des organismes aux tendances idéologiques distinctes et intrinsèquement plus homogènes. La C.S.N. pourrait devenir le centre de regroupement des travailleurs du secteur tertiaire et des cols blancs partageant une idéologie de transformation. Il est à prévoir qu'une perte d'effectifs consécutive à une politisation permanente pourrait être plus que compensée par des apports en provenance de la C.E.Q. ou d'éléments politisés de la F.T.Q. La Confédération des syndicats démocratiques pourrait devenir le lieu de rencontre des éléments qui désirent mettre l'accent sur les objectifs économico-professionnels tout en attachant une importance de premier plan aux objectifs socio-politiques. Suivant la tradition nord-américaine la F.T.Q. redeviendrait alors une fédération politisée fonctionnellement. L'avenir dira si une telle spéculation avait quelques fondements.

I. DÉCLARATION DE PRINCIPES DE LA CONFÉDÉRATION DES TRAVAILLEURS CATHOLIQUES DU CANADA

Caractère et but de la C.T.C.C.

La Confédération des travailleurs catholiques du Canada est une organisation syndicale démocratique et libre. Elle est nationale et elle s'inspire dans sa pensée et son action de la doctrine sociale de l'Église. Elle croit au rôle primordial des forces spirituelles dans l'établissement de l'ordre social.

Elle a pour but de promouvoir les intérêts professionnels, économiques, sociaux et moraux des travailleurs du Canada. Dans sa sphère propre, et en collaboration avec les autres institutions, elle cherche à instaurer, pour les travailleurs, des conditions économiques et sociales telles qu'ils puissent vivre d'une façon humaine et chrétienne. Elle veut contribuer à l'établissement de relations ordonnées entre employeurs et employés, selon la vérité, la justice et la charité. Parmi ses objectifs immédiats, dans ce domaine, elle veut assurer le plein exercice du droit d'association et elle préconise les conventions collectives, les mesures de sécurité sociale et une saine législation du travail. Elle attache également beaucoup d'importance à la formation économique, professionnelle, sociale, intellectuelle et morale des travailleurs.

Organisation professionnelle

En vue d'assurer l'harmonie dans les relations de travail et de pourvoir aux besoins de la communauté entière, la C.T.C.C. croit à la nécessité d'établir pour l'économie sociale un statut juridique fondé sur la communauté de responsabilités entre tous ceux qui prennent part à la production.

Le syndicalisme restera toujours pour les travailleurs un moyen essentiel de défendre et de promouvoir leurs intérêts professionnels. Si le syndicat représente réellement les travailleurs concernés, il est l'organisme normal de négociations, de représentations, de collaboration et de participation sur tous les plans : l'entreprise, la profession et l'économie nationale. En conséquence, on doit reconnaître à tous les travailleurs, sans distinction, le droit d'association et leur en garantir le libre exercice.

Personne humaine et bien commun

Le régime économique actuel prédominant dans notre pays déprécie les valeurs humaines et spirituelles. Suivant l'inspiration de ce régime, la recherche de l'intérêt individuel procurerait automatiquement le bien général. Il s'ensuit le mépris de la dignité de l'homme, des légitimes aspirations de la personne humaine et du bien général.

L'accumulation des richesses et la concentration du pouvoir économique entre les mains d'un petit nombre au détriment du bien commun ont été la conséquence d'un système qui s'est donné pour mobile primordial le profit.

C'est un devoir pour chaque citoyen de contribuer au bien commun selon les exigences de la justice sociale. D'autre part, la société est faite pour la personne humaine. Aussi faut-il que la production des biens matériels soit ordonnée à la satisfaction des besoins humains légitimes et que toutes les conditions matérielles, sociales et culturelles favorisent l'épanouissement de chaque travailleur et de sa famille en toute sécurité et liberté.

La C.T.C.C. croit à la dignité primordiale de la personne humaine et à l'égalité fondamentale de tous les êtres humains. Elle n'admet pas qu'on applique un traitement injuste à cause de la langue, de la nationalité, de la race, du sexe et de la religion.

Démocratie

La C.T.C.C. a foi dans la vraie démocratie politique, parce que c'est le système qui garantit le mieux la liberté des citoyens et leur participation aux responsabilités civiles. Elle est d'avis que notre régime démocratique ne doit pas être à la merci de quelques privilégiés qui se servent du pouvoir pour la protection de leurs privilèges et de leurs intérêts égoïstes. La C.T.C.C. croit qu'une véritable démocratie politique ne peut se concevoir sans la démocratisation de l'économie. Elle s'oppose à toute forme de totalitarisme et d'étatisme.

L'État

L'État doit promouvoir le bien commun et la C.T.C.C. croit qu'il doit, par ses lois et leur saine application, sauvegarder les droits de chacun et favoriser le développement de groupements intermédiaires autonomes dont la contribution active est nécessaire au maintien de la paix sociale.

Propriété privée

La C.T.C.C. reconnaît la légitimité du droit de propriété privée et affirme son double caractère individuel et social ; cependant, elle se garde bien d'identifier propriété privée et capitalisme. Elle répudie le capitalisme libéral et rejette le marxisme sous toutes ses formes.

L'exercice du droit de propriété doit être réglé selon la nature de l'objet, suivant qu'il s'agit d'un bien d'usage personnel ou d'un bien de production. La propriété privée des biens de production, qui doit rester la règle générale, est grevée de charges sociales plus grandes qui découlent de la nature et des biens, de leur subordination au bien commun de la société et du fait que la vie des travailleurs est engagée dans l'entreprise.

L'État doit surveiller toute l'activité économique pour assurer la primauté de l'intérêt général sur l'intérêt particulier. Certaines entreprises, à cause de leur grande importance pour le bien-être des citoyens, ou de leur tendance aux abus, ont besoin d'être suivies de plus près et contenues dans des limites justes par des interventions appropriées.

S'il y a danger pour le bien commun de laisser sous le contrôle d'intérêts privés certains services ou moyens de production, la collectivité doit en assumer la charge. La gestion de ces entreprises sera confiée, autant que possible, à des corps autonomes représentatifs de tous les intéressés.

Collaboration entre les agents de la production

La vie économique doit être organisée de façon à assurer une collaboration étroite entre les principaux agents de la production et de la distribution des biens. Cette collaboration doit s'établir sur le plan de l'entreprise, de la profession et de l'économie en général.

La C.T.C.C. reconnaît qu'il peut exister plusieurs formes d'entreprises. Elle favorise celles qui, en poursuivant leurs fins propres, respectent la personne humaine et servent le mieux le bien commun.

Dans l'entreprise où les uns fournissent le capital et les autres le travail, afin d'intégrer davantage les travailleurs et de les intéresser à sa vie, on devrait s'orienter graduellement et dans les limites permises par les circonstances, vers l'introduction d'éléments du contrat de société dans le contrat de travail ; la direction des entreprises doit cesser de représenter exclusivement les intérêts du capital.

Au niveau de la profession, les travailleurs et leurs employeurs, par leurs organisations syndicales, doivent se rejoindre en formant des institutions paritaires, qui auront pour but de réglementer la vie professionnelle de telle façon qu'elle serve le mieux possible les intérêts de ses membres et de la société.

À l'échelle provinciale ou nationale, selon les juridictions établies, la C.T.C.C. propose la formation d'organismes appropriés où les représentants des travailleurs et des employeurs seront désignés par les organisations professionnelles intéressées et dont le rôle sera de coordonner et d'orienter la vie économique sous la surveillance de l'État.

Enfin, la C.T.C.C. croit que le Canada, de concert avec les autres États, doit viser à l'organisation internationale de l'économie afin d'assurer une meilleure distribution des richesses et de garantir en même temps, par la sécurité et la stabilité économiques dans le monde, la paix et l'harmonie entre les nations.

La famille

La famille a une telle importance qu'on doit tout faire pour préserver son intégrité, garantir ses droits et assurer son plein épanouissement.

Antérieure à la société civile, dont elle est la première cellule, elle ne peut en aucune façon lui sacrifier son rôle, ses fonctions et ses prérogatives essentielles : le droit des époux à une vie conjugale normale, le droit du père de famille à pourvoir à la subsistance des siens, le droit de la mère à accomplir au foyer sa tâche de gardienne, de ménagère et d'éducatrice ; le droit des parents à élever leurs enfants et à leur assurer une instruction et une éducation dont ils gardent le contrôle ; le droit à une habitation salubre et suffisamment spacieuse dont ils seront, autant que possible, propriétaires.

Droit au travail

La société doit assurer à chacun la possibilité de se procurer un emploi stable et rémunérateur, conforme à ses goûts et à ses aptitudes.

Conditions de travail

Les conditions de travail doivent être saines tant au point de vue moral que physique. Elles doivent laisser au travailleur des loisirs suffisants pour remplir ses devoirs religieux, vivre à son foyer, participer à la vie sociale, se cultiver et se reposer.

Rémunération du travail

La rémunération du travail doit au moins être suffisante pour satisfaire aux besoins normaux de la famille.

Elle doit tenir compte, en plus de la nature du travail, de la compétence professionnelle, de la productivité, de la situation de l'entreprise et des exigences du bien commun.

La C.T.C.C. estime qu'il doit y avoir égalité de rémunération entre la main-d'œuvre masculine et la main-d'œuvre féminine pour un travail de valeur égale.

Sécurité sociale

L'insécurité est l'une des caractéristiques de la condition actuelle du travailleur et de sa famille. Elle résulte de l'insuffisance du revenu, de l'instabilité de l'emploi, et d'un manque de protection efficace contre les risques du travail et certains risques inhérents à la vie.

Pour corriger cette situation, la C.T.C.C. croit que l'on doit d'abord donner la production des biens matériels à la satisfaction des besoins humains légitimes, et favoriser des mesures de sécurité sociale telles qu'une politique de plein emploi, de revenus de remplacement et de complément. Ces mesures devront respecter les droits, l'initiative et les prérogatives de chaque citoyen.

Mouvement coopératif

La C.T.C.C. voit dans le mouvement coopératif un excellent moyen d'assainissement économique et social et un complément nécessaire à l'action syndicale pour réduire le coût de la vie, humaniser et démocratiser l'économie.

Épargne

L'épargne est un acte de prévoyance et une garantie contre l'insécurité. La C.T.C.C. en reconnaît la nécessité et réclame pour le travailleur la possibilité d'épargner. Elle entend mettre en œuvre tous les moyens nécessaires à cette fin.

Elle voit dans les coopératives d'épargne et de crédit et certains autres organismes de même nature, des institutions aptes à faire servir l'argent des travailleurs à leur promotion. La plupart des grandes entreprises financières drainent la plus grande partie de l'épargne et contribuent au maintien de la dictature économique.

Instruction et culture

Trop souvent, les conditions économiques dans lesquelles vit la famille ouvrière font obstacle à la formation technique, économique, sociale et politique des travailleurs, de même qu'à leur participation à la vie culturelle. L'instruction à tous les degrés et la culture doivent être accessibles aux travailleurs.

II. MANIFESTE POLITIQUE
DE LA FÉDÉRATION DES UNIONS
INDUSTRIELLES DU QUÉBEC

Introduction

Le « Manifeste au peuple du Québec » adopté par la Fédération des unions industrielles du Québec (CCT), au congrès de Joliette, le 14 mai 1955, est le résultat de plusieurs années de luttes syndicales et politiques qu'a dû livrer le mouvement ouvrier dans notre province.

La grève de l'amiante, celle des mineurs du Nord, la décertification arbitraire de l'Alliance des professeurs, le scandale des cuivres gaspésiens et l'adoption des lois réactionnaires, sont autant d'événements qui ont contribué à la prise de conscience des ouvriers du Québec. Ils ont pris conscience, non seulement de la menace réactionnaire qui pèse sur nos institutions démocratiques en général. Le 22 janvier 1954, au cours de l'historique « marche sur Québec » contre les bills 19 et 20, les délégations syndicales, réunies au palais Montcalm, ont lancé un cri d'alerte aux citoyens bien pensants de toutes les classes de la société.

Quelques mois plus tard le congrès de Champigny adoptait le rapport du Comité d'action politique qui recommandait de « préparer un manifeste qui énoncerait les droits fondamentaux que nous revendiquons en tant que citoyens de la province de Québec et en tant que syndicalistes ». Le Comité exécutif forma donc un comité qui, l'année suivante, soumit un projet qui fut amendé et adopté au congrès de Joliette.

Nous publions donc notre « Manifeste au Peuple du Québec » dans l'espoir qu'il suscitera de fructueuses discussions d'où sortiront d'heureuses solutions aux problèmes politiques de la population du Québec.

Manifeste au peuple du Québec

Devant le honteux spectacle d'un gouvernement asservi aux intérêts égoïstes du capitalisme domestique et étranger jusqu'à leur sacrifier nos richesses naturelles de l'Ungava, jusqu'à abandonner notre classe agricole à son sort tout en faisant son éloge et jusqu'à faire fi de nos libertés civiles et démocratiques acquises au cours de siècles de lutte ; devant le spectacle de cette tyrannie sans précédent dans les annales de notre province, depuis l'établissement de la responsabilité ministérielle, et devant l'apathie complice de la députation dite d'opposition, les signataires de ce manifeste lancent un cri d'alerte aux citoyens du Québec de toutes les classes de la société, et leur demandent de travailler collectivement à la mise en œuvre des principes énoncés dans ce manifeste.

Alors que nous vivons dans un monde divisé en deux, soit d'une part les forces capitalistes, soit d'autre part les forces totalitaires, nous refusons de croire que nous avons à choisir entre ces deux régimes. Nous préconisons une social-démocratie. Nous voulons un socialisme démocratique qui respectera la propriété personnelle, les traditions et la foi des masses canadiennes-françaises.

Droits de l'homme et libertés civiles

Les signataires de ce manifeste proclament leur foi dans les droits de l'homme tels que proclamés par les Nations unies le 10 décembre 1948, entre autres :
« La reconnaissance de la dignité inhérente à tous les membres de la famille humaine et de leurs droits égaux et inaliénables constituant le fondement de la liberté, de la justice et de la paix dans le monde.

« La méconnaissance et le mépris des droits de l'homme ont conduit à des actes de barbarie qui révoltent la conscience de l'humanité et l'avènement d'un monde où les êtres humains seront libres de parler et de croire, libérés de la terreur et de la misère, doit être proclamé comme la plus haute aspiration de l'homme.

« Il est essentiel que les droits de l'homme soient protégés par un régime de droit pour que l'homme ne soit pas contraint, en suprême recours, à la révolte contre la tyrannie et l'oppression.

« Tous les êtres humains naissent libres et égaux en dignité et en droits. Ils sont doués de raison et de conscience et doivent agir les uns envers les autres dans un esprit de fraternité.

« Tout individu a droit à la vie, à la liberté et à la sûreté de sa personne.

« Nul ne sera tenu en esclavage ni en servitude.

« Nul ne sera soumis à la torture, ni à des peines ou traitements cruels, inhumains ou dégradants.

« Chacun a droit à la reconnaissance en tous lieux de sa personnalité juridique.

« Tous sont égaux devant la loi et ont droit sans distinction à une égale protection de la loi. Tous ont droit à une protection égale contre toute discrimination.

« Nul ne peut être arbitrairement arrêté, détenu ni exilé.

« Nul ne sera l'objet d'immixtions arbitraires dans sa vie privée, sa famille, son domicile ou sa correspondance, ni d'atteintes à son honneur et à sa réputation. Toute personne a droit à la protection de la loi contre de telles immixtions ou de telles atteintes.

« Chacun peut se prévaloir de tous les droits et de toutes les libertés sans distinction aucune, de race, de couleur, de sexe, de langue, de religion, d'opinion politique ou de toute autre opinion, d'origine nationale ou sociale, de fortune, de naissance ou de toute autre situation. »

Conformément aux principes énoncés ci-haut, nous condamnons des mesures aussi immorales que la loi du cadenas et des lois restreignant les droits du syndicalisme. Nous réclamons les châtiments prévus par les lois contre les hommes de police qui arrêtent ou détiennent quelqu'un sans mandat, ou *incommunicado*, ou qui maltraitent indûment une personne appréhendée. Nous demandons que l'on sévisse sévèrement contre la pratique des téléphones « tapés » et nous réclamons pour chaque citoyen l'accès à son dossier de police.

La Confédération canadienne

Les signataires de ce manifeste désirent que la province de Québec demeure au sein de la Confédération canadienne avec l'intention bien définie d'en rapatrier la constitution. Il est inadmissible qu'une nation qui joue un rôle national et international comme la nôtre, ne puisse amender sa propre constitution.

Nous préconisons le rapatriement de la constitution canadienne pourvu qu'on y inclue un mode d'amendement donnant voix au chapitre aux provinces qui constituent la Confédération.

Nous sommes d'avis que, sur le plan constitutionnel, le Canada a besoin d'un Conseil de la Confédération ou sénat fédéralisé (en abolissant le Sénat actuel) où les gouvernements fédéral et provinciaux seraient directement représentés et dont dépendrait la constitution.

Dans un tel organisme, les provinces jouiraient d'un droit de veto, sur les questions constitutionnelles seulement.

Cette constitution inclurait une déclaration des droits de l'homme conformément à la proclamation des Nations unies citée plus haut.

La Cour suprême dépendrait alors directement de la constitution, gardée elle-même par ce nouveau Conseil de la Confédération (en ce moment, la Cour suprême dépend de simples loi fédérales votées par les députés et les sénateurs).

La sécurité sociale

Quant à ses ressources naturelles, son développement industriel, sa force ouvrière et son héritage culturel, la province de Québec est hors de tout doute une des plus riches du Canada. Il ne peut y avoir d'excuse pour l'insécurité, la faim et la pauvreté dans le Québec. Pourtant, il existe beaucoup de misère, particulièrement parmi les citoyens physiquement handicapés.

Un programme complet de sécurité sociale doit être mis en œuvre ; le principe de base de ce programme étant la pleine acceptation de la responsabilité de tous les citoyens du soin et de la protection de ceux qui ne peuvent subvenir à leurs propres besoins. Les ressources humaines de la province doivent primer sur les ressources matérielles et la propriété privée. La sécurité sociale doit être considérée comme un droit plutôt que comme une charité.

Les signataires préconisent un programme complet de sécurité sociale pour prendre soin des vieillards, des handicapés, physiquement et mentalement, des veuves et de leurs dépendants, y compris un plan complet d'assurance-santé. Nous croyons que ceci est de la responsabilité directe du gouvernement provincial.

Cependant, cela ne veut pas dire que la province de Québec s'objecterait à un plan national d'assurance-santé si les autres provinces du Canada et le gouvernement fédéral proposaient une entente à ce sujet. Nous tenons à affirmer qu'une telle possibilité ne devrait pas servir de prétexte à la province pour ignorer les possibilités de réaliser un plan provincial d'assurance-santé.

La socialisation des ressources naturelles et des services publics

Vu le fait que la province de Québec, de province agricole qu'elle était, s'est transformée en province industrielle, nous sommes maintenant en mesure d'en venir à la conclusion que toutes nos ressources naturelles sont exploitées à peu près exclusivement en vue de faire des profits, au lieu d'être développées et d'être exploitées en vue du bien commun. Aussi, n'hésitons-nous pas à affirmer qu'il ne peut y avoir d'autre solution réaliste que la socialisation de toutes nos ressources naturelles. Nous croyons également qu'une telle socialisation devrait s'accomplir en accordant une compensation aux actionnaires.

Les dernières raisons de nous alarmer sont les développements récents de nos ressources naturelles dans la Gaspésie et l'Ungava. Non seulement le gouvernement a cédé nos ressources naturelles à des capitalistes pour une bouchée de pain, mais il ne s'est même pas soucié de prévenir et d'empêcher l'état de servitude dans lequel des milliers de travailleurs se trouvent plongés. Les compagnies qui exploitent les mines de l'Ungava et de la Gaspésie ont même obtenu la complicité du gouvernement afin de faire avorter les aspirations syndicales des travailleurs de ces régions. Nous voulons que le développement de nos richesses naturelles se fasse dans le respect des libertés syndicales et des exigences sociales et économiques des travailleurs du Québec.

Dans les cas où il s'avère nécessaire de socialiser les services publics, le contrôle en revient soit au gouvernement provincial, soit au gouvernement municipal, selon la nature de l'entreprise concernée. Nous croyons que les expériences passées en fait de contrôle et d'administration des services publics par le gouvernement indiquent un manque de compréhension lamentable de la part des gouvernements. La municipalisation ou la socialisation ne peut s'avérer efficace en vue du bien commun que si les dirigeants d'un gouvernement font passer (et ont la liberté de faire passer) le bien commun avant les intérêts privés.

Les relations ouvrières-patronales

Les signataires de ce manifeste adhèrent au principe du droit au travail reconnu dans la déclaration des droits de l'homme des Nations unies.

Nous préconisons la compilation de toutes nos lois du travail dans un code unique qui garantirait le droit réel d'association et le droit de grève pour tous les salariés et qui rendraient impossible la formation de tout syndicat de boutique. Nous refusons d'admettre le principe qu'un certificat de reconnaissance est un privilège accordé à un syndicat ou à un groupe de salariés. Au contraire, nous voulons que l'économie de la loi reconnaisse le principe que le certificat est la preuve que le syndicat a recruté la majorité d'un groupe d'employés.

Nous voulons également reconnaître le principe que tout contrat de travail dûment signé par la partie patronale et la partie syndicale soit valide, indépendamment de la question de l'émission d'un certificat de reconnaissance.

Nous croyons qu'il est capital que la Commission de relations ouvrières soit constituée d'un nombre égal de représentants patronaux et ouvriers et d'un président impartial. Les membres qui constitueront cette commission devront être choisis par les associations ouvrières et patronales les plus représentatives, en nombre égal, et ces associations, au moins une fois l'an, auront le droit de désigner leurs représentants.

L'agriculture

Malgré la flagornerie constante de notre gouvernement à l'endroit des paysans, nous croyons que la classe agricole n'a pas eu un meilleur sort, jusqu'à maintenant, que la classe ouvrière. Le paysan du Québec vit tout autant que le travailleur dans l'insécurité économique et sociale. Il est également exploité par des compagnies très puissantes. Pour ne citer qu'un exemple, il y a le trust des machines aratoires. Le paysan ne sait jamais à l'avance ni s'il pourra vendre le produit de son labeur ni à quel prix. Aussi, croyons-nous que le gouvernement devrait créer un office des produits agricoles et accéder aux nombreuses revendications faites par les associations agricoles.

Nous ne croyons pas qu'il soit à propos d'élaborer davantage sur cette question. Mais, nous tenons à affirmer que nous espérons et croyons qu'il y a suffisamment d'intérêts communs entre la classe ouvrière et la classe paysanne pour que la meilleure des coopérations se crée entre ces deux classes et la classe moyenne afin de réaliser des objectifs qui ne s'opposent jamais lorsque l'on a en vue le bien commun.

L'éducation

Déplorant le fait que l'éducation n'est pas accessible aux masses populaires, nous croyons urgent d'établir l'instruction entièrement gratuite et obligatoire jusqu'à l'âge de 16 ans.

De plus, nous préconisons que l'enseignement secondaire et universitaire soient gratuits pour toute personne qui sera en mesure de démontrer ses aptitudes.

Nous croyons qu'il est du devoir du gouvernement de multiplier les écoles au point de les doubler. Jusqu'à maintenant, le budget attribué aux problèmes de l'éducation et de l'enseignement a toujours été ridicule.

Nous croyons que la question des octrois, tant provinciaux que fédéraux, a toujours eu l'allure de patronage électoral. Nous reconnaissons les droits fondamentaux de la province en matière d'éducation. Mais, nous sommes d'avis que plutôt que de débattre la question des octrois en faisant des questions électorales, il serait beaucoup plus sage et beaucoup plus simple de répartir en conséquence les revenus des impôts.

Le professorat est une des questions les plus importantes en matière d'éducation. Il est indigne de la part du gouvernement de traiter les professeurs et les instituteurs comme des citoyens qui auraient comme rôle de se contenter d'obéir aux autorités établies, d'accepter sans cesse tous les sacrifices qu'on leur impose et d'enseigner à leur tour à nos enfants la soumission et l'obéissance comme étant les seules vertus requises pour devenir des citoyens adultes et virils.

C'est un devoir pour la province d'encourager la jeunesse à se diriger vers cette importante profession.

Le système parlementaire

Nous connaissons bien les traditions de notre système gouvernemental, le principe essentiel de base est la liberté de discussion de toute affaire publique. Ce principe est maintenu en théorie par la structure de notre législature. Le député qui peut obtenir l'appui de la majorité de ses collègues devient le chef du gouvernement ou premier ministre, et ceux qui ne supportent pas sa politique forment l'opposition. Tout comme c'est le devoir du chef du gouvernement d'établir et de mettre en force la politique de son administration, c'est aussi le devoir de l'opposition d'examiner cette politique et, si nécessaire, de la critiquer. Notre système démocratique doit beaucoup de sa vigueur à la tradition de nos parlements.

Le premier signe d'une dictature naissante est souvent l'hésitation des chefs de gouvernement à tolérer le rôle de l'opposition au parlement. Ce danger existe présentement dans la province de Québec. Les chefs de gouvernement prennent continuellement l'attitude que la critique, soit de la politique, soit de l'administration, est contraire aux intérêts de la province. On accepte la théorie que le gouvernement, ayant été élu par les électeurs, met en force une politique et des lois approuvées de tous et est, par conséquent, au-dessus de toute critique.

Le droit à la libre discussion et à la libre critique doit être conservé et renforcé et aucun citoyen ne devrait être la victime d'intolérance pour avoir exercé ce droit.

Les signataires de ce manifeste déclarent aussi que les droits démocratiques des citoyens de la province seraient matériellement renforcés si, par exemple, on abolissait le Conseil législatif, on redistribuait les sièges de la Législature, proportionnellement à la population, si on publiait quotidiennement les débats durant les sessions de la Législature (un Hansard provincial), si on révisait complètement la loi électorale afin que tous les candidats jouissent des mêmes privilèges, quelle que soit leur affiliation politique (e. g. abolition du bill 34).

III. DÉCLARATION DE PRINCIPES
DE LA FÉDÉRATION
DES TRAVAILLEURS DU QUÉBEC

Éducation

La Fédération des travailleurs du Québec est consciente de la nécessité d'assurer la meilleure éducation possible à tous les citoyens de cette province, sans quoi ils ne pourront participer à la mise en valeur de ses ressources innombrables, et les progrès techniques auxquels nous assistons présentement en feront de complets déclassés.

Elle réclame donc l'enseignement réellement et absolument gratuit à tous ses paliers : primaire, secondaire, universitaire et spécialisé. Elle soutient en outre que l'instruction devrait être obligatoire jusqu'à l'âge de 16 ans et qu'on devrait faire respecter avec la plus grande rigueur la loi qui en déciderait ainsi.

Elle reconnaît les droits fondamentaux de la province en matière d'éducation. Elle ne croit pas, cependant, que ce principe puisse permettre de négliger l'éducation. Ces droits comportent au contraire des devoirs graves dont le gouvernement de cette province doit s'acquitter de façon prioritaire.

La Fédération affirme que pour remplir son rôle efficacement, l'enseignement doit être à l'abri de la politique de parti, ce qui ne veut pas dire qu'il ne comporte pas l'éducation politique du futur citoyen. Nous réclamons donc la liberté académique la plus complète, en conformité avec la morale naturelle et nos principes démocratiques.

Nous réclamons, pour ceux qui consacrent leur vie à l'enseignement, des salaires qui les mettent à l'abri des soucis matériels et qui leur assurent le prestige social auquel ils ont droit et qui est essentiel à la réussite de leur mission. Nous ne voulons pas que l'éducation de nos enfants soit confiée à des laissés pour compte, humiliés et soumis, qui ne sauraient en faire les citoyens libres et fiers dont notre société a besoin.

Nous réclamons l'établissement d'un Conseil supérieur de l'éducation vraiment représentatif de tous les groupes sociaux — y compris le mouvement syndical — et éducationnels. Ce conseil aurait la responsabilité des programmes et du budget de l'enseignement ; mis à l'abri de la petite politique de parti, il devrait s'entourer des plus grandes compétences. Enfin, les prévisions budgétaires devraient toujours faire une part plus grande à l'éducation.

Sécurité sociale

La Fédération des travailleurs du Québec affirme que cette province peut mettre en valeur des ressources naturelles si grandes et s'industrialiser à un tel point qu'elle n'a pas d'excuse à ne pas mettre sur pied un programme complet de sécurité sociale, condition essentielle à la survie de notre régime démocratique. Elle demande donc la mise en œuvre d'un tel programme afin de faire disparaître la pauvreté et l'insécurité d'une province aussi riche, et d'y substituer la justice sociale à la charité publique, la charité ne devant subsister qu'à titre de vertu individuelle.

Un tel programme doit assurer aux vieillards, aux personnes handicapées, aux veuves et aux orphelins un niveau de vie décent qui leur permettra surtout de recouvrer le sens de la dignité personnelle.

La Fédération réclame en outre la conclusion immédiate d'une entente entre les gouvernements national et provincial pour la mise en application d'un programme complet d'assurance-santé, dont l'administration relèvera de la province. Elle ne croit pas qu'un tel accord, consenti librement par le gouvernement provincial, soit incompatible avec les dispositions de l'Acte de l'Amérique du Nord britannique, ni qu'il lèse en rien le principe de l'autonomie provinciale, qui n'a pas été compromise jusqu'ici par les pensions de vieillesse et les allocations familiales.

Législation ouvrière

La Fédération des travailleurs du Québec, consciente de sa responsabilité dans l'obtention d'une législation juste qui protège les droits des syndicats et des salariés qui les composent, de même que les droits des travailleurs qui veulent se grouper en syndicats, réclame un code provincial du travail.

Aucune loi du travail ne sera acceptable aux travailleurs à moins qu'elle ne consacre intégralement trois droits fondamentaux :

1) DROIT D'ASSOCIATION. Ce droit est naturel et aucune loi ne doit le détruire, le compromettre ou en restreindre l'exercice. Contrairement à ce que prévoit ou permet la loi actuelle, ce droit doit être reconnu, indépendamment de tout autre facteur, à tout syndicat groupant la majorité d'un groupe de travailleurs. La reconnaissance officielle d'un syndicat ne doit jamais être

subordonnée aux actes faits par ce syndicat et le retrait de celle-ci ne doit jamais servir de sanction contre un syndicat qui reste majoritaire. De plus, la loi doit prévoir des sanctions sévères et efficaces contre toute personne ou tout groupe de personnes qui, par des menaces, des congédiements, la corruption, le chantage ou la création de syndicats de boutique, entrave le libre exercice du droit d'association.

2) DROIT À LA NÉGOCIATION COLLECTIVE. La Fédération des travailleurs du Québec affirme que les travailleurs ont droit à une législation efficace qui garantisse la possibilité de négociations de bonne foi entre tout groupe syndical majoritaire et un ou des patrons. Les procédures de conciliation et de médiation, pour conserver leur raison d'être, doivent être confiées à des personnes compétentes, socialement éclairées et à l'abri de toute influence ou de toute ingérence politiques. Dans le contexte actuel, ces procédures provoquent une suspicion instinctive dans le mouvement syndical.

3) DROIT À LA GRÈVE. La Fédération des travailleurs du Québec est consciente des conséquences économiques qui peuvent résulter du droit de grève. Ses syndicats affiliés n'en ont d'ailleurs jamais usé qu'avec discernement. Cependant, ce droit reste fondamental et la grève demeure, en définitive, la seule arme des travailleurs. La Fédération réprouve donc toute mesure ou loi qui en prohibe ou en restreint l'exercice.

Seuls ceux à qui ce droit appartient, peuvent décider d'en user ou de n'en pas user. Assurée qu'en toutes circonstances ceux qui devront exercer ce droit sauront sauvegarder la sécurité et le bien-être des citoyens en général, la Fédération réclame le droit à la grève pour tous les travailleurs, quels que soient l'industrie ou le service pour lesquels ils travaillent.

Ressources naturelles

La province de Québec possède des ressources naturelles inestimables qui constituent la plus grande richesse de sa population. Ces ressources et ces richesses appartiennent de droit, et en premier lieu, aux citoyens de cette province. Il est normal qu'étant au départ notre propriété commune, elles soient exploitées d'abord en vue du bien commun.

La Fédération des travailleurs du Québec croit donc que les citoyens de cette province doivent pouvoir participer à la mise en valeur et à l'exploitation de ces richesses. Ils doivent en tirer des avantages économiques de nature à relever leur standard de vie, à leur assurer la sécurité sociale, le plein emploi, l'éducation gratuite, ainsi que des dégrèvements fiscaux proportionnés à leur état de fortune.

La Fédération croit que si, en certains cas, l'exploitation de nos ressources nécessite l'apport de capitaux étrangers, une part importante de la gérance de l'entreprise et de ses profits doit rester entre les mains des citoyens de cette province. Aux travailleurs engagés dans l'exploitation de ces richesses, le gouvernement se doit alors d'assurer le libre exercice du droit d'association et de grève, ainsi que des salaires au moins égaux à ceux qui sont payés ailleurs dans des industries semblables. Il doit veiller surtout à ce que les droits fondamentaux du citoyen soient sauvegardés dans les nouvelles villes isolées ou à demi-fermées.

La Fédération des travailleurs du Québec croit que toute concession de nos ressources naturelles à l'entreprise privée doit être conditionnelle et que l'entreprise doit rester sujette à la nationalisation si les droits ou les intérêts des citoyens sont lésés, ou si ces derniers jugent qu'ils peuvent en tirer un meilleur parti autrement

Éducation et action politiques

L'influence du politique sur l'économique et le social s'accroît sans cesse et elle est d'autant plus évidente dans la province de Québec qu'elle s'exerce constamment de façon préjudiciable pour les meilleurs intérêts des travailleurs. L'action politique n'est pas seulement l'aboutissement de l'action syndicale, pour nous ; elle est la condition même de la survie de notre mouvement.

Les travailleurs syndiqués sont des citoyens comme les autres. Ils doivent donc s'intéresser aux lois qui gouvernent leur vie au sein de la société comme à celles qui régissent leur vie à l'usine.

Les rudes expériences d'un passé récent ont donné de la maturité à notre mouvement et l'ont rendu conscient du rôle politique qu'il doit jouer, dans le cadre de notre système démocratique parlementaire, aussi bien par le vote de ses membres que par les pressions collectives de ses divers organismes.

La Fédération des travailleurs du Québec a acquis la conviction que l'expansion du syndicalisme et l'avènement de la sécurité sociale, si nécessaires à la famille du travailleur, ne pourront jamais être assurés par les forces politiques en place. Aussi ne voit-elle de solution que dans l'éducation et l'action politiques, l'une ne pouvant aller sans l'autre.

Elle entend donc accélérer l'éducation politique de ses membres, étudier les structures politiques actuelles, y chercher les correctifs nécessaires et, pour voir à leur application, inciter ses membres à l'action politique directe.

À ce propos, la Fédération étudie les solutions qui s'offrent à elle et se propose d'en inventer qui lui soient propres, au besoin. Elle se propose de réexaminer constamment la situation politique à la lumière des facteurs nouveaux qui peuvent se présenter, à son attention, et de dresser ainsi un programme d'action directe à l'intention de ses membres. Dans l'immédiat, elle voit la nécessité de donner son appui au parti politique qui lui fournira les meilleures garanties en travaillant sérieusement et de façon constante dans l'intérêt de la classe laborieuse.

La Fédération entend collaborer en outre avec tous les groupes de citoyens qui s'intéressent activement à la régénération de la démocratie politique sur le plan provincial, afin :

a) QUE chaque citoyen puisse jouir librement de son droit de vote ;

b) QU'aucune classe, ni aucun groupe, n'exerce sur le plan électoral une puissance incompatible avec sa force numérique.

c) QUE les partis politiques et les candidats soient réellement les représentants de ceux qui les élisent et non pas les valets de certaines forces occultes ou d'une autocratie qui confine à la dictature ;

d) QUE la corruption, les menaces, le chantage, les promesses fallacieuses et le gangstérisme disparaissent des campagnes électorales et que les candidats soient tenus de dévoiler entièrement la source de l'argent qu'il y dépensent ;

e) QUE la carte électorale soit révisée de façon à assurer une représentation équitable à tous les citoyens ;

f) QUE la loi électorale soit modifiée de façon à assurer le même traitement à tous les candidats et à leur fournir la même protection contre les fraudes électorales ;

g) QUE les citoyens aient accès à une information complète et impartiale sur les travaux parlementaires, par la publication d'un journal des débats (Hansard) ;

h) QUE l'opposition démocratique, parlementaire ou extraparlementaire, puisse discuter et critiquer librement les gestes du gouvernement, sans faire l'objet de menaces, de chantage ni de représailles.

IV. DÉCLARATION DE PRINCIPES DE LA CONFÉDÉRATION DES SYNDICATS NATIONAUX

Caractère et but de la C.S.N.

La Confédération des syndicats nationaux est une organisation syndicale nationale démocratique et libre. Dans sa pensée, elle adhère aux principes chrétiens dont elle s'inspire dans son action.

Elle a pour but de promouvoir les intérêts professionnels, économiques, sociaux et moraux des travailleurs du Canada. Dans sa sphère propre, et en collaboration avec les autres institutions, elle cherche à instaurer, pour les travailleurs, des conditions économiques et sociales telles qu'ils puissent vivre d'une façon humaine et chrétienne. Elle veut contribuer à l'établissement de relations ordonnées entre employeurs et employés, selon la vérité, la justice et la charité.

Elle croit au rôle primordial des forces spirituelles dans l'établissement de l'ordre social. Cette croyance est fondée sur sa conception de la personne humaine.

Personne humaine

La C.S.N. croit à la dignité et à l'égalité fondamentale de tous les hommes.

La dignité de la personne humaine repose sur le fait que l'homme, créé à l'image de Dieu, est doué d'intelligence et de volonté libre et qu'il a une destinée éternelle et surnaturelle. L'homme est donc un être personnel responsable de ses actes et de sa vie ; les êtres inférieurs sont ordonnés à son bonheur.

L'égalité fondamentale de tous les hommes résulte de leur origine, de leur nature et de leurs fins communes.

La C.S.N. reconnaît que la bonne organisation de la société requiert des fonctions diverses et hiérarchisées. L'accès à ces fonctions doit être basé sur des critères objectifs qui écartent les privilèges de classe et le favoritisme sous toutes ses formes. La C.S.N. ne tolère pas qu'on porte atteinte aux droits d'une personne à cause de sa langue, de sa nationalité, de sa race, de son sexe ou de sa religion.

Droits et liberté

Pour lui permettre d'accomplir sa destinée et de s'acquitter de ses obligations, l'homme est investi de droits naturels inaliénables qu'on ne peut jamais nier, abolir ou ignorer.

Pour l'exercice de ces droits, l'homme doit jouir des libertés correspondantes. Il doit cependant tenir compte des limites qu'imposent la nature et la finalité des êtres et la coexistence des diverses personnes vivant en société.

La C.S.N. croit nécessaire de rappeler quelques-uns des droits fondamentaux des travailleurs qu'elle se propose de défendre et de promouvoir :

1. le droit au travail ;
2. le droit d'association ;
3. le droit à une juste répartition des richesses ;
4. le droit au respect de la personne dans sa vie physique et morale ;
5. le droit à la vérité, à l'instruction et à la culture ;
6. le droit à la sécurité juridique ;
7. le droit de s'exprimer librement ;
8. le droit de participer à la vie économique, sociale et politique de la nation.

La société

Comme sa nature l'exige, l'homme doit vivre en société pour développer ses facultés et réaliser sa destinée. Il doit être considéré comme le sujet actif de la vie sociale et non comme un simple objet.

C'est un devoir pour chaque citoyen de contribuer au bien commun selon les exigences de la justice sociale.

C'est pourquoi les travailleurs comme les autres hommes ont le droit de participer à l'organisation de la vie sociale.

L'État

L'État doit promouvoir le bien commun. La C.S.N. croit qu'il doit, par ses lois et leur saine application, sauvegarder les droits et les libertés civiles de chacun et favoriser le développement de groupements intermédiaires autonomes dont la contribution active est nécessaire au maintien de la paix sociale.

L'État doit surtout s'occuper de diriger et d'orienter l'économie et la distribution des richesses et d'établir des conditions qui assurent le plein emploi et la sécurité sociale.

Démocratie

La C.S.N. a foi dans la démocratie politique, parce que c'est le système qui garantit le mieux la liberté des citoyens et leur participation aux responsabilités civiles. La démocratie implique le suffrage universel et la division des pouvoirs entre le législatif, l'exécutif et le judiciaire. La C.S.N. est d'avis que notre régime politique ne doit pas être à la merci de quelques privilégiés qui se servent du pouvoir pour la protection de leurs privilèges et de leurs intérêts égoïstes.

La C.S.N. croit qu'une véritable démocratie politique ne peut se concevoir sans la démocratisation de l'économie. Elle s'oppose à toute forme de totalitarisme.

Le travail

Le travail, principal facteur de la production des richesses, engage l'homme avec tout ce qu'il est : ses forces physiques, son intelligence, sa volonté, ses responsabilités, ses mobiles et ses aspirations.

La C.S.N. estime donc qu'on ne doit pas considérer uniquement l'aspect matériel et quantitatif du travail et elle réclame avec force des conditions de travail et d'emploi qui respectent la dignité des travailleurs et leur permettent de remplir normalement leurs obligations.

La C.S.N. réclame aussi que le travailleur participe à l'élaboration des conditions de travail et à la vie de l'entreprise.

Puisque chaque homme a le devoir que lui impose la nature de conserver son existence, il a le droit naturel de travailler et la société doit lui assurer la possibilité de se procurer un emploi stable et rémunérateur conforme à ses aspirations et à ses aptitudes.

Revenu du travailleur

Les travailleurs de tous les pays ont droit à un salaire équitable et à un revenu comparable qui leur permettent de vivre, ainsi que leur famille, dans des conditions humaines acceptables.

Les travailleurs doivent recevoir de l'entreprise leur juste part de la richesse qu'ils contribuent à créer. Ils ont aussi droit de participer à la prospérité générale de la nation.

La C.S.N. croit aussi qu'il doit y avoir égalité de salaire entre la main-d'œuvre masculine et la main-d'œuvre féminine pour un travail de valeur égale.

Le syndicalisme

Le syndicalisme constitue pour les travailleurs un moyen essentiel de défendre et de promouvoir leurs intérêts professionnels. Si le syndicat représente réellement les travailleurs concernés, il est l'organisme normal de négociation, de représentation, de collaboration et de participation à tous les échelons : l'entreprise, l'industrie et l'économie nationale. En conséquence, on doit reconnaître à tous les travailleurs sans distinction le droit d'association et leur en garantir le libre exercice.

Parmi ses objectifs immédiats dans ce domaine, la C.S.N. veut assurer le plein exercice du droit d'association et elle préconise les conventions collectives, les mesures de sécurité sociale et une saine législation du travail. Elle attache beaucoup d'importance à la formation économique, professionnelle, sociale, intellectuelle et morale des travailleurs.

La propriété

La C.S.N. rappelle la destination universelle de toutes les ressources de la terre et la finalité sociale des biens matériels.

La C.S.N. reconnaît la légitimité du droit de propriété privée et affirme son double caractère individuel et social. Elle se garde bien cependant d'identifier propriété privée et capitalisme. Elle répudie le capitalisme libéral et rejette le marxisme sous toutes ses formes.

Elle réclame donc pour les travailleurs, comme pour les autres membres de la société, les moyens de posséder des biens à titre privé.

L'exercice du droit de propriété doit être réglé selon la nature de l'objet, suivant qu'il s'agit d'un bien d'usage personnel ou d'un bien de production. La propriété privée ou publique des biens de production est grevée de charges sociales plus grandes qui découlent de la nature de ces biens, de leur subordination au bien commun de la société et du fait que la vie des travailleurs est engagée dans l'entreprise.

L'État doit surveiller toute l'activité économique pour assurer la primauté de l'intérêt général sur l'intérêt particulier. Certaines entreprises, à cause de leur grande importance pour le bien-être des citoyens ou de leurs tendances aux abus, ont besoin d'être suivies de plus près et contenues dans les limites justes par des interventions appropriées.

S'il y a danger pour le bien commun de laisser sous le contrôle d'intérêts privés certains services ou moyens de production, la collectivité doit en assumer la charge. La gestion de ces entreprises sera confiée, autant que possible, à des corps autonomes représentatifs de tous les intérêts.

Mouvement coopératif

La C.S.N. voit dans le mouvement coopératif un excellent moyen d'assainissement économique et social et un complément nécessaire à l'action syndicale pour réduire le coût de la vie, humaniser et démocratiser l'économie.

La vie économique

La C.S.N. estime que la vie économique doit être au service de l'homme et que la société doit permettre à tous d'en être les artisans responsables et de participer à son organisation.

La C.S.N. croit que la vie économique ne doit pas être uniquement orientée par les mécanismes de la technique, mais qu'elle doit être subordonnée aux valeurs morales et spirituelles et dirigée selon les normes de la justice et de la charité sociales.

En vue d'assurer l'harmonie dans les relations de travail et de pourvoir aux besoins de la communauté, la C.S.N. croit à la nécessité d'établir, pour l'économie, un statut juridique fondé sur la communauté de responsabilités entre tous ceux qui prennent part à la vie économique.

La C.S.N. constate qu'il existe plusieurs formes d'entreprises. Elle reconnaît comme valables celles qui, tout en poursuivant leur fin propre, respectent la personne humaine et servent le mieux le bien commun.

La C.S.N. préconise la participation des travailleurs à la direction des entreprises par l'introduction d'éléments du contrat de société dans le contrat de travail. Cette évolution favorisera l'intégration des travailleurs dans l'entreprise et conduira à une meilleure collaboration entre l'employeur, les employés et leur organisation syndicale. Ainsi, comme il se doit, la direction des entreprises cessera de représenter les intérêts du capital.

La vie économique doit être organisée de façon à assurer une collaboration étroite entre les autorités publiques et les organisations d'employeurs et de travailleurs aux échelons industriel et national.

À l'échelon industriel, les travailleurs et leurs employeurs, par leur organisation syndicale, doivent se rejoindre en formant des organismes de collaboration qui auront pour fonction d'étudier les problèmes généraux de leur industrie et de trouver des solutions adéquates.

Aux échelons provincial et national, selon les juridictions établies, la C.S.N. croit à la nécessité d'organismes appropriés où les représentants des travailleurs et des employeurs doivent être désignés par leur organisation respective et dont le rôle est de coordonner et d'orienter la vie économique sous la surveillance de l'État.

Enfin, la C.S.N. croit que le Canada, de concert avec les autres États, doit viser à l'organisation internationale de l'économie afin d'assurer une meilleure distribution des richesses et de garantir, en même temps que la sécurité et la stabilité économique dans le monde, la paix et l'harmonie entre les nations.

Sécurité sociale

La C.S.N. affirme que le travailleur a droit à la sécurité résultant d'un revenu suffisant, de la stabilité de l'emploi et de la protection efficace contre les risques du travail et certains risques inhérents à la vie.

La C.S.N. croit que l'on doit d'abord ordonner la production des biens matériels à la satisfaction des besoins humains légitimes et établir une politique de plein emploi. Mais il est aussi nécessaire d'adopter des mesures de sécurité sociale qui prévoient des revenus de remplacement et de complément. Dans l'élaboration et l'application de ces mesures, on doit respecter les droits des personnes et faire appel à la collaboration des intéressés et leurs organismes représentatifs.

La famille

La famille a une telle importance qu'on doit tout faire pour préserver son intégrité, garantir ses droits et assurer son plein épanouissement. Antérieure à la société civile, dont elle est la première cellule, elle ne peut lui sacrifier son rôle, ses fonctions et ses prérogatives essentielles.

La C.S.N. réclame pour la famille des travailleurs, la possibilité d'exercer tous ses droits : le droit des époux à une vie conjugale normale ; le droit du père de famille à pourvoir à la subsistance des siens ; le droit de la mère à accomplir au foyer sa tâche de gardienne, de ménagère et d'éducatrice ; le droit des parents à

élever leurs enfants et à leur assurer une éducation et une instruction adéquates ;
le droit à une habitation salubre et suffisamment spacieuse dont ils seront, autant
que possible, propriétaires.

Instruction et culture

La C.S.N. croit que l'instruction à tous les degrés et la culture doivent être
accessibles à tous les citoyens. La C.S.N. croit qu'il faut démocratiser notre système
d'enseignement de façon à y assurer partout une représentation équitable des parents,
premiers responsables de l'éducation.

A. VOLUMES

Archambault, J.-P., *les Syndicats catholiques*, Montréal, Éditions de la vie nouvelle, 1969, 82 p.

Bernard, Paul, *Structures et pouvoirs de la Fédération des travailleurs du Québec*, Bureau du Conseil privé, Ottawa, Équipe spécialisée en relations de travail, étude n⁰ 13, 1969, 367 p.

Cardin, Jean-Réal, *Syndicalisme national catholique et droit syndical québécois*, thèse de M.A. (relations industrielles), Université de Montréal, 1948, 125 p., publiée dans le Cahier n⁰ 1 de l'Institut social populaire, Montréal, Éditions Bellarmin, juin 1957, 79 p.

Charpentier, Alfred, *Montée triomphale de la C.T.C.C. de 1921 à 1951*, Montréal, Thérien et Frères, 1951, 120 p.

Charpentier, Alfred, *Ma conversion au syndicalisme catholique*, Montréal, Fides, 1946.

C.S.N., *En grève*, Montréal, Éditions du Jour, 1963, 180 p.

Cousineau, Jacques, *Réflexions en marge de la Grève de l'amiante : contribution critique à une recherche*, Montréal, Les Cahiers de l'Institut social populaire, septembre 1958, 79 p.

Crispo, John H.G., *International Unionism*, Toronto, McGraw Hill, 1967, 327 p.

Després, J.-P., *le Mouvement ouvrier canadien*, Montréal, Fides, 1946, 205 p.

DesRosiers, R., Grou, A. et Héroux, D., *le Travailleur québécois et le syndicalisme*, Montréal, « Cahiers de Sainte-Marie », n⁰ 2, 1966, 120 p.

F.T.Q., *Guide F.T.Q.-La sécurité sociale*, Montréal, Éditions F.T.Q., 1967, 169 p.

F.T.Q., *Politique de la F.T.Q. 1960-1967*, Montréal, Éditions F.T.Q., 1967, 125 p.

Hardy, Laurent, *Brève Histoire du syndicalisme ouvrier au Canada*, Montréal, Éditions de l'Hexagone, 1958, 152 p.

Leurs Excellences Nosseigneurs les Archevêques et Évêques de la province civile de Québec, *le Problème ouvrier en regard de la doctrine sociale de l'Église*, Institut social populaire, Montréal, Éditions Bellarmin, n⁰ˢ 433-434, avril-mai 1950, 79 p.

Lipton, C., *The Trade Union Movement of Canada, 1827-1959*, Montréal, Canadian Social Publications, 1966, 366 p.

McGill University, *Changing Patterns in Industrial Relations*, XIIIᵉ conférence annuelle, Industrial Relations Centre, 1961, 117 p.

McGill University, *Domination or Independence ? The problem of Canadian Autonomy in Labour-Management Relations*, XVIᵉ conférence annuelle, Industrial Relations Centre, 1965, 162 p.

McGill University, *Labour Relations Trends, Retrospect and Prospect*, X[e] conférence annuelle, *Industrial Relations Centre*, 1958, 102 p.

Mehling, Jean, *Analyse socio-économique d'une grève*, Montréal, Éditions Beauchemin, 1963, 216 p.

Pepin, Marcel, *Positions*, Montréal, C.S.N., 1968, 181 p.

Semaine sociale du Canada, *Syndicalisme et organisation professionnelle*, 37e session, Trois-Rivières, 1960, 242 p.

Trudeau, P.-E. (éd.), *la Grève de l'amiante*, Montréal, Éditions Cité libre, 1956, 430 p.

Université Laval, *Changements économiques et transformations syndicales*, XIIe congrès des relations industrielles, Québec, P.U.L., 1957, 180 p.

Université Laval, *la Fusion C.M.T.C.-C.C.T.*, numéro spécial, *Relations industrielles*, Québec, P.U.L., vol. XII, n°s 1 et 2, 1957, 180 p.

Université Laval, *le Règlement des conflits de droit*, IXe congrès des relations industrielles, Québec, P.U.L., 1954, 137 p.

Université Laval, *le Règlement des conflits d'intérêts en relations de travail dans la province de Québec*, XIIIe congrès des relations industrielles, Québec, P.U.L., 1958, 193 p.

Université Laval, *Socialisation et relations industrielles*, XVIIIe congrès des relations industrielles, Québec, P.U.L., 1963, 188 p.

Université Laval, *le Syndicalisme canadien : une réévaluation*, rapport du XXIIIe congrès des relations industrielles de l'Université Laval, Québec, P.U.L., 1968, 203 p.

B. ARTICLES

Barnes, Samuel H., « The Evolution of Christian Trade Unions in Quebec », dans A.E. Kovacs, *Readings in Canadian Labour Economics*, Toronto, McGraw Hill, 1961, p. 58-74.

Boisvert, Réginald, « Unité ouvrière à tout prix », *Cité libre*, Montréal, vol. V, n° 3, novembre 1955, p. 41-42.

Boisvert, Réginald, « Réflexions sur un scandale syndical », *Cité libre*, Montréal, vol. IV, n° 9, mars 1954, p. 38-42.

Boudreau, Émile, « Murdochville : douze ans d'organisation », *Socialisme 64*, Montréal, Éditions socialistes, n°s 3-4, hiver 1964, p. 3-30.

Cardin, Jean-Réal, « Syndicalisme chrétien et droit québécois du travail : 1947-1957 », *Relations industrielles*, Québec, P.U.L., vol. XIII, n° 1, janvier 1958, p. 28-38.

Charpentier, Alfred, « Le mouvement ouvrier politique de Montréal », *Relations industrielles*, Québec, P.U.L., vol. X, n° 3, mars 1955, p. 74-95.

Charpentier, Alfred, « La grève du textile dans le Québec en 1937 », *Relations industrielles*, Québec, P.U.L., vol. XX, n° 1, janvier 1965, p. 86-129.

Charpentier, Alfred, « La grève de l'amiante : version nouvelle », *Relations industrielles*, Québec, P.U.L., vol XIX, n° 2, avril 1964, p. 217-238.

Chartier, Roger, « Chronologie de l'évolution confessionnelle de la C.T.C.C. (C.S.N.) », *Relations industrielles*, Québec, P.U.L., vol. XVI, n° 1, janvier 1961, p. 102-113.

Chartier, Roger, « Législation du travail, peur et conflit », *Relations industrielles*, Québec, P.U.L., vol. XIII, n° 3, juillet 1958, p. 254-309.

Chartier, Roger, « Positions et tendances du syndicalisme ouvrier canadien », *Relations industrielles*, Québec, P.U.L., vol. XV, n° 1, janvier 1960, p. 102-114.

Cousineau, Jacques, s.j., « La grève de l'amiante », *Relations*, Montréal, École sociale populaire, IXe année, n° 102, juin 1949, p. 146-147.

Dion, Gérard, « Syndicalisme et culture », *Relations industrielles*, Québec, P.U.L., vol. XII, n° 3, juillet 1957, p. 176-198.

Le syndicalisme québécois

Dion, Gérard, « Confessionnalité syndicale et régime juridique du travail dans le Québec », *Relations industrielles*, Québec, P.U.L., vol. XIV, n° 2, avril 1959, p. 162-180.

Dion, Gérard, « La concurrence syndicale dans le Québec », *Relations industrielles*, Québec, P.U.L., vol. XXII, n° 1, janvier 1967, p. 74-85.

Dion, Gérard, « Panorama actuel du syndicalisme dans la province de Québec », *Ad usum sacerdotum*, vol. X, n°s 6-7-8, mars-avril-mai 1955, p. 93-140.

Dion, Gérard, « Le mouvement syndical québécois (1957) », *Relations industrielles*, Québec, P.U.L., vol. XIII, n° 4, octobre 1958, p. 366-385.

Dion, Gérard, « Corps intermédiaires : groupe de pression ou organisme administratif », *Relations industrielles*, Québec, P.U.L., vol. XIX, n° 4, octobre 1964, p. 463-477.

Dion, Gérard, « Les groupements syndicaux dans la province de Québec, *Relations industrielles*, Québec, P.U.L., vol. XI, n° 1, décembre 1955, p. 1-24.

Dumont, Fernand, « L'étude systématique de la société globale canadienne-française », *Recherches sociographiques*, Québec, P.U.L., vol. III, n°s 1-2, janvier-août 1962, p. 278-292.

Dumont, Fernand, « Notes sur l'analyse des idéologies », *Recherches sociographiques*, Québec, P.U.L., vol. IV, n° 2, 1963, p. 155-165.

Gosselin, Émile, « Rôle du syndicalisme dans la vie politique », *Relations industrielles*, Québec, P.U.L., vol. IX, n° 1, décembre 1953, p. 2-15.

Lamarche, Guy, « Le deuxième congrès de la F.T.Q. (Québec 1958), *Relations industrielles*, Québec, P.U.L., vol. XIV, n° 1, janvier 1959, p. 52-57.

Maheu, Louis, « Problème social et naissance du syndicalisme catholique », *Sociologie et Sociétés*, Montréal, P.U.M., vol. 1, n° 2, mai 1969, p. 303-313.

Marchand, Jean, « La C.S.N. a quarante ans », *Relations industrielles*, Québec, P.U.L., vol. XVI, n° 4, octobre 1961, p. 471-474.

Morin, J.-V., « Propos sur le syndicalisme et la question nationale », *Parti pris*, Montréal, Éditions Parti pris, vol. II, n° 6, février 1965, p. 13-18.

Morin, J.-V., « Quelques points de repères », *Parti pris*, Montréal, Éditions Parti pris, vol. II, n° 6, février 1965, p. 7-12.

Pelletier, Gérard, « Les bills 19 et 20 », *l'Action Nationale*, Montréal, Ligue d'Action Nationale, vol. XLII, n°s 3-4, mars-avril 1954, p. 351-362.

Picard, Gérard, « La sécurité syndicale et le syndicat », dans *Convention collective : sécurité syndicale*, IIe congrès des relations industrielles, Université Laval, Québec, p. 151-166.

Provost, Roger, « La F.T.Q. et l'action politique à l'échelle provinciale », *Relations industrielles*, Québec, P.U.L., vol. XIII, n° 1, janvier 1958, p. 54-57.

Richard, Jean d'Auteuil, « Le syndicalisme catholique national au Canada », *Culture*, vol. 1, n° 3, septembre 1940, p. 290-308.

Roy, Michel, « La grève des réalisateurs de Radio-Canada », *Relations industrielles*, Québec, P.U.L., vol. XIV, n° 2, avril 1959, p. 265-279.

Sexton, Jean, « La C.S.N. et la société de consommation », *Relations industrielles*, Québec, P.U.L., vol. XXV, n° 1, janvier 1970, p. 95-103.

Têtu, Michel, « Les congrès qui décidèrent de la fondation de la C.T.C.C. », *Relations industrielles*, Québec, P.U.L., vol. XVIII, n° 2, avril 1963, p. 197-214.

Têtu, Michel, « La Fédération ouvrière mutuelle du Nord », *Relations industrielles*, Québec, P.U.L., vol. XVII, n° 4, octobre 1962, p. 402-421.

Tremblay, L.-M., « L'évolution du syndicalisme dans la révolution tranquille », *Relations industrielles*, Québec, P.U.L., vol. XXII, n° 1, janvier 1967, p. 86-97.

Tremblay, L.-M., « L'action politique syndicale », *Relations industrielles*, Québec, P.U.L., vol. XXI, n° 1, janvier 1966, p. 44-56.

Tremblay, L.-M., « L'influence extragène en matière de direction syndicale au Canada », *Relations industrielles*, Québec, P.U.L., vol. XIX, n° 1, janvier 1964, p. 36-53.

Vadeboncœur, Pierre, « Projection du syndicalisme américain », *Écrits du Canada français*, Montréal, vol. 9, 1961, p. 149-260.

Bibliographie choisie

C. THÈSES

Angers, Bernard, *Syndicats ouvriers et syndicats de fonctionnaires*, thèse de M.A. (relations industrielles), Québec, Université Laval, 1963, 93 p.

Beaudoin, Guy, *La grève chez Price Brothers and Company Limited en 1943*, thèse de M.A. (relations industrielles), Québec, Université Laval, 1957, 159 p.

Bibeault, Réal, *Le syndicat des débardeurs de Montréal*, thèse de M.A. (relations industrielles), Montréal, Université de Montréal, 1954, 63 p.

Blais, Raynald, *L'idéologie économique de la Confédération des syndicats nationaux*, thèse de M.A. (relations industrielles), Montréal, Université de Montréal, 1971, 270 p.

Brossard, Michel, *L'idéologie économique de la Fédération des travailleurs du Québec*, thèse de M.A. (relations industrielles), Montréal, Université de Montréal, 1969, 347 p.

Chandonnet, Jean, *Le problème de la syndicalisation dans le commerce de détail au Québec*, thèse de M.A. (relations industrielles), Québec, Université Laval, 1956, 52 p.

Charbonneau, Jean, *La syndicalisation des employés de bureau*, thèse de M.A. (relations industrielles), Montréal, Université de Montréal, 1954, 65 p.

Conti, Raymond, *Les relations syndicales canado-américaines*, thèse de M.A. (relations industrielles), Montréal, Université de Montréal, 1959, 165 p.

De Guise, J.-G., *Monographie historique du Conseil central des syndicats nationaux de Montréal de 1920 à 1955*, thèse de M.A. (relations industrielles), Montréal, Université de Montréal, 1962, 160 p.

Delorimier, François, *Les grèves de Sorel de 1937*, thèse de M.A. (relations industrielles), Montréal, Université de Montréal, 1951, 81 p.

Déom, André, *La grève de Lachute*, thèse de M.A. (relations industrielles), Montréal, Université de Montréal, 1951, 113 p.

Ferragne, Roger, *Le syndicalisme dans les hôpitaux catholiques de Montréal*, thèse de M.A. (relations industrielles), Montréal, Université de Montréal, 1952, 190 p.

Fournier, Léonard, *Climat des relations de travail au début du siècle dans la province de Québec*, thèse de M.A. (relations industrielles), Montréal, Université de Montréal, 1956, 200 p.

Groulx, Gilles, *Le syndicalisme dans l'industrie du textile du Québec*, thèse de M.A. (relations industrielles), Montréal, Université de Montréal, 1954, 150 p.

Grant, Michel, *La fédération des unions industrielles du Québec et l'action politique syndicale*, thèse de M.A. (relations industrielles), Montréal, Université de Montréal, 1968, 176 p.

Isbester, A.F., *Another Look at the Asbestos Workers' Strike of 1949*, thèse de M.A. (histoire), Lennoxville, Bishop's University, 1963, 130 p.

Larouche, Viateur, *L'évolution des unités de négociation dans le secteur hospitalier, 1960-1965*, thèse de M.A. (relations industrielles), Montréal, Université de Montréal, 1966, 206 p.

Lesage, Jacques, *Le syndicalisme chez les fonctionnaires municipaux de la Ville de Montréal*, thèse de M.A. (relations industrielles), Montréal, Université de Montréal, 1957, 73 p.

Lortie, Guy, *L'évolution de l'action politique de la Confédération des syndicats nationaux*, thèse de M.A. (relations industrielles), Québec, Université Laval, 1965, 98 p.

Martin, Jacques, *Les chevaliers du travail et le syndicalisme international à Montréal*, thèse de M.A. (relations industrielles), Montréal, Université de Montréal, 1965, 140 p.

Paradis, Claude, *Le pluralisme syndical et son application aux relations patronales-ouvrières de Radio-Canada*, thèse de M.A. (relations industrielles), Montréal, Université de Montréal, 1958, 114 p.

Pepin, Marcel, *Monographie syndicale de la Fédération nationale catholique du textile*, thèse de M.A. (relations industrielles), Québec, Université Laval, 1949, 119 p.

Perras, Sylvio, *Pluralisme syndical québécois*, thèse de M.A. (relations industrielles), Montréal, Université de Montréal, 1955, 110 p.

Perreault, Lucien, *Le syndicat dans l'industrie manufacturière du tabac*, thèse de M.A. (relations industrielles), Montréal, Université de Montréal, 1952, 90 p.

Provençal, Lucien, *La nouvelle carte syndicale canadienne après la fusion*, thèse de M.A. (relations industrielles), Montréal, Université de Montréal, 1957, 95 p.

Raynauld, André, *La grève des instituteurs*, thèse de M.A. (relations industrielles), Montréal, Université de Montréal, 1951, 209 p.

Rheault, René, *Sécularisation et syndicalisme*, thèse de M.A. (relations industrielles), Québec, Université Laval, 1967, 143 p.

Saint-Amand, André, *Le mouvement syndical chez les ingénieurs*, thèse de M.A. (sociologie), Montréal, Université de Montréal, 1965, 187 p.

Sénécal-David, Hélène, *Le conseil des métiers de la construction à Montréal (C.S.N.) : analyse d'une organisation syndicale*, thèse de M.A. (sociologie), Montréal, Université de Montréal, 1964, 174 p.

Talbot, Pierre, *Le syndicalisme des fonctionnaires municipaux*, thèse de M.A. (relations industrielles), Québec, Université Laval, 1955, 159 p.

Têtu, Michel, *Les premiers syndicats catholiques canadiens, 1900-1921*, thèse de doctorat (lettres), Québec, Université Laval, 1961, 562 p.

Tremblay, Louis-Marie, *La théorie de Selig Perlman et le syndicalisme canadien*, thèse de doctorat (sciences sociales), Québec, Université Laval, 1964, 500 p.

Vaillancourt, Mathieu, *La distribution des pouvoirs à la Confédération des syndicats nationaux*, thèse de M.A. (relations industrielles), Québec, Université Laval, 1966, 77 p.

Vaillancourt, Michel, *Le syndicalisme des médecins au Québec*, thèse de M.A. (relations industrielles), Montréal, Université de Montréal, 1966, 177 p.

Vallée, Émile, *Les unions internationales et la concurrence des syndicats confessionnels au Québec*, thèse de M.A. (relations industrielles), Québec, Université Laval, 1966, 118 p.

D. DOCUMENTS SYNDICAUX

Constitutions et déclarations de principe
Mémoires législatifs et mémoires particuliers aux gouvernements fédéral et provincial
Rapports de congrès
Journaux syndicaux : *le Travail* et *le Monde ouvrier*
Communiqués de presse.

E. DOCUMENTS PUBLICS

1. CANADA

Gazette du travail (mensuel), journal officiel du ministère du Travail.

Taux de salaires, traitements et heures de travail (annuel), ministère du Travail, Division de l'économique et des recherches.

Grèves et lock-out au Canada (annuel), ministère du Travail, Division de l'économique et des recherches.

Revue canadienne de la main-d'œuvre (trimestriel), ministère de la Main-d'œuvre et de l'Immigration.

Revue de la main-d'œuvre — région Québec, ministère de la Main-d'œuvre et de l'Immigration.

Normes de travail au Canada (annuel), ministère du Travail, Division de la législation.

Conditions de travail dans l'industrie canadienne, ministère du Travail, Division de l'économique et des recherches.

Organisations de travailleurs au Canada (annuel), ministère du Travail, Division de l'économique et des recherches.

Pour les conventions collectives : cf. Conseil du trésor.

Pour les documents occasionnels : cf. surtout Division de l'économique et des recherches (répertoire des travaux et des recherches en relations industrielles).

2. QUÉBEC

Bulletin mensuel d'information, 1945-1964.

Bulletin d'information du ministère du Travail, 1964, ministère du Travail.

Journal du travail, 1965 (mensuel), ministère du Travail.

Québec travail, 1966 (mensuel), ministère du Travail.

En jurisprudence du travail, cf. :

Décisions du Commissaire enquêteur (mensuel).

Répertoire de jurisprudence.

Sentences arbitrales (mensuel).

Table des matières

Le syndicalisme québécois   *285*

Achevé d'imprimer à Montréal
le 23 octobre 1972
par les Presses Elite